Gerd Theißen, Der Schatten des Galiläers

Gerd Theißen

DER SCHATTEN DES GALILÄERS

Historische Jesusforschung
in erzählender Form

Chr. Kaiser

1.–4. Tausend September 1986
5.–10. Tausend Januar 1987
11.–20. Tausend April 1987
21.–25. Tausend Dezember 1987
26.–30. Tausend März 1988
31.–35. Tausend Oktober 1988
36.–40. Tausend März 1989
41.–45. Tausend Oktober 1989

CIP-Kurztitelaufnahme der Deutschen Bibliothek

Theissen, Gerd:
Der Schatten des Galiläers: histor. Jesusforschung
in erzählender Form / Gerd Theissen. – München:
München: Kaiser 1989
ISBN 3-459-01656-6

8. Auflage 1989
© 1986 Chr. Kaiser Verlag München
Alle Rechte vorbehalten, auch die des auszugsweisen Nachdrucks,
der fotomechanischen Wiedergabe und der Übersetzung;
Fotokopieren nicht gestattet.
Umschlag: Ingeborg Geith, München, unter Verwendung
eines Fotos von Werner Neumeister, München
Gesamtherstellung: Breklumer Druckerei Manfred Siegel KG
Printed in Germany

FÜR OLIVER UND GUNNAR

Inhalt

Anstatt eines Vorworts

Sehr geehrter Herr Kollege Kratzinger,

vielen Dank für Ihren Brief. Es ist wahr, was gerüchteweise
bis zu Ihnen gedrungen ist: Ich schreibe an einer Jesuserzäh-
lung. Sie beschwören mich, dies Buch nie zu veröffentlichen.
Sie fürchten um meinen Ruf als Wissenschaftler und sorgen
sich um das Ansehen der neutestamentlichen Exegese. Ihre
Sorgen wären berechtigt, handelte es sich um einen jener Je-
susromane, in denen mit Phantasie ausgemalt wird, worüber
historische Quellen schweigen, und die geschichtliche
Wahrheit der Wirkung geopfert wird. Ich darf Sie beruhigen:
Ich habe große Scheu, etwas über Jesus zu schreiben, was
nicht auf Quellen basiert. In meinem Buch steht nichts über
Jesus, was ich nicht auch an der Universität gelehrt habe.

Frei erfunden ist dagegen die Rahmenhandlung. Ihre
Hauptgestalt, Andreas, hat nie gelebt, hätte aber in der Zeit
Jesu leben können. In der Erzählung von ihm sind viele historische Quellen verarbeitet. Seine Erfahrungen sollen veranschaulichen, was damals Menschen in Palästina immer wieder erleben konnten.

Sie werden fragen: Wird der Leser dies Gewebe von »Dichtung und Wahrheit« durchschauen, wird er Erfundenes von
Historischem unterscheiden können? Um dies zu ermöglichen, sind dem Text fortlaufend Anmerkungen beigegeben,
in denen die verarbeiteten Quellen zitiert sind. Natürlich
steht es jedem Leser frei, diese Anmerkungen zu überschla-
gen.

Was ich mit dem Buch eigentlich will, fragen Sie. Im Grunde nur eins: Ich möchte in erzählender Form ein Bild von Jesus und seiner Zeit entwerfen, das sowohl dem derzeitigen
Stand der Forschung entspricht als auch für die Gegenwart
verständlich ist. Die Erzählung soll so gestaltet sein, daß
nicht nur das Ergebnis, sondern der Prozeß des Forschens
dargestellt wird. Ich wähle die erzählende Form, um Erkennt-

nisse und Argumente der Wissenschaft auch Lesern nahe zu bringen, die keinen Zugang zu historischen Studien haben.

Vielleicht darf ich Ihnen das erste Kapitel zur Stellungnahme schicken. Ich würde mich freuen, wenn sie nach seiner Lektüre positiver über mein Vorhaben urteilen könnten.

Mit freundlichen Grüßen
Ihr
Gerd Theißen

1. KAPITEL

Das Verhör

Die Zelle war dunkel. Eben noch hatten sich Menschen in Panik um mich gedrängt. Jetzt war ich allein. Mein Schädel brummte. Meine Glieder schmerzten. Die Soldaten hatten harmlos ausgesehen, hatten mitdemonstriert und mitgeschrien. Niemand konnte ahnen, daß sie Spitzel waren, bis sie ihre versteckten Knüppel herausholten und auf uns einschlugen. Die meisten von uns flohen. Einige wurden auf der Flucht totgetrampelt, andere wurden von knüppelnden Soldaten erschlugen.

Ich hatte keinen Grund gehabt zu fliehen. War ich doch nur zufällig mit Timon und Malchos vorbeigekommen. Nicht die Demonstration hatte mich interessiert. Mich interessierte Barabbas, den ich unter den Demonstranten entdeckt hatte. Ich wollte gerade zu ihm, als die Panik ausbrach und alles im Durcheinander der Schreie, Prügel, Pfiffe und Tritte unterging. Als ich wieder zu mir kam, war ich inhaftiert. Timon auch. Ob Malchos entkommen war?

Jetzt hockte ich in dieser Finsternis. Ich spürte die Schmerzen in meinem Körper. Es waren nicht nur die Schläge und Fesseln, die weh taten. Was die Glieder verkrampfte, war mehr: Es war die Erniedrigung durch brutale Gewalt. Es war die Angst vor weiterer Erniedrigung, der ich ohnmächtig ausgesetzt sein würde.

Eine Wache ging draußen auf und ab. Ich hörte Stimmen. Jemand schloß auf. Ich wurde in Fesseln zum Verhör geschleppt – irgendwo im Jerusalemer Amtssitz des römischen Präfekten. Ein Offizier saß mir gegenüber. Ein Schreiber führte Protokoll.

»Sprichst du Griechisch?« lautete die erste Frage.

»Alle Gebildeten sprechen bei uns Griechisch«, antwortete ich.

Der Mann, der mich verhörte, hatte ein fein gegliedertes Gesicht. Seine wachen Augen musterten mich eindringlich. Unter anderen Umständen wäre er mir vielleicht sympathisch gewesen.

»Wie heißt du?«

»Andreas, Sohn des Johannes.«

»Woher stammst du?«

»Aus Sepphoris in Galiläa.«

»Beruf?«

»Obst- und Getreidehändler.«

Der Offizier machte eine Pause und wartete, bis der Schreiber alles mit kratzender Feder notiert hatte.

»Was suchst du in Jerusalem?« setzte er sein Verhör fort.

»Ich habe am Pfingstfest teilgenommen.«

Er hob den Blick und sah mir direkt in die Augen: »Warum hast du gegen Pilatus demonstriert?«

»Ich habe nicht demonstriert. Ich bin zufällig in die Demonstration hineingeraten.«

Hätte ich sagen sollen, daß ich einen alten Bekannten in der demonstrierenden Menge erkannt hatte? Auf keinen Fall! Barabbas war ein Römerhasser. Womöglich stand er auf den Fahndungslisten. Ich durfte mit ihm nicht in Verbindung gebracht werden.

»Du behauptest, du hättest nicht mitgeschrien: Kein Geld für Pilatus!«

»Ich weiß nicht einmal, worum es geht«, log ich.

Der Beamte lächelte abfällig. Wußte doch jeder, der sich damals in Jerusalem aufhielt, daß es sich um das Geld handelte, das Pilatus aus dem Tempelschatz nehmen wollte, um eine neue Wasserleitung für Jerusalem bauen zu lassen.[1]

---

1 Vgl. Josephus bell 2,175–177 (II, 9,4): »Einige Zeit später gab er (= Pilatus) den Anlaß zu erneuter Unruhe, da er den Tempelschatz, der Korban genannt wird, für eine Wasserleitung verbrauchte; ... Die Menge war darüber sehr erbost, und als Pilatus nach Jerusalem kam, drängte sie sich schreiend und schimpfend um seinen Richterstuhl. Pilatus hatte diese Unruhe der Juden im voraus vermutet und eine Anzahl von Soldaten, zwar bewaffnet, aber als Zivilisten verkleidet, unter die Menge gemischt und ihnen den Befehl gegeben, vom Schwert keinen Gebrauch zu machen, die Schreier aber mit Knüppeln zu bearbeiten. Nun gab er vom Richterstuhl her das verabredete Zeichen; als es aber plötzlich Schläge hagelte, gingen viele Juden unter den Streichen zugrunde, viele andere aber wurden auf der Flucht von ihren eigenen Landsleuten niedergetreten. Erschreckt über das Schicksal der Getöteten verstummte das Volk.«

»Du solltest wissen, daß man sich aus einer demonstrierenden Menge entfernt.«

»Niemand war bewaffnet. Alles verlief friedlich, bis die Soldaten eingriffen«, entgegnete ich hastig.

»Aber die Demonstration richtete sich gegen uns Römer. So was macht verdächtig. Warst du nicht schon einmal in Auseinandersetzungen zwischen Juden und Nichtjuden verwickelt? Kennen wir dich nicht schon?«

»Was für Auseinandersetzungen?«

»Ich meine Konflikte in unseren Städten, bei denen Hitzköpfe in deinem Alter aneinandergeraten. Es fängt mit dummen Streichen an und endet mit Straßenschlachten wie in Cäsarea!«[2]

»Meine Heimatstadt, Sepphoris, ist ruhig. Die Bewohner sind meist Juden – aber sie sind griechisch gebildet.«

»Sepphoris sagst du? Hat es nicht auch in Sepphoris Unruhen gegeben? Wie war das mit der Revolte nach dem Tod des Herodes? Eure Stadt war ein richtiges Terroristennest!«[3] schrie er mich unvermittelt an.

»Das ist nicht wahr. Vor 33 Jahren gab es in ganz Palästina einen Aufstand gegen Römer und Herodäer. Die Aufständischen eroberten im Handstreich unsere Stadt und zwangen ihre Bewohner zum Krieg gegen die Römer. Die Stadt hat es büßen müssen. Der römische General Quintilius Varus sandte Truppen gegen sie, ließ sie erobern, verbrennen, die Bevölkerung töten oder in die Sklaverei verkaufen. Es war eine schreckliche Katastrophe für unsere Stadt!«

Wie konnte ich ihn nur von diesem Thema wegbringen? Nicht alle waren damals getötet und versklavt worden. Einigen war die Flucht gelungen. Zu ihnen gehörte auch der Vater des Barabbas. Barabbas hatte es mir oft erzählt. Ob sie mich seinetwegen ver-

2 Josephus berichtet von Krawallen in Cäsarea kurz vor Ausbruch des Jüdischen Krieges, also 66 n.Chr. (Jos. bell 2,284–292 = II, 14,4f). Die Stadt war zwar von Herodes, einem Juden, gegründet worden, dieser hatte sie aber mit heidnischen Tempeln ausstatten lassen, woraus auch die Nichtjuden einen Anspruch auf die Stadt ableiteten. Der Streit um die Bürgerrechte ist schon für die 50er Jahre belegbar (vgl. bell 2,266–270 = II, 13,7), dürfte aber sehr viel ältere Wurzeln haben.
3 Zum Aufstand in Sepphoris vgl. Jos. bell 2,56 (II, 4,1); zur Zerstörung der Stadt und Versklavung ihrer Bewohner durch Quintilius Varus vgl. bell 2,68 (II, 5,1).

hörten? Aber was konnten sie von unserer Freundschaft wissen?
Auf jeden Fall mußte ich von allem ablenken, was in Verbindung
mit ihm stand. Noch einmal betonte ich:

»Alle Bewohner von Sepphoris haben für den Aufstand büßen
müssen – auch Varus ereilte sein Schicksal: Wenig später ist er in
Germanien mit drei Legionen umgekommen!«

»Worüber man sich in Sepphoris gefreut hat!« Die Stimme des
Offiziers klang immer noch wütend.

»Hier konnte sich niemand mehr freuen. Alle waren tot oder
versklavt. Die Stadt war ein Ruinenfeld. Sie wurde neu aufgebaut
von Herodes Antipas, dem Sohn des Herodes. Er siedelte dort
Leute an, die zu den Römern standen. Auch mein Vater ist damals
nach Sepphoris gekommen. Wir sind eine neue Stadt. Frag die Galiläer um uns herum: Unsere Stadt gilt als römerfreundlich. Aus
diesem Sepphoris komme ich.«[4]

»Das werden wir alles untersuchen. Noch eine Frage: Welche
Stellung hat deine Familie in der Stadt?«

»Mein Vater ist Dekurio, Mitglied des Rates.«

Unsere Stadt war wie eine griechische Stadt organisiert. Es gab
eine Bürgerversammlung, einen Rat, Wahlen und städtische Äm-
ter. Ich spielte bewußt darauf an, weil ich wußte: Die Römer unterstützten die republikanischen Städte und die Wohlhabenden
in ihnen.

»Dein Vater muß reich sein, wenn er zu den Dekurionen in
Sepphoris gehört. Was ist er von Beruf?«

»Getreidehändler wie ich.«

»Mit wem handelt ihr?«

»Galiläa versorgt die Städte an der Mittelmeerküste mit Land-
wirtschaftsprodukten: Cäsarea, Dor, Ptolemais, Tyros und Sidon.
Auch die römischen Kohorten in Cäsarea habe ich schon mit Getreide beliefert.«

»Das läßt sich überprüfen. Habt ihr Geschäftsbeziehungen zu
Herodes Antipas?«

»Natürlich! Ihm gehören die größten Güter in Galiläa. Früher
hatte er seine Residenz in Sepphoris. Ich habe oft mit seinen Verwaltern zu tun.«

---

4 Sepphoris verhielt sich im Jüdischen Krieg im Gegensatz zu fast ganz Galiläa
prorömisch; vgl. Jos. vita 346 (= 65).

Ich merkte, wie der Untersuchungsoffizier beim Thema ›Herodes Antipas‹ interessiert aufhorchte.

»Was hält man in Sepphoris von Herodes Antipas?«

»Er kann sich auf uns in der Stadt verlassen. Auf dem Land gibt es dagegen immer noch Vorbehalte gegen die Herodäer.«

Der Offizier nahm ein Schriftstück in die Hand. Er schien es schnell durchzulesen, warf einen fragenden Blick auf mich und fuhr fort:

»Hier liegt das Protokoll der Vernehmung eures Sklaven Timon. Da hört sich manches anders an. Willst du wirklich behaupten, daß ihr loyale Anhänger des Herodes Antipas seid?«

Ich erschrak. Sie hatten Timon verhört! Bei Sklaven geschah das auf der Folter. Timon konnte alles mögliche über mich und meine Familie erzählt haben. Ich merkte, wie mir das Blut in den Kopf schoß und spürte Angst im ganzen Körper.

»Also los! Was habt ihr gegen Herodes Antipas?«

»Wir unterstützen seine Herrschaft. Alle angesehenen Leute in Sepphoris und Tiberias unterstützen sie«, beteuerte ich.

»Warum macht man sich dann bei euch zu Hause über ihn lustig?«

»Wieso?«

»Euer Sklave sagt: ihr nennt ihn einen degradierten König, ein schwankendes Rohr, einen Fuchs!«

Ich lachte erleichtert:

»Er sollte einst Nachfolger des Königs Herodes werden. Aber Herodes veränderte mehrfach sein Testament. Antipas erbte weder Königswürde noch Reich, nicht einmal das größte und beste Stück, sondern nur ein Viertel von ihm: Galiläa und Peräa.«

»Und nun träumt er davon, einmal alles zu besitzen?« Plötzlich war es still im Raum. Sogar der Schreiber hatte aufgehört zu schreiben und schaute mich an.

»Vielleicht. Auf jeden Fall hat er einmal davon geträumt«, antwortete ich.

»Und das mit dem schwankenden Rohr?«

Ich hatte das beruhigende Gefühl, daß Antipas wichtiger wurde als ich. Wollte der Beamte über ihn Informationen sammeln? Etwas zuversichtlicher fuhr ich fort:

»Das mit dem ›schwankenden Rohr‹ ist eine Redensart. Als

Antipas vor 10 Jahren seine Hauptstadt von unserer Stadt nach
Tiberias verlegte, eine Stadt, die er zu Ehren des Kaisers gegründet hatte, gab es Kritik. Natürlich waren wir in Sepphoris nicht
glücklich über diese Verlegung der Hauptstadt. In einer Hauptstadt lassen sich bessere Geschäfte machen als in der Provinz.
Deswegen wurde Antipas in Sepphoris viel kritisiert.«

»Und was hat das mit dem ›schwankenden Rohr‹ zu tun?«

»Das kam so. Antipas ließ in seiner neuen Hauptstadt Münzen
prägen. Normalerweise zeigen Münzen die Bilder der Fürsten.
Aber nach jüdischem Gesetz ist es verboten, Menschen oder Tiere abzubilden! Also wählte Antipas ein harmloses Motiv, etwas,
was für seine neue Hauptstadt am galiläischen See charakteristisch ist: Schilf, schwankendes Rohr – und das steht nun auf seinen ersten Münzen gerade dort, wo sonst sein Bild gestanden hätte. Daher spottet man über ihn als ein ›schwankendes Rohr‹. Das
ist alles.«[5]

»Zwischen wem schwankt Antipas?«

»Er schwankt zwischen Sepphoris und Tiberias.«

»Nur zwischen Städten?«

»Er schwankt auch zwischen Frauen!«

»Du meinst die Affäre mit Herodias!«

»Ja, sein Schwanken zwischen seiner ersten Frau, der Naba-
täerprinzessin, und Herodias.«

»Schwankt er nicht auch zwischen Nabatäern und Römern?
Immerhin war er mit einer Tochter des Nabatäerkönigs verheiratet!«

Aha – deswegen interessierten sich die Römer für den schwankenden Antipas! Ruhig sagte ich – und es entsprach der Wahrheit:

»Nein! Antipas ist wie sein Vater Herodes absolut prorömisch.«

»Aber wie reimt sich das dazu, daß er gleichzeitig streng jü-
disch ist. Er lehnt Bilder ab, wie du sagtest.«

»Das tun alle Juden.«

»Wirklich? Euer Sklave Timon erzählte uns, in einem Nebenraum stünde in eurem Haus ein Götzenbild!«

»Das ist eine Statue, die uns ein heidnischer Geschäftsfreund

---

5 Die Gründungsmünzen von Tiberias enthalten tatsächlich Schilfrohr als Zeichen des Herodes Antipas.

geschenkt hat. Wir wollten ihn nicht durch Zurückweisung des Geschenkes verletzen«, sagte ich verlegen.

»Das ist ja interessant: Ihr habt Götterbilder in euren Häusern versteckt!«

»Selbst Antipas hat Tierbilder in seinem Palast![6] Und wie ihr wißt, läßt sein Bruder Philippus auf seinen Münzen sogar den Kaiser abbilden!«

»Was, Tierbilder? Stimmt das wirklich?«

»Ich habe sie selbst gesehen. Sie sind in Tiberias in seinem neuen Palast. Im eigenen Hause sind die wohlhabenden Leute großzügiger mit den jüdischen Gesetzen als in der Öffentlichkeit.«

»Na, wie wäre es, wenn man unters Volk brächte: Antipas treibt heimlich Götzendienst! Und manche Leute in Sepphoris sind nicht viel besser!«

»Bilder sind keine Götter. Die Bilder sind von Handwerkern gemacht. Sie sind Dinge wie alle anderen Dinge. Wenn so ein ›Ding‹ bei uns herumsteht, treiben wir deshalb noch keinen Götzendienst.«

»Das verstehe ich nicht. Alle Welt verehrt die Götter durch Statuen.«

»Nie werden wir verehren, was Menschen geschaffen haben. Gott ist unsichtbar. Man kann sich kein Bild von ihm machen.«

Es entstand eine Pause. Der Offizier schaute mich nachdenklich an. War es nicht eine Dummheit, in meiner Situation zu betonen, was uns Juden von allen Völkern unterscheidet – auch von diesem römischen Offizier vor mir? Endlich sagte er ruhig:

»Darüber, wie es zu diesem bilderlosen Gott kam, habe ich folgende Geschichte gehört: Als in Ägypten vor langer Zeit eine Seuche ausgebrochen war, wandte sich der Pharao an das Orakel des Gottes Ammon um Rat und erhielt die Auskunft, er solle sein Reich von euch gottverhaßten Juden säubern, dann würde die Seuche aufhören. Alle Juden in Ägypten wurden in die Wüste

---

6 Die Tierbilder im Palast des Herodes Antipas wurden am Anfang des Jüdischen Krieges durch Aufständische zerstört. Sie waren ein öffentliches Ärgernis: Josephus hatte von Jerusalem her den Auftrag, sie zu entfernen. Als er nach Tiberias kam, waren ihm andere aufständische Gruppen schon zuvorgekommen (Jos. vita 65f = 12).

hinausgetrieben, wo man sie ihrem Schicksal überließ. Die meisten von ihnen irrten demoralisiert durch die Wüste. Aber dann hat einer von euch, Mose mit Namen, sie aufgefordert, nicht auf das Eingreifen der Götter oder auf Hilfe von anderen Menschen zu warten. Sie seien ja ohnehin von den Göttern verlassen. Sie sollten auf sich selbst vertrauen und ihr gegenwärtiges Elend überwinden.[7] – Als ich diese Geschichte hörte, habe ich mich gefragt: Glaubt ihr überhaupt an einen Gott?«

Was wollte er mit dieser Karikatur der biblischen Geschichte? Wollte er mich provozieren? Hatte er ein Interesse an unserer Religion? Kaum vorstellbar! Was sollte ich antworten? Etwas Vages, Unbestimmtes? Etwas über den unsichtbaren Gott, den niemand verstehen und begreifen kann, weder er noch ich. Den keiner kennt? Etwas, was ablenkt von den großen Fragen? Aber da schoß mir durch den Kopf: Wenn ich ihn in eine Grundsatzdebatte verwickle, dann habe ich endgültig abgelenkt von Barabbas. Und so hörte ich mich trotzig sagen:

»Gott ist anders als die Götter der Völker. Der unsichtbare Gott hält es nicht mit den Mächtigen, sondern mit den Ausgestoßenen, die man in die Wüste jagt.«

Ich merkte, wie der Offizier zusammenzuckte.

»Zweifelst du daran, daß die Götter auf seiten des Römischen Reiches sind? Wie hätte es sich so weit ausbreiten können? Wie hätte aus einer kleinen Stadt ein Weltreich werden können?«

»Alle Völker denken: Die Götter stehen auf seiten der Sieger. Wir aber wissen: Der unsichtbare Gott kann auf seiten der Verlierer stehen!«

Der Offizier schaute mich betroffen an. Seine Stimme klang gepreßt:

»Etwas in eurem Glauben ist aufsässig gegen jede irdische Macht. Aber auch ihr werdet im Römischen Reich euren Platz finden wie alle anderen Völker. Denn unsere Aufgabe ist es, dem Frieden der Welt eine Ordnung zu geben, die Unterworfenen zu

---

7 Diese antisemitische Fassung der Geschichte vom Auszug des Volkes aus Ägypten existiert in mehreren Fassungen. Die oben frei wiedergegebene Fassung stammt aus Tacitus, Historien V, 3.

schonen, die Aufsässigen zu bekämpfen[8] – in diesem Land und überall in der Welt.«

Er fügte nach einer kurzen Pause hinzu: »Dein Fall wird noch etwas Zeit brauchen. Wir werden deine Aussagen überprüfen und dann entscheiden, ob Anklage gegen dich erhoben wird.«

Damit war ich entlassen. Ich wurde in meine Zelle zurückgebracht. Jetzt hieß es: warten! Wie lange würde es wohl dauern, bis sie Erkundigungen über mich eingezogen hatten? Eigentlich war ich zuversichtlich. Ich stammte aus einer angesehenen Familie mit guten Beziehungen zu den Römern. Aber es gab Unsicherheitsmomente: Was würde Timon alles noch aussagen? Würde er den Mund über Barabbas halten? Gesehen hatte er ihn nie. Aber er könnte in Gesprächen von ihm gehört haben. Wenn die Beziehungen zu Barabbas im Dunkeln blieben, konnte eigentlich nicht viel passieren – wenn!

Damals hatte ich dunkle Vorahnungen: Mein Schicksal schien mir Vorbote dunkler Geschicke zu sein, die unser ganzes Volk treffen würden. Jene Spannungen zwischen Juden und Römern, die zur Demonstration gegen Pilatus geführt hatten, würden sich immer mehr steigern – bis hin zum offenen Aufstand gegen die Römer. Namenloses Elend würde über unser Land hereinbrechen, Elend von Krieg und Unterdrückung.[9] Gemessen an diesem Elend war das Unglück meiner Inhaftierung gering. Aber darin lag nur wenig Trost. Im dunklen Gefängnis des Pilatus kam mir die Zeit des Wartens endlos lang vor. Es war eine schlimme Zeit für mich.

---

8 Mit diesen Worten (pacique imponere morem, parcere subiectis et debellare superbos) umschreibt der römische Dichter Vergil (70–19 v.Chr.) die weltgeschichtliche Mission des Römischen Reiches (Aeneis VI, 852f).

9 Tatsächlich lag der Schatten des Krieges oft über dem Land: Als Kaiser Gaius Caligula 40 n.Chr. sein Standbild im Tempel aufstellen wollte, griffen viele Juden zu den Waffen. Nur der plötzliche Tod des Kaisers im Januar 41 verhinderte einen Krieg. Im Jahr 66 n.Chr. brach dann ein großer Aufstand aus. Nach anfänglichen Erfolgen der Aufständischen gegen den syrischen Legaten Cestius Gallus wurde er in zwei großen Feldzügen unter Vespasian und Titus niedergeworfen. 70 n.Chr. wurde Jerusalem erobert, 73 n.Chr. (oder 74?) fiel Masada, die letzte Bastion der Aufständischen. Josephus hat diesen Krieg zunächst als jüdischer General auf seiten der Aufständischen, nach seiner Gefangennahme auf seiten der Römer miterlebt und über ihn sein großes Werk »de bello judaico« geschrieben.

Sehr geehrter Herr Kratzinger,

vielen Dank für Ihre Stellungnahme zum ersten Kapitel. Sie
vermissen in ihm eine Spur, die zu Jesus führt. Haben Sie bitte etwas Geduld! Wenn ich zunächst die Zeit Jesu schildere,
so erfülle ich nur die Pflicht jedes Historikers: eine geschichtliche Erscheinung aus ihrem Kontext heraus verständlich zu
machen. Dieser Kontext ist bei Jesus die soziale und religiöse
Welt des Judentums.

Die Evangelien vermitteln hier ein einseitiges Bild. Sie
sind in einer Zeit geschrieben (ca. 70–100 n.Chr.), in der aus
der innerjüdischen Erneuerungsbewegung um Jesus eine Religion neben dem Judentum geworden war, die mit ihrer
Mutterreligion konkurrierte. Ihre Schriften bieten oft nur ein
verzerrtes Bild vom Judentum. Dem Bibelleser wird daher
nicht klar, wie tief Jesus im Judentum verwurzelt ist.

Die Evangelien suggerieren ferner, Jesus habe damals im
Zentrum der Geschichte Palästinas gestanden. Historisch
gesehen war er aber eine Randerscheinung. Man stößt nicht
sofort auf seine Spuren, wenn man sich mit dem Palästina
des 1. Jhs. n.Chr. beschäftigt. Diese Erfahrung des Historikers
soll dem Leser vermittelt werden. Ich verspreche Ihnen aber:
Es wird in meiner Erzählung noch viele Spuren geben, die zu
Jesus führen.

Ich entnehme Ihrem Brief, daß Sie endgültig über mein
Buch erst urteilen wollen, wenn sie mehr gelesen haben. Darf
ich das als Aufforderung verstehen, Ihnen weitere Kapitel zu
schicken? Das zweite ist soeben fertig geworden.

Mit freundlichen Grüßen
Ihr
Gerd Theißen

2. KAPITEL

Die Erpressung

Das Schlimme war, daß ich mit niemandem über meine Lage sprechen konnte. Wer wußte überhaupt von ihr? Ob meine Eltern ahnten, wo ich war? Ob Malchos sich nach Hause durchgeschlagen hatte? Ob Timon in einer anderen Ecke dieser Kellergewölbe lag? Dunkle Bilder stiegen in mir auf: Wie viele Juden waren hier schon eingekerkert, wie viele gefoltert, wie viele getötet worden? Wie viele einfach verschwunden? Und was würde mit mir geschehen?

In diesem Loch, in das keine Sonne drang, und kein Geräusch außer den Schritten der Wachen ging jedes Zeitgefühl verloren. Diese Zelle war wie ein Sarg, in dem ich lebend eingesperrt war. Todesangst erfüllte die stickige Luft. Verzweifelt betete ich:

»Herr, unser Gott, schaffe mir Recht,
denn ich bin unschuldig.
Ich habe auf dich vertraut.
Prüfe mich,
erprobe mich.
Du kennst mich besser, als ich mich kenne.
Verteidige mich vor ihrem Tribunal
gegen falsche Aussagen und Verleumdungen.
Bewahre mich vor den Intrigen ihrer Geheimpolizei!
Ich habe mit den Mächtigen keine Komplizenschaft.
Ich verachte,
die das Leben der Menschen verachten,
die es wie Dreck behandeln,
die uns ins Gefängnis werfen,
die uns erniedrigen und mißhandeln.
Laß mich nicht durch ihre Hände umkommen!
An ihren Händen klebt Blut.
Durch Bestechung verschaffen sie sich Reichtümer,
durch Erpressung üben sie Macht aus.

Wer sie kritisiert, verschwindet in ihren Kellern!
Wer sich auflehnt, wird beseitigt!
Gott, laß mich wieder dein Haus sehen,
wo deine Herrlichkeit wohnt.
Erlöse mich aus den Händen dieser Banditen.
Und ich will dich loben und preisen
in der Gemeinde!«[1]

Ich zählte die Tage an den kargen Essensrationen, die man mir regelmäßig zuschob. Die erste Woche verstrich. Nichts tat sich. Die zweite Woche verstrich. Sie schien mir wie ein Jahr. Endlich, in der dritten Woche wurde ich herausgeholt.

Wollte man mich freilassen? Ich schöpfte Hoffnung. Zunächst ging es durch ein Labyrinth von Gängen. Dann wurde ich in einen großen Raum geschoben. Ich stand geblendet vom Licht, das durch die Fenster hereinflutete. Allmählich erkannte ich Einzelheiten. Vor mir stand ein Richterstuhl auf erhöhtem Podest. Auf ihm saß ein kleiner Mann. Er trug eine kostbare weiße Toga mit Purpurstreifen. An seiner Hand glänzte ein goldener Ring – Zeichen dessen, daß er römischer Ritter war. Der Soldat, der mich hereingeführt hatte, flüsterte mir zu: Der Präfekt. Das also war Pontius Pilatus, der Präfekt von Judäa und Samarien.[2]

Ein Verhör an höchster Stelle. Hier mußte sich mein Fall entscheiden. Wenn nur nichts von Barabbas rausgekommen war!

Pilatus las in einer Rolle, als ich den Raum betrat. Rechts und links von ihm standen zwei Soldaten der Leibgarde. Ein Schreiber führte Protokoll. Ohne seinen Blick zu heben, begann Pilatus:

»Andreas, Sohn des Johannes, ich habe das Protokoll des Verhörs gelesen. Du behauptest, nur zufällig in die Demonstration gegen mich hineingeraten zu sein. Wir haben inzwischen Informationen über dich eingeholt. Wir haben sehr viel erfahren. Warum hast du uns Wichtiges verschwiegen?«

---

1 Das Gebet ist nach Motiven des 26. Psalms gestaltet.
2 Eine in Cäsarea gefundene Inschrift des Pilatus zeigt, daß sein Rang der eines »Präfekten« und nicht eines Prokurators war. In beiden Rängen finden wir häufig Vertreter des Ritterstandes. Ritter war jeder Bürger, der 400 000 Sesterzen Vermögen hatte. Über den Rittern standen die Senatoren mit einem Mindestvermögen von 1 000 000 Sesterzen. Diese Angaben gelten für das 1. Jh. n.Chr.

»Ich habe keine Ahnung, was noch besonders wichtig gewesen wäre«, sagte ich zögernd.

»Es ist wichtig.«

Er schaute mich unbeeindruckt an und fuhr mit monotoner Stimme fort:

»Es fehlt etwas in deinem Lebenslauf.«

»Ich weiß nicht, was die römische Behörde noch interessieren könnte.«

»Wo warst du nach Abschluß der Grammatikschule?«[3]

Aha, das war es also! Irgendjemand hatte mir einmal gesagt: Vor der Staatspolizei die Wahrheit sagen, aber möglichst wenig von ihr. Also sagte ich:

»Ich war in der Wüste bei einem Asketen, einem gewissen Bannos, – ein Jahr lang.«

»So – und da hast du Askese getrieben und sonst nichts?«

»Ich wollte den Weg zum wahren Leben finden. Ich habe das Gesetz unseres Gottes studiert.«

»Warum hast du das verschwiegen?«

»Warum sollte ich dies Jahr erwähnen? Es war eine rein religiöse Angelegenheit.«

»Diese ›rein religiöse Angelegenheit‹ erlaubt auch andere Deutungen. Erstens: Du warst ein Jahr bei den Widerstandskämpfern untergetaucht. Zweitens: Du wirst bei einer Demonstration gegen den römischen Präfekten inhaftiert. Drittens: Diese Demonstration wird von einigen Scharfmachern aus dem Untergrund gelenkt.«

»Soll ich etwa dieser Scharfmacher und Drahtzieher sein? Das ist Unsinn!«

»Aber es ist möglich.«

---

3 Grammatikschulen sind eng mit Gymnasien (ursprünglich nur Sportstätten) verbunden. Sie gab es in allen hellenistischen Städten Palästinas. In Ptolemais hatte der große König Herodes selbst das Gymnasium bauen lassen (bell 1,422 = I, 21,11). Für Sepphoris läßt sich die Existenz eines Gymnasiums nur vermuten. Immerhin besaß diese Stadt (später?) ein Theater, also auch eine eng mit griechischer Bildung verbundene Institution. Im Judentum hat es in der damaligen Zeit sicher schon Thoraschulen gegeben. Der Hohepriester Jesus, Sohn des Gamaliel, hat wahrscheinlich ca. 63/65 eine Reform des jüdischen Schulwesens durchgeführt.

»Ich war in der Wüste, um in der Einsamkeit nachzudenken. Nicht jeder, der das normale Leben zeitweise hinter sich läßt, ist ein Unruhestifter und Terrorist. Ich bin für den Frieden.«

»Du hast deinen Wüstenaufenthalt verschwiegen. Das ist verdächtig.«

Ich kam ins Schwitzen. Die Haare klebten auf meiner Stirn. Meine Kleider stanken. Drei Wochen hatte ich sie nicht wechseln können. Man hatte mir nicht gestattet, mich zu waschen. Äußerlich mußte ich ein jämmerliches Bild abgeben. Aber auch in mir geriet alles durcheinander. Ich war zwar wirklich – wie viele andere – aus religiösen Gründen in der Wüste gewesen, um dort in der Einsamkeit einer Oase das Leben zu durchdenken und nach Gottes Willen zu fragen.[4] Aber ich hatte dort auch Barabbas kennengelernt. Ob Pilatus davon wußte? Der aber wiederholte nur:

»Das alles ist sehr verdächtig!«

»Alles wird verdächtig, wenn man es mit mißtrauischen Augen ansieht. Ich bin nur durch Zufall in die Demonstration hineingeraten. Ich habe ein gutes Gewissen. Deswegen bin ich auch nicht wie alle anderen weggelaufen«, beteuerte ich.

Pilatus wirkte noch immer völlig teilnahmslos. Was wollte er von mir?

»Ich könnte ein Gerichtsverfahren einleiten«, sagte er nach einer kurzen Pause.

»Man wird mich freisprechen müssen!«

»Vielleicht. Aber ich könnte dich nach Rom zur weiteren Untersuchung schicken.«

»Auch dort wird man mich freisprechen.«

»Das dauert zwei Jahre. Zwei Jahre Gefängnis wären dir sicher!« Er sah mich an und lächelte vielsagend.

Worauf wollte er hinaus? Er konnte nicht jeden Verdächtigen nach Rom schicken. Dann hätte er halb Palästina aufs Schiff verfrachten müssen. Andererseits stand fest, daß er mir schaden

---

4 Dafür, daß sich Söhne wohlhabender Familien zu religiösen Studien in die Wüste zurückzogen, kann Josephus selbst als Beispiel dienen. Er erzählt in seiner »Biographie«, er habe sich nach dem Studium verschiedener religiöser Richtungen im Judentum aus Unzufriedenheit mit ihnen drei Jahre lang einem Wüsteneremiten namens Bannos angeschlossen, der sich von wilden Pflanzen ernährte und häufig (wohl im Jordan) religiöse Waschungen vornahm (Jos. Vita 11f = 2).

konnte, unabhängig davon, ob ich schuldig gesprochen würde oder nicht. Pilatus fuhr fort:

»Ich mache dir ein faires Angebot. Du bist sofort frei, wenn du dich bereit erklärst, uns Material über bestimmte religiöse Bewegungen im Land zu liefern.«

»Das ist Erpressung!«

In mir kochte es vor Wut und Empörung. Ich hätte Pilatus ins Gesicht spucken mögen. Dieser Mensch versuchte, mich schamlos zu erpressen und sprach von Fairneß.

»Sagen wir, es ist ein Geschäft, das auf gegenseitigen Interessen beruht.«

»Ich will nicht spionieren.«

»Das Wort ›Spion‹ sollten wir in diesem Zusammenhang nicht benutzen. Sprechen wir lieber von ›recherchieren‹. Du sollst niemanden anzeigen oder denunzieren.«

Wie zynisch Pilatus redete! Als wüßte er nicht, daß es auf Denunziation hinausliefe, wenn man über eine Gruppe von Menschen berichtet, ihre Ideen seien nicht im Sinne der römischen Besatzung. Ich beherrschte mich und versuchte so ruhig wie möglich zu sagen:

»Keinem meiner Landsleute wird der Unterschied zwischen Spionieren und Recherchieren einleuchten.«

»Wir würden dich als –«, Pilatus wandte den Kopf etwas zur Seite. Dann schien er das richtige Wort gefunden zu haben, »– als Berater in religiösen Fragen betrachten.«

Ich schwieg.

»Gut, wie du willst! Dann werden wir eben ein Verfahren gegen dich in Gang setzen und deine Zeit in der Wüste – oder wo immer du warst – unter die Lupe nehmen!«

»Also doch Erpressung!«

Hatte Pilatus etwas über meine Beziehungen zu Barabbas herausgefunden? Wozu war er fähig? Es gab böse Gerüchte über ihn, Gerüchte von Mißhandlungen und Gewalttaten. Konnte er mich nicht einfach verschwinden lassen? Konnte er nicht jederzeit falsche Aussagen gegen mich arrangieren? Konnte er mich nicht durch Folter zu jedem Geständnis bewegen? Und wenn ich nachgäbe? Aber ich wehrte mich noch mit aller Kraft gegen diesen Gedanken.

»Andreas, du bist empört. Ich verstehe dich. Du bist noch jung.
Aber ich habe in einem langen Leben gelernt, daß Menschen frei-
willig nur schwer zu nützlichen Handlungen zu bewegen sind.
Man muß nachhelfen.«

Seine Stimme klang noch immer so distanziert und nüchtern
wie am Anfang unserer Unterhaltung. Ich hatte den Eindruck,
daß ihn mein persönliches Schicksal kalt ließ. Im Grunde schien
es ihm gleichgültig zu sein, ob ich auf sein Angebot einging oder
nicht. Und das machte mir Angst.

»Von mir aus nenne es Erpressung. Versuche es einmal von
meiner Warte aus zu sehen: Ich bin in diesem Land für Frieden
und Ordnung verantwortlich. Das ist eine schwere Aufgabe. Warum? Weil wir Römer ständig eure religiösen Empfindlichkeiten
verletzen, obwohl wir das nicht wollen. Nimm diese Wasserlei-
tungsaffäre als Beispiel. Meine Idee war, für Jerusalem endlich eine vernünftige Wasserversorgung bauen zu lassen. Meine besten
Architekten und Bauleute sollten damit beauftragt werden. Nur,
zur Finanzierung reichten die Gelder nicht aus. Experten bestä-
tigten mir, daß für die Wasserversorgung in Jerusalem die Tempelkasse zuständig ist.[5] Geld ist in ihr genug da. Jeder Jude zahlt
jährlich eine Tempelsteuer. Also trat ich an den Tempel mit dem
Ansinnen heran, die Wasserleitung aus Mitteln des Tempels zu fi-
nanzieren. Völlig in Übereinstimmung mit euren Gesetzen. Was
geschah? Ein paar fromme Fanatiker wittern Unheil. Sie geben die
Parole aus: Kein heiliges Geld für den unheiligen Pilatus! Keinen
Pfennig aus dem Tempelschatz für die Römer! Als wäre es darum
gegangen, Geld für gottlose Zwecke zu beschlagnahmen! Als ginge es nicht darum, Geld für eine Wasserleitung bereitzustellen,
von der der Tempel und ganz Jerusalem profitieren würden. Nun
stehen wir Römer wieder als tyrannische Machthaber da, die eure
religiösen Gesetze nicht beachten – und sogar den Tempelschatz
plündern wollen!«

Darum war es ihm also gegangen bei seiner Wasserleitung. Er

---

5 Im babylonischen Talmud wird im Traktat »Schekalim« (= Von der Tempelsteuer) ausdrücklich der Wasserkanal zu den Aufgaben gezählt, die vom Tempelschatz zu bestreiten sind (vgl. Schekalim IV, 2).

wollte sein Ansehen verbessern. Das war gründlich mißlungen.
Sollte ich nun helfen, erfolgreicher Propaganda für ihn zu treiben?
Die Erregung, die sich einen Moment lang in seine Stimme ein-
geschlichen hatte, war wie weggeblasen, als Pilatus fortfuhr:
»Das Ganze war ein Rückschlag. Aber trotz solcher Rückschlä-
ge müssen wir weiterhin alles tun, um diesem Land den Frieden
zu erhalten. Es gibt Chancen dafür. Meine Zuversicht basiert auf
zwei Überlegungen:
Einmal auf den bewährten Prinzipien römischer Politik im
Umgang mit unterworfenen Völkern. Wir betrachten es als Geheimnis unseres Erfolges, daß wir Feindschaft in Freundschaft
verwandeln können. Denn wen hat das römische Volk zu treu-
eren Bundesgenossen als die, die seine hartnäckigsten Feinde waren? Was wäre heute das Reich, wenn nicht Weitblick Besiegte
mit Siegern verschmolzen hätte?[6] Die Juden aber waren nicht immer unsere Feinde. Im Gegenteil: Als unsere Bundesgenossen
habt ihr euch von der Herrschaft syrischer Könige befreit![7] Mit
unserer Unterstützung gelang es euch damals, eure eigene Religion und Kultur zu wahren. Erst später, als eure Nachbarn uns um
Schutz vor euren militärischen Übergriffen baten, kamt ihr unter
unsere Herrschaft – gerade rechtzeitig, daß wir einen drohenden
Bürgerkrieg verhindern konnten, der euer Land in tiefes Elend gestürzt hätte.[8] Aber auch in dieser Situation haben wir eure Religion unangetastet gelassen! Unsere Politik wird auch weiterhin
sein: Respekt vor eurer Religion, eurem Gott, euren Bräuchen, euren Empfindlichkeiten. Wir respektieren auch das, was uns fremd
ist. Wir erwarten nur, daß auch ihr respektiert, was uns heilig ist,

---

6 Die letzten beiden Sätze sind wörtliches Zitat aus der Schrift des römischen
Philosophen Seneca (ca. 4 v.Chr. – 65 n.Chr.) »Über den Zorn« II, 34,4.
7 Judas Makkabäus, der Führer des Aufstands gegen die Syrer, schloß im Jahr
161 v.Chr. einen Beistandspakt mit den Römern (1Makk 8; Jos. ant 12,414–19 =
XII, 10,6), der später unter Simon (ca. 139 v.Chr.) erneuert wurde (1Makk 14,16ff;
15,15ff).
8 Die Nachfolger der Makkabäer, besonders Alexander Jannäus (103–76 v.Chr.),
hatten die nichtjüdischen Nachbarstädte Judäas (und Galiläas) unterworfen. Ein
Thronnachfolgestreit zwischen Aristobulos II. und Hyrcan II. gab den Römern
im Jahre 63 unter Pompeius die willkommene Gelegenheit, das kleine jüdische
Königtum unter ihre Herrschaft zu bringen und die nichtjüdischen Nachbarstädte Judäas zu »befreien«.

daß ihr die Ehrfurcht, die unsere Soldaten für den Kaiser haben, achtet und jedem Menschen zubilligt, überall seine Götter verehren zu dürfen. Respekt muß auf Gegenseitigkeit basieren.

Und nun meine zweite Überlegung. Aus Gesprächen mit euren führenden Priestern weiß ich, daß auch ihr grundsätzlich unsere Herrschaft akzeptiert. Gott hat schon lange zugelassen, daß andere Völker über euch regieren: Ihr habt Babylonier, Perser und Griechen ertragen – warum nicht auch die Römer, die gegenüber unterworfenen Völkern weit entgegenkommender sind als alle Weltreiche vorher? Ihr sagt: Alles, was geschieht, ist von dem einen und einzigen Gott, der in Jerusalem verehrt wird, verfügt.« – Er machte eine Pause, als wollte er mir Zeit zum Nachdenken lassen. – »Dann müßt ihr auch zugeben: Er hat gewollt, daß wir Römer unser Weltreich aufgebaut haben. Er hat gewollt, daß ihr die Unabhängigkeit, die ihr mit unserer Hilfe gegen die Syrer erkämpft habt, durch uns verloren habt.[9] Es gibt keinen Grund, warum das jüdische Volk uns nicht als Beherrscher der Welt akzeptieren kann – zumal wir Verständnis dafür haben, daß ihr anders als alle anderen Völker im Osten den Kaiser nicht als Gott verehren könnt.

Grundsätzlich dürfte es also keine Probleme geben. Aber im Konkreten haben wir große Schwierigkeiten. Vor allem folgende Schwierigkeit: Was eure führenden Priester uns sagen, ist nicht das, was das Volk bewegt. Zur Zeit scheint sich in eurer Religion viel zu verändern. Es gärt im Volk. Immer wieder tauchen neue Ideen und Bewegungen auf. Propheten und Prediger ziehen durchs Land. Es ist für uns schwer, sich in diese neuen Bewegungen einzufühlen. Euren führenden Priestern geht es nicht viel besser. Sie haben in einigen Kreisen der Bevölkerung die geistige Führung verloren. Eben von diesen Kreisen hängt aber die Stabilität des Landes ab. Wir brauchen Informationen über sie. Wir sind bereit, so weit es geht, ihre religiösen Gefühle zu respektieren und unnötige Ärgernisse auszuräumen. Aber dazu müssen wir

---

9 Dies ist etwa die Sicht der Dinge, die Josephus (nach dem verlorenen Krieg 66–70 n.Chr.) vertritt. Er legt sie dem Herodes Agrippa II. in den Mund in einer großen Ansprache an die Anführer zu Beginn des Jüdischen Krieges (vgl. Jos. bell 2,345–401 = II,16,4).

wissen, was im Volk vor sich geht. Experten für das offizielle Judentum haben wir genug. Wir brauchen jemand, der das Ohr näher am Boden hat. Nur dann können wir durch zusätzliche Informationen Konflikte entschärfen, noch ehe sie ins Rollen kommen.«

»Aber warum soll gerade ich der rechte Mann dazu sein!«

»Du bist gebildet. Du sprichst unsere Sprache und ihre Sprache. Du kennst dich in religiösen Fragen des Judentums aus und in unserer Religion. Du stammst aus einer den Römern gegenüber wohlwollend eingestellten Familie. Du bist kein Fanatiker. Du bist für den Frieden. Daß ihr in einem Nebenzimmer einen kleinen Götzen stehen habt, macht euch direkt sympathisch. Ich habe schon lange den Auftrag gegeben, nach so jemandem wie dir zu suchen. Du bist der richtige Mann!«

»Aber ich will nicht!«

Ich wollte wirklich nicht. Es wäre ein unerträgliches Doppelspiel. Wie sollte ich das auf einen Nenner bringen: Meine Freundschaft zu Barabbas und meine Arbeit für die Römer! Wie leicht konnte ich mich zwischen alle Stühle setzen. Pilatus aber sagte ruhig:

»Bedenke: Etwas bleibt immer hängen. Auch wenn du freigesprochen wirst. Ich brauch nur in Cäsarea zu erzählen, du seist verdächtig, Beziehungen zu Terroristen zu haben. Das wird deinem Geschäft nicht gerade nutzen. Es wäre dein Ruin. Und der Ruin deines Vaters.«

Also doch Erpressung! Ich merkte, wie in mir ein tiefes Gefühl der Verachtung hochkam. Bei diesen Mächtigen war alles Taktik. Alles berechnend. Ihre wirklichen Gefühle und Einstellungen blieben verborgen. Sicher war nur, daß sie ihre Macht erhalten wollten! Ob Pilatus meine Gedanken erriet? Er setzte noch einmal an:

»Finde in diesem Land mal jemanden, der ohne Erpressung etwas für uns tut! Du hältst mich jetzt wahrscheinlich für einen ganz schrecklichen Menschen, so wie mich andere für einen Unmenschen halten. Vor kurzem hörte ich, was man unter den Juden in Alexandrien über meine Amtsführung erzählt; sie sei eine Kette von Bestechungen, Gewalttaten, Räubereien, Mißhandlungen, Beleidigungen, Hinrichtungen ohne Gerichtsverfahren, fort-

währender unerträglicher Grausamkeit.[10] Ich gebe zu: Im Sinne
des Friedens bin ich zu vielem bereit. Aber so ein Unmensch bin
ich nicht!«

Er grinste. Wahrscheinlich merkte er selbst, daß seine Worte
nicht besonders überzeugend wirkten. Doch vielleicht war auch
das Taktik. Ich versuchte, Zeit zu gewinnen:

»Wie soll ich Zugang zu all diesen religiösen Bewegungen finden?« Ich durfte auf keinen Fall den Eindruck erwecken, daß ich
schon Kontakte zu ihnen besaß.

»Keine Sorge. Du bleibst noch eine Weile im Gefängnis. Du
wirst gut behandelt. Es soll dir an nichts fehlen. Wir sorgen dann
dafür, daß überall durchsickert: Die Römer halten einen jungen
Mann gefangen, der durch Standhaftigkeit und Treue gegenüber
der jüdischen Religion hervorsticht. Ihm geht es schlecht. Trotzdem macht er keinen Hehl daraus, daß die Römer zu Unrecht in
diesem Land sind, das allein Gott gehört. Kurzum: Wir verschaffen dir einen Heiligenschein. Dann entlassen wir dich. Alle frommen Kreise werden dir vertrauen. Du sollst lediglich im Lande
umherreisen und einen Bericht über die religiöse Stimmung im
Volke schreiben. Dabei interessiert uns alles, was die politische
Stabilität im Lande gefährden könnte, alles was unsere Herrschaft in Frage stellt. Mein Beamter Metilius, den du schon kennengelernt hast, wird dir deine Aufgabe erläutern. Er versorgt
dich mit den Informationen, die wir zur Zeit schon besitzen. Einverstanden?«

»Ich möchte es mir noch einmal überlegen.«

»Gut! Überlege dir die Sache. Bis morgen. Und denk daran: Entgegen anderslautenden Gerüchten bin ich kein Unmensch.«

Wieder erschien ein Grinsen auf seinem Gesicht. War das Gespräch beendet? Nein, Pilatus wandte sich noch einmal an mich:

»Ich las im Protokoll etwas von Bildern des Antipas in seinem
Palast. Hast du sie selbst gesehen?«

»Ja, und es gibt auch andere, die sie bezeugen könnten.«

»Dieser Heuchler! Stellt Tierbilder bei sich zu Hause auf, aber
protestiert, wenn ich in meinem Jerusalemer Amtssitz Schilde

---

10 Zitat aus Philo: Legatio ad Gaium (= Die Gesandtschaft an Gaius) § 302. Philo
war ein in Alexandrien lebender Zeitgenosse Jesu.

mit dem Namen des Kaisers aufhängen will.[11] So etwas widerspräche euren Gesetzen!

Überhaupt diese Heuchelei: Man regt sich über meine Münzen mit harmlosen Opfersymbolen auf[12], aber die Tempelsteuer darf man nur in tyrischer Münze zahlen! Und was findet sich dort eingeprägt? Der Gott Melkart – ein Götze![13] Im Tempelvorhof wird alles Geld gegen diese Götzenmünzen eingetauscht. Wenn ich über den Tempelvorhof gehe, kriege ich manchmal Lust, die Tische der Geldwechsler umzustoßen! Über die regt sich keiner auf! Aber über meine harmlosen Kupfermünzen entsteht ein großes Geschrei! Doch lassen wir das!«

Pilatus hatte sich in Zorn geredet. Fast schien es, als hätte er meine Gegenwart vergessen. Doch im nächsten Moment wandte er sich mir zu. Seine Stimme klang wieder nüchtern, kalt und tot. Sie machte mir Angst:

»Überleg dir deine Entscheidung gut! Und vergiß nicht: Ich bin nicht der Unmensch, den andere in mir sehen. Ich bin nur ein römischer Präfekt, der sein Land in Ordnung halten will.«

Ich wurde abgeführt und saß wieder in meiner dunklen Zelle. Man hatte mir einen Weg nach draußen gezeigt. Aber es war eine Sackgasse. Ich saß in der Falle. Ich verwünschte meine Lage, und in meiner Ohnmacht wandte ich mich wieder an den Gott meiner Väter:[14]

»Befreie uns, Gott, von diesen Schurken!
Es gibt keine anständigen Menschen mehr.
Verschwunden ist alle Menschlichkeit.
Mit Propagandareden umnebeln uns die Mächtigen.
Sie machen sich über uns lustig.
Von ihren Lippen kommen schöne Worte,

11 Von diesem Zwischenfall und den Protesten erzählt Philo, Legatio ad Gaium § 299–305.
12 Pilatus hatte es als erster jüdischer Präfekt gewagt, heidnische Symbole auf seinen Münzen zu verwenden: den Stab der Auguren und ein Trankopfergefäß. Die Präfekten vor und nach ihm haben es immer streng vermieden, die religiösen Gefühle der Juden durch heidnische Bilder, die einen Zusammenhang mit dem Götzendienst hatten, zu verletzen.
13 Vgl. die Abbildungen in A. Ben-David: Jerusalem und Tyros 1969.
14 Nach Motiven von Ps 12.

aber ihre Gedanken sinnen auf Unterdrückung.
Sie sprechen vom Frieden und drohen mit Waffen.
Sie reden von Toleranz und meinen ihre Macht.
Laß sie ersticken an ihren Reden,
an ihren wohlabgewogenen Worten,
die so staatserhaltend klingen
und uns das Rückgrat brechen wollen.
Zerstör die Arroganz ihrer Macht
und den Zynismus ihrer Herrschaft.
Sprich, Herr:
›Um der Unterdrückten willen,
um der Gefangenen willen
will ich mich erheben,
will ich retten,
die nach Freiheit seufzen!‹
Gott, du wirst uns bewahren und beschützen
vor Verbrechern und Diktatoren!
Du bist unser Halt
inmitten von Menschen, denen nichts heilig ist!
Gemeinheit breitet sich aus unter den Menschen.
Aber dein Wort ist zuverlässig,
ein Licht im Dunkeln.«

Sehr geehrter Herr Kollege Kratzinger,

Sie »bewundern« meinen Mut, unbefangen Geschichten von
Pilatus zu erfinden. Ihnen würde als Historiker und Exeget
das gute Gewissen dazu fehlen.

Natürlich hat Pilatus nie die Gespräche geführt, die ich
ihm zuschreibe. Aber die Rahmenbedingungen seines Han-
delns, die in diesem Gespräch sichtbar werden, sind dieselben,
die ich gerade in meiner Vorlesung zur neutestamentlichen
Zeitgeschichte analysiere. Gegenstand der Geschichtswissenschaft sind ja nicht nur individuelle Ereignisse, sondern
auch typische Konflikte und Strukturen. Sie bilden die »Spielregeln«, nach denen die von mir erfundene Handlung abläuft.

Wenn ich mich einmal unserer akademischen Sonderspra-
che bedienen darf, so würde ich sagen: Voraussetzung »narrativer Exegese« – so nennt man heute Erzählungen wie mein
Jesusbuch – ist der Schritt von der Ereignis- zur Strukturge-
schichte. Die Tiefenstruktur narrativer Exegesen besteht aus
historisch rekonstruierten Verhaltensmustern, Konflikten
und Spannungen, ihre Oberflächenstruktur aus fingierten
Ereignissen, in denen historisches Quellenmaterial dichte-
risch verarbeitet wird. Diese Definition von »narrativer Exegese« klingt für meinen Geschmack zu prätentiös. Aber Sie
wissen ja: Was nicht kompliziert formulierbar ist, wird in der
akademischen Welt nicht ernst genommen.

Übrigens darf man in einer »narrativen Exegese« bei der
Verwendung von Quellenmaterial die Chronologie manchmal vernachlässigen. Auch Ereignisse nach Jesu Tod können
die strukturellen Bedingungen des Geschehens zur Zeit Jesu
illustrieren. Ich habe ein gutes Gewissen, wenn ich z.B. den
Wüstenasketen »Bannos«, der in den 50er Jahren in der Jordanwüste gewirkt hat, um ca. 25 Jahre zurückdatierte. Sie haben das als »Anachronismus« kritisiert. Aber so anachroni-
stisch verfährt die Wissenschaft oft. Würden wir eine wissenschaftliche Abhandlung über Johannes den Täufer nicht mit
Recht kritisieren, wenn sie nicht auf den Wüstenasketen
Bannos als nächste Analogie hinwiese?

Ihre Meinung zum nächsten Kapitel würde mich sehr interessieren!

Mit freundlichen Grüßen
bin ich
Ihr Gerd Theißen

3. KAPITEL

Die Entscheidung des Andreas

Andreas – ein Spion des Pilatus? Nie und niemals! Alles in mir bäumte sich dagegen auf! Mochte Pilatus mich jahrelang in diesem Kellerloch einsperren – niemals wollte ich jemanden an die Römer verraten! Diese Römer hatten zwar Ruhe und Frieden in unser Land gebracht. Doch was war das für ein Frieden, der durch Unterdrückung und Erpressung zustande kam! Was war das für eine Ruhe, die nur Bestand hatte, weil Leute gewaltsam zum Schweigen gebracht wurden. In mir tobten die Gedanken hin und her.

Aber was sollte ich tun? Was würde geschehen, wenn ich nein sagte? Würde Pilatus mich foltern lassen, Informationen über Freunde, Familie, möglicherweise auch über Barabbas aus mir herauspressen? Würde er mich heimlich umbringen lassen, damit keiner von seinen Erpressungsversuchen erfuhr? Oder würde er mich zur Abschreckung öffentlich kreuzigen? Würde er meine Familie wirtschaftlich ruinieren? Was würde mit Timon geschehen? Mir klang noch das letzte Wort in den Ohren: Ich bin nicht der Unmensch, den andere in mir sehen! War das nicht ein deutlicher Wink? Sollte es nicht bedeuten: Nimm dich in acht vor mir – vielleicht bin ich doch der Unmensch, als der ich bei anderen gelte.

Könnte ich mich dieser Qual doch entziehen! Irgendwohin, wo mich keine Erpressung erreichen kann! Wo niemand befiehlt und droht! Wo all die quälenden Stimmen in mir verstummen und alles ganz still ist!

Ich sehnte mich nach dem Tod. Hatte ich nicht von den Philosophen gelernt[1]: Es gibt auch in den schlimmsten Situationen ei-

---

1 Die stoische Philosophie war in der gebildeten Oberschicht des Römischen Reiches verbreitet. Sie lehrte Selbstbeherrschung und Pflichterfüllung. Selbstmord galt als erlaubte und gebotene Möglichkeit, sich einer ausweglosen Lage zu entziehen. Auch unter den Juden gab es ähnliche Gedanken: Die in der Festung Masada im Jüdischen Krieg belagerten Juden gaben sich in aussichtsloser Lage

nen Ausweg. Ein Tor steht immer offen: der Tod. Durch dies Tor
konnte man sich den grausamsten Tyrannen entziehen. Aber war
Selbstmord die richtige Lösung? Die Römer bewunderten Cato
und Brutus, die sich in auswegloser Lage den Tod gegeben hatten.
Auch unter Juden war diese Einstellung zu finden. Aber im Grunde dachten wir anders: Wir haben von Gott den Auftrag zum Leben. Wir können ihn nicht zurückgeben, wenn wir meinen, er sei
zu schwierig. Denn wer kann wissen, was Gott noch mit uns vorhat – er, der den Verlierern und Ausgestoßenen Mut gibt. Auch
unsere Vorfahren waren von allen verlassen gewesen – verlassen
von den vielen Göttern, die in der Welt verehrt werden, verlassen
von allen Menschen. Sie waren hilflos und verzweifelt durch die
Wüste geirrt. Aber sie hatten sich nicht aufgegeben. Sie hatten
Mose geglaubt, daß sie einen Auftrag hatten, den sie nicht verraten durften!

Hätte ich wenigstens die Freiheit, in der Wüste herumzuirren!
Da durchfuhr mich der Gedanke: Warum sollte ich nicht zum
Schein auf das Angebot des Pilatus eingehen – um spurlos in der
Wüste zu verschwinden? Ich hatte gelernt, wie man in der Wüste
überlebt. Bannos hatte es mir beigebracht. Zu ihm könnte ich gehen. Vielleicht war ich jetzt so weit, seine Lehre zu verstehen. Damals war sie mir fremd geblieben.

Was hatte mich zu ihm hinausgetrieben? Es war eine große Unruhe gewesen, die ich nur schwer erklären kann. Ich war in einem
liberalen Elternhaus aufgewachsen. Wir faßten jüdische Sitten
und Überzeugungen philosophisch auf. Mein Vater sagte immer:
Die Bibel spricht aus, was die griechischen Philosophen denken.
Ich erinnere mich, wie wir einmal den Aufgang der Sonne bewunderten. Wir waren auf einen Berg geklettert, um sie zu erwarten.
Da durchbrach sie den morgendlichen Dunst und verwandelte
die Landschaft in ein wunderbares Spiel von Farben und Licht.
Mein Vater sagte: »Wie gut verstehe ich, daß die Heiden die Sonne
verehren. Sie ist nur ein Abglanz des wahren Gottes. Durch seinen Abglanz hindurch spüren sie Gott. Sie verwechseln zwar den

---

im Jahr 73 (oder 74) n.Chr. selbst den Tod, um den Römern nicht lebendig in die
Hände zu fallen. Nach Josephus (bell 7,400 = VII, 9,2) fanden damals 960 Männer,
Frauen und Kinder den Tod.

Schöpfer mit seinen Geschöpfen, aber sie haben Sinn für die Schönheit dieser Welt.«[2]

Er liebte schöne Dinge. Deswegen hatte uns ein Gastfreund einmal eine kleine Götterstatue geschenkt. Für meinen Vater war sie die Darstellung eines schönen Menschen, nicht mehr. Er versteckte sie in einem Nebenraum. Seine Überzeugung war: Wenn einmal der Gedanke an die Unvergleichlichkeit Gottes in allen Herzen verankert ist, kann man getrost alle Dinge dieser Welt in Bildern darstellen![3]

In solch einer Atmosphäre war ich aufgewachsen. Aber dann hatte ich entdeckt, daß nicht alle so dachten wie meine Eltern. Ich lernte den Glauben einfacher Menschen kennen, die kein Bedürfnis hatten nachzuweisen, daß ihr Glaube mit der griechischen Philosophie gleichwertig war. In fragloser Selbstverständlichkeit glaubten sie an die Einzigkeit Gottes, der keiner Verteidigung und Rechtfertigung bedurfte. Entscheidend war für sie, daß man seinen Willen erfüllte und seine Gebote im Alltag ernst nahm. Ich entdeckte eine neue Welt.

Damals entstand in mir das Verlangen, meinen jüdischen Glauben von Grund auf kennenzulernen. Ich wollte ihn durchbuchstabieren – mit meinem ganzen Leben. Ich sehnte mich nach Entschiedenheit und Klarheit. Da hörte ich von Bannos. Mich zog an, daß er in der Wüste lehrte – jenseits des normalen Lebens. Auch er meinte, wir Juden müßten noch einmal von vorne anfangen: So wie wir aus Ägypten durch die Wüste gezogen waren, um in dieses Land zu kommen, so müßten wir wieder in die Wüste. Wir müßten noch einmal in ihr die Stimme dessen hören, der im Dornbusch gesagt hat: »Ich bin, der ich bin!«

Bannos Ansichten waren radikal: Nicht nur die Juden, nein, die ganze Welt müsse von vorne beginnen. Diese bestehende Welt sei mißraten. Es sei eine Welt von Unrecht und Unterdrückung, Ausbeutung und Angst. Sie würde in einem großen Strafgericht Got-

---

2 Solch ein Gedankengang findet sich in der »Weisheit Salomos« 13,6–9, einer Schrift, deren Entstehungszeit im 2./1. Jh. v.Chr. angesetzt wird. Sie stammt aus der jüdischen Diaspora, vielleicht aus Ägypten.
3 Das Judentum entwickelte in der Tat in den ersten Jahrhunderten n.Chr. eine blühende Kunst, in der das radikale Bilderverbot übertreten wurde. Ein Höhepunkt sind die Fresken der Synagoge von Dura-Europos am Euphrat.

tes an ihren Widersprüchen zugrunde gehen. Dann aber werde eine neue Welt beginnen. Ich höre noch seine Stimme:

>>*Dann wird Gott ein ewiges Königreich für alle*
Menschen errichten,
derselbe Gott, der einst das Gesetz gab.
Alle Menschen werden diesen Gott verehren
und zu seinem Tempel strömen.
Und es wird nur einen Tempel geben.
Von überall werden Wege zu ihm führen.
Alle Gebirge werden gangbar,
alle Meere schiffbar.
Alle Völker werden in Frieden leben.
Alle Waffen werden verschwinden.
Reichtum wird gerecht verteilt sein.
Und Gott wird unter den Menschen sein.
Wölfe und Schafe werden auf den Bergen zusammen
Gras essen,
Panther werden mit Böcklein weiden.
Bären werden mit Kälbern lagern,
und der Löwe wird Stroh aus der Krippe fressen
wie ein Ochs
und kleine Jungen werden ihn an einem Strick führen.
Drachen und Nattern werden mit Säuglingen schlafen
und ihnen kein Leid antun.
Denn die Hand Gottes wird über ihnen sein.<<[4]

Schöne Träume waren das! Träume von einer Flucht in eine neue, bessere Welt! Nicht viel besser als mein Traum von einer Flucht in die Wüste. Wie unrealistisch war er doch! Die Römer wußten ja von meinem Wüstenaufenthalt. Sie würden mich überall suchen lassen. Bannos würde mit ins Verderben gezogen werden. Und wahrscheinlich würden sie dann erst recht auf die Spuren von Barabbas kommen.

Ich war schon einige Zeit mit Bannos zusammen gewesen, als Barabbas zu uns stieß. Auch der kam aus Galiläa und stammte

4 Nach Motiven aus den »Sibyllinischen Orakel« III, 767–795, einem jüdischen Abschnitt in diesem in der Antike verbreiteten Orakelbuch, das wie das ganze 3. Buch dieser Sammlung wohl im 2. Jh. v.Chr. entstanden ist. Die Motive dieser Weissagung gehen auf Jes 11,1ff zurück.

wie ich aus Sepphoris. Seine Eltern waren als junges Ehepaar mit
Mühe der Katastrophe unserer Stadt entkommen. Sie hatten
Haus und Besitz verloren. Jetzt wohnten sie in bescheidenen Verhältnissen in Gischala im Norden Galiläas. Die Flucht aus Sepphoris und die barbarische Behandlung der Stadt hatte das Leben
der Familie geprägt: Bei ihnen wurden die Römer abgelehnt –
ebenso wie die herodäischen Fürsten, in denen sie nur Marionet-
ten der Römer sahen. Nicht daß sie die Fremden ablehnten, weil
sie Fremde waren. Sie lehnten sie ab, weil sie Sklaverei und Unterdrückung brachten.

Was hatte Barabbas in der Wüste gesucht? Wollte er sich vor
den Römern verstecken? Hatte er ein Verbrechen gegen sie be-
gangen? Ich wußte es nicht. Nur so viel war klar: Während ich unterwegs war, in der großen Welt des Judentums eine Heimat zu
finden – war für ihn die Entscheidung gefallen. Er hatte seine Heimat gefunden. Ihm ging es darum, sie gegen die verlockende
Welt der Römer und Griechen zu behaupten. Er strahlte Gewißheit aus. Das zog mich an. Er wußte, was seinem Leben Sinn und
Inhalt geben sollte. Ich suchte.

Unser Verhältnis zur Lehre des Bannos war verschieden. Die
Botschaft von einer neuen Welt packte mich nicht bis ins Inner-
ste. Ich hatte zu Hause gelernt, diese Welt zu lieben, Barabbas hatte gelernt, sie zu verachten. Leidenschaftlich griff er den Gedanken einer neuen Welt auf. Nur, in einem Punkt unterschied er
sich von Bannos. Er sagte: Diese neue Welt kommt nicht von allein. Gott will, daß wir etwas für sie tun. Und sei es, daß wir sie
mit Gewalt herbeizwingen.[5] Auch die aus Ägypten flüchtenden
Juden wanderten in eine neue Welt. Aber die wurde ihnen nicht
geschenkt. Sie mußten Strapazen auf sich nehmen, mußten gegen äußere Feinde kämpfen und vor Verrätern im eigenen Lager
auf der Hut sein.

Obwohl Barabbas meine Sympathien hatte, schreckte ich vor

---

5 Barabbas vertritt hier die »Philosophie« des Judas Galilaios, dessen Aufstand gegen die Römer Sepphoris ins Verderben zog. Über ihn berichtet Josephus ant
XVIII, 1ff und bell 2,117f = II, 8,1. Charakteristisch ist folgende Aussage: »Die
Gottheit würde nur unter der Bedingung zum Gelingen dieses Vorhabens (der Erringung der Freiheit) bereitwillig beitragen, wenn man selbst dabei aktiv mitwirke« (ant 18,5 = XVIII, 1,1).

dem Gedanken zurück, mit Gewalt eine neue Welt herbeizuführen. Gewalt artet aus. Gewalt korrumpiert. Was mir dennoch an Barabbas sympathisch war: Er wollte etwas tun. Er wollte nicht warten. Er war überzeugt, daß die Welt, so schlimm sie war, eine Chance bot. Mir aber fehlte die Überzeugung, daß sein Unternehmen erfolgreich sein könnte. Ich hielt es für unrealistisch. Die Römer waren zu mächtig.

In meiner gegenwärtigen Lage begann ich meine Wüstengefährten besser zu verstehen. Bannos wollte mit dieser Welt von Erpressung und Unterdrückung nichts zu tun haben. War es nicht das Beste, sie zu verlassen, ihren Schmutz und Unrat im Jordan abzuspülen? Was hatte sie anderes verdient, als daß sie unterging. Hätte ich Macht dazu, ich würde Feuer vom Himmel fallen lassen, um Pilatus und seine Soldaten zu verschlingen!

Und ich verstand Barabbas: Mußte man nicht etwas gegen die Römer tun? Mußte man sich nicht wehren? Aber war offener Widerstand nicht ein reiner Verzweiflungsakt?

Da kam mir eine neue Idee: Sollte man bei Leuten wie Pilatus nicht das schmutzige Spiel zum Schein mitspielen? Wenn Pilatus mit Erpressung arbeitete – was hatte er Besseres verdient, als daß man ihn betrog? Sollte ich nicht ja zu seinem Angebot sagen, ihm aber nur Informationen liefern, bei denen wir Juden ein Interesse hatten, daß die Römer sie besaßen? Konnte ich nicht alle anderen Informationen unterschlagen? Ja, konnte ich nicht von den Römern manches in Erfahrung bringen, womit ich meinen Landsleuten helfen konnte? Gewiß, ein schäbiges Spiel! Ein Spiel mit Betrug und Verstellung! Durfte man es mitspielen? Durfte man in der Not betrügen?

Wie war das bei Abraham gewesen? Hatte er nicht auch seine Frau als Schwester ausgegeben, damit er nicht als ihr Ehemann vom Pharao getötet wurde![6] Das war eine Lüge gewesen. Hatte nicht Jakob mit List und Tücke den Segen ergattert – und doch war er der Gesegnete![7] Hatte nicht David Philistern als Söldner gedient[8] – und doch war er der große König der Juden geworden!

6 Vgl. 1Mos 12,10–20
7 Vgl. 1Mos 27
8 Vgl. 1Sam 27

Zeigte nicht die Geschichte meines Volkes, daß nicht nur die Vollbringer edler Taten Segensträger sein konnten –, sondern die Kleinen, Verfolgten, diejenigen, die weniger um die Ehre als ums Überleben kämpften! Vollzog sich in meinem Schicksal nicht das, was meinem Volk immer wieder zuteil wurde: auf hohe Ideale verzichten zu müssen, nur um überleben und entrinnen zu können! War ich, Andreas, nicht Abraham der Flüchtling, Jakob der Verfolgte, David der Bandenführer?

Wie ich so mein Geschick in die Zusammenhänge meines Volkes einordnete, überkam mich eine große Ruhe. Ich hatte auf einmal die Gewißheit: Wenn ich auf die Erpressung des Pilatus einging, verriet ich nicht mein Volk! Denn in mir vollzog sich noch einmal das Geschick meines Volkes.

Ich lag noch lange wach. Als ich endlich einschlief, hatte ich einen Traum: Vor mir stand Pilatus in seiner purpurgestreiften Toga. Immer wieder sagte er: »Ich bin kein Unmensch! Ich bin keine Bestie!« Die Gesichtszüge des Mannes verzerrten sich. Große Zähne blitzten im Mund auf. Seine Hände ballten sich zusammen. Wo der Fingerring strahlte, wurden Krallen sichtbar. Der Leib schwoll an, bis ein riesiges Tier, ein fauchendes Ungeheuer vor mir stand, das höhnisch die ganze Welt mit seinen Pranken bedrohte und immer noch fauchte: »Ich bin kein Unmensch! Ich bin keine Bestie!«

Ich wollte davonlaufen. Aber meine Beine bewegten sich nicht. Ich kam nicht vom Fleck. Stattdessen rückte das Untier näher. Jetzt schnupperte es an meinen Füßen. Jetzt berührte es mit seinen Tatzen die Knie. Jetzt richtete es sich auf, um mir an die Kehle zu fahren. – Doch plötzlich zuckte es zusammen, duckte sich und wurde klein; es winselte und wälzte sich im Staub. All sein Stolz und seine Herrlichkeit waren verflogen, als sei es vor einer unsichtbaren Macht in die Knie gegangen, die hinter mir stand.

Ich drehte mich um. Hinter mir stand ein Mensch. Begleiter umgaben ihn. Sie brachten Bücher. In ihnen waren die Untaten des Tieres aufgeschrieben, nicht nur die Untaten des Pilatus, sondern des ganzen Römischen Reiches. Eine Untat nach der anderen wurde vorgelesen – und jedesmal winselte das Untier und wälzte sich im Staub. Am Ende fiel das Urteil: Das Tier wurde hinausgeschafft und getötet. Der Mensch mit seinen Begleitern übernahm die Herrschaft.

Ich wachte auf. Hatte ich nicht von einem ähnlichen Traum in Büchern gelesen? Jetzt erinnerte ich mich: Es war der Traum Daniels von den vier Tieren aus dem Abgrund.[9] Aber in meinem Traum hatte ich nur das letzte Tier gesehen. Ich stutzte. Denn die vier Tiere wurden gewöhnlich auf die vier Weltreiche der Babylonier, der Meder, der Perser und Hellenen gedeutet. Der Traum sagte: Alle diese bestialischen Reiche würden keinen Bestand haben. Alle würden durch das Reich des Menschen zerstört werden – durch eine geheimnisvolle Gestalt, die vom Himmel kam und wie ein Mensch aussah.

Einige hatten das so gedeutet: Der Traum sei in Erfüllung gegangen. Nach dem Zusammenbruch der hellenischen Reiche war das Römische Reich gekommen. Es hatte Frieden gebracht, wo vorher Krieg und Zerstörung geherrscht hatte. Es war ein menschliches Reich.

Mein Traum offenbarte das Gegenteil: Das Römische Reich war das letzte Untier. Auch dies Reich war bestialisch. Ein wirklich menschliches Reich mußte noch kommen.

Noch war ich in der Gewalt des Tieres. Aber ich wußte jetzt: Dies Tier läßt sich besiegen. Es gab etwas, das stärker war. Jetzt herrschte es zwar noch über mich. Es hatte Macht über meinen Körper, der in Fesseln lag. Aber es hatte seine Macht über mein Inneres verloren – über jenen Bereich, aus dem die Träume kommen. War es nicht meine Aufgabe, dies Reich mit List zu überwinden?

Als es Tag geworden war, ließ ich Pilatus sagen, daß ich sein Angebot akzeptiere – vorausgesetzt, Timon werde gleichzeitig freigelassen.

---

9 Vgl. Dan 7

Sehr geehrter Herr Kollege,

vielen Dank für Ihren freundlichen Brief. Ihre Änderungsvorschläge zu Einzelheiten im Text werde ich gerne aufgreifen. Auch über Ihren Vorschlag, die ganze Erzählung nicht im Ich-Stil abzufassen, habe ich nachgedacht. Die Grenzen des Ich-Stils werden ja gerade dann spürbar, wenn die Hauptfigur im Gefängnis sitzt: Erzähler und Leser sind mit eingesperrt. Ein allwissender Erzähler, der in der dritten Person erzählt, könnte überall präsent sein. Er wäre einem Historiker vergleichbar.

Dennoch möchte ich am Ich-Stil festhalten. Gewiß weicht die Erzählung damit grundsätzlich von einer historischen Darstellung ab. Aber vergißt ein Historiker nicht allzu schnell, daß alles, was er untersucht, Handeln und Erleiden individueller Menschen zwischen Geburt und Grab ist? Alle Geschichte wird von Menschen aus begrenzter Perspektive erlebt und gestaltet. Anders ausgedrückt: Es gibt keine Geschichte an sich, sondern nur perspektivisch wahrgenommene Geschichte. Auch die Sicht des Historikers ist eine Perspektive neben anderen, in der möglicherweise eine Seite der Geschichte zu kurz kommt, die man nur im Ich-Stil vermitteln kann.

Gegen Ihren Rat bleibe ich beim »Ich«. Dennoch waren Ihre Bemerkungen für mich sehr wertvoll. Darf ich Ihnen auch das vierte Kapitel schicken?

Mit herzlichen Grüßen
Ihr
Gerd Theißen

Der Ermittlungsauftrag

Endlich war ich frei. Sie hatten mir einen Tag Ausgang gegeben, Timon aber festgehalten. Die letzten Tage meiner Haft waren erträglich gewesen. Zwar mußte ich in meine dunkle Zelle zurück, doch ich konnte mich waschen, erhielt dasselbe Essen wie die Soldaten und sogar neue Kleider vor meiner Freilassung. Aber erst der Schritt in die Freiheit machte aus einem zerlumpten Häftling wieder einen Menschen, in dem ich mich selbst wiedererkennen konnte. Ich ging durch die engen Straßen Jerusalems, genoß die vertrauten Geräusche und Gerüche des Marktes, beobachtete die Menschen, die sich mit mir durch die Gassen drängten: diese Mischung aus Pilgern, Händlern, Bauern, Priestern und Soldaten, die das Bild der Stadt unverwechselbar prägte.

Wie gut tat es, wieder die Sonne zu sehen! Ich spürte das Licht am ganzen Körper. Es überströmte Gesicht und Hände. Es schwebte als Farbe und Schatten durch den Raum. Es rieselte als Wärme auf die Erde. Mir war, als steckte in allen Dingen eine stumme Freude, die darauf wartete, daß jemand ihr Ausdruck verlieh. Und so murmelte ich unhörbar – fast ohne meinen Willen:

Herr, unser Gott,
die Himmel strahlen deine Schönheit wider,
und die Erde ist dein Echo,
jedes Staubkorn deine Wohnung,
jeder Tag dein Fest.
Alle Dinge sind schön durch dich.
Ihre Sprache ist ohne Worte.
Alles lobt dich mit unhörbarer Stimme.
Dort zieht die Sonne dahin,
verliebt in die Farbenpracht der Erde,
umgeben von Planeten.
Nichts bleibt ihr verborgen.«[1]

1 Nach Motiven von Ps 19.

Doch schon am nächsten Tag holte mich die Wirklichkeit ein: Ich hatte mich auf ein riskantes Unternehmen eingelassen, um die Sonne wiederzusehen. Das ging mir spätestens auf, als ich jenem Offizier gegenüberstand, der mich beim ersten Mal verhört hatte. Metilius war sein Name.

»Andreas, ich freue mich, daß du mit uns arbeitest«, begann er, »kommen wir gleich zur Sache. Wir wünschen Informationen über einige seltsame Leute. Sie nennen sich Essener und wohnen in der Wüste.« Er rollte eine Karte auf dem Tisch auf und zeigte auf die nordwestliche Ecke des Toten Meeres:

»Kennst du diese Gegend?«

Ich wurde unsicher. Denn nicht weit entfernt vom Toten Meer hatte ich bei Bannos ein Jahr lang gelebt. Ich zog es vor, den Unwissenden zu spielen. Vielleicht konnte ich Dinge, die ich schon jetzt wußte, später als mühsam recherchierte Auskünfte verkaufen. Ich sagte also nur:

»Ich kenne das Gebiet nur flüchtig.«

»Hier gibt es eine Oase, in der die Essener ihr Zentrum haben. Die uns im Augenblick vorliegenden Berichte stammen von römischen Touristen. Danach sollen die Essener dort ohne Frauen, ohne Nachwuchs, ohne Privatbesitz leben, von Palmen umgeben, am Ufer des Toten Meeres. Immer wieder sollen Leute zu ihnen stoßen, die der Ekel vor dem normalen Leben gepackt hat oder deren Lebensmut durch Schicksalsschläge gebrochen wurde.[2] Schau dir diese Heiligen einmal an. Sie sollen friedfertig sein, keine Waffen benutzen, keinen Eid schwören, die Sklaverei ablehnen, streng auf die Einhaltung aller religiösen Gebote achten.[3]

2 Die Beschreibung der Essenersiedlung am Toten Meer stammt aus Plinius dem Älteren, Naturalis Historia V, 73. Ausgrabungen am Toten Meer (bei Qumran) haben die Siedlung der Essener freigelegt. Außerdem wurden zahlreiche Schriften der Essener in benachbarten Höhlen gefunden, so daß wir über diese Gemeinde in der Wüste recht gut Bescheid wissen.
3 Vgl. Philo, Quod omnis probus liber sit (= Über die Freiheit des Tüchtigen) § 75–87: »Man kann bei ihnen niemanden finden, der Pfeile, Speere, Dolche, Helme, Brustpanzer oder Schilde herstellt sowie überhaupt keinen Waffenschmied, Kriegsmaschinenbauer oder sonst jemand, der Dinge anfertigt, die im Krieg gebraucht werden« (78). »Sklaven gibt es bei ihnen überhaupt nicht, sondern alle sind frei und leisten einander Gegendienste. Herren, die Sklaven haben, beurteilen sie geringschätzig nicht nur als ungerecht, weil sie Gleichheit verletzen, son-

Uns interessiert: Was sind das für Leute, die sich aus dem normalen Leben zurückgezogen haben? Was hat sie bewogen, in die Wüste zu gehen? Schicksalsschläge? Lebensüberdruß? Oder ver-
kriecht sich da mancher, der sich uns entziehen will, weil er etwas verbrochen hat? Kann man den Berichten glauben, daß diese
Leute prinzipiell friedfertig sind? Über all das sollst du Informationen sammeln!«

»Das ist fast unmöglich. Die Essener geben Außenstehenden
keine Auskünfte. Sie haben einen Eid geschworen, alles, was ihre
Gemeinschaft betrifft, geheim zu halten.[4] Das ist bekannt. Selbst
wir Juden wissen nicht viel über sie.«

»Um so wichtiger ist es, daß wir Material über sie erhalten. Wer
weiß, was sie alles geheimhalten – möglicherweise nicht nur religiöse Geheimnisse.«

»Es wird schwer sein, an sie heranzukommen.«

»Wir wissen, daß es neben den Leuten am Toten Meer Essener
gibt, die im Land verstreut leben. Vielleicht kann man von ihnen
etwas erfahren.«[5]

»Ich werde es versuchen. Aber man muß bedenken, daß die
verstreut lebenden Essener möglicherweise nicht in alle Geheimnisse eingeweiht sind.«

»Etwas wird man bestimmt herausbekommen. Selbst bis zu
uns sind einige Informationen gedrungen. Jerusalemer Priester
haben uns erzählt, die Essener lehnten den jetzigen Tempelkult
und die amtierenden Priester ab. Und das soll so gekommen sein:
Vor ca. 200 Jahren wurde ein Hoherpriester aus zadokidischem
Haus von einem Emporkömmling aus dem Amt gedrängt. Aus
Protest zog er sich in die Wüste zurück, fand dort ein paar Außenseiter, aus denen er die essenische Gemeinde schuf – als Ersatz

---

dern auch als gottlos, weil sie die Satzung der Natur zerstören, die alle in gleicher
Weise gebar und nährte wie eine Mutter und sie zu wirklichen Brüdern machte,
und das nicht nur dem Namen nach, sondern tatsächlich« (79). Dies ist eine der
wenigen Stellen in der Antike, wo die Sklaverei eindeutig als Unrecht abgelehnt
wird.
4 Vgl. Jos. bell 2,141 = II, 8,7
5 Im Unterschied zu den Essenern am Toten Meer (in Qumran), die ehelos lebten, gab es noch Essener, die im Lande verstreut lebten und heirateten (vgl. Jos.
bell 2,160.161 = II, 8,13).

für den Tempel, in dem er nicht mehr amtieren konnte.[6] Dieser Punkt interessiert uns. Wie stark ist diese Opposition gegen den Tempel und die etablierte Priesterschaft? Findet sie Unterstützung in der Bevölkerung? Kann man die Essener gegen die Hohenpriester ausspielen? Oder werden sie im Konfliktfall auf seiten der priesterlichen Aristokratie stehen?

Wir wissen ferner: Die Essener haben Herodes unterstützt. Ein essenischer Prophet namens Menahem hat ihm die Herrschaft geweissagt, als er noch kein König war.[7] Herodes hat diese Weissagung immer wieder zitiert. Er stammte ja nicht aus königlichem Haus. Die Weissagung legitimierte sein Königtum.

Ich frage mich nun: Haben die Essener Herodes unterstützt, weil er die Macht der Hohenpriester beschnitten hat – also die Macht ihrer Gegner? Wie stehen sie zu den herodäischen Fürsten? Muß man damit rechnen, daß sie einmal einen der jetzigen Herodäer durch Weissagung zum ›König‹ befördern? Über all das brauchen wir Informationen.

Das Stichwort ›Prophet‹ bringt mich auf den zweiten Komplex: Wir wollen über einen Propheten Auskunft haben, der mit den Essenern in Verbindung stehen könnte. Er wohnt wie sie in der Wüste – nur ein paar Kilometer nördlich von ihnen.«

Ich bekam einen tödlichen Schreck. Wollten mich die Römer auf Bannos ansetzen? Ich fragte vorsichtig:

»Was interessiert euch denn an dem?«

»Er interessiert uns, weil er nicht nur in grundsätzlicher Opposition zur Gesellschaft steht, sondern in Opposition zu Antipas.«

Konnte das Bannos sein? Opposition zur Gesellschaft – das traf zu. Aber was hatte er mit Antipas zu schaffen? Um sicherzugehen fragte ich weiter:

»Was hat er denn gegen Antipas?«

---

6 Der aus dem Amt verdrängte Hohepriester ist der sogenannte »Lehrer der Gerechtigkeit«, der nach den in Qumran gefundenen Schriften der Essener die essenische Gemeinde gegründet und maßgebend gestaltet hat. Als sein Gegenspieler tritt in den Qumranschriften ein Frevelpriester auf, dessen Identifikation mit einem der jüdischen Hohenpriester sicher ist. Umstritten ist nur, welcher Hohepriester es war. Vielleicht war es Jonathan, der 152 v.Chr. Hoherpriester wurde, vielleicht sein Nachfolger Simon (143–135 v.Chr.).
7 Vgl. Josephus ant 15,373–374 = XV,10,5

Metilius machte eine Handbewegung, die wohl sagen sollte: Da gibt es unendlich viel zu erzählen. Und sprudelte los:

»Du weißt vielleicht, daß die Beziehungen zwischen Pilatus und Herodes Antipas, dem Fürsten von Galiläa und Peräa, nicht die besten sind.[8] Palästina wurde nach dem Tod Herodes des Großen unter drei Söhne aufgeteilt, von denen Archelaos den größten Teil, nämlich Judäa und Samarien erhielt. Archelaos wurde nach zehn Jahren abgesetzt. An seine Stelle trat ein römischer Präfekt. Natürlich hatten die beiden anderen Herodessöhne, Antipas und Philippus, gehofft, das Erbe des Archelaos anzutreten. Besonders Antipas, der schon einmal als Gesamterbe vorgesehen war, war enttäuscht. Seitdem benutzt er jede Gelegenheit, um zu zeigen, daß die römischen Präfekten das Land schlecht regieren und er es viel besser könne, da er mit den jüdischen Sitten und Empfindlichkeiten vertraut sei. Alles Negative über Pilatus meldet er an den Kaiser weiter.

Pilatus hat das schon zu spüren bekommen. Du hast gewiß von jenem Konflikt um die Schilder gehört, auf denen die Anfangsbuchstaben des Kaisers eingraviert waren. Pilatus hatte sie nach Jerusalem gebracht und in der Burg Antonia aufgehängt, in der die Kohorte ihren Dienst tut. Es war schwer einzusehen, wieso dadurch das Bilderverbot verletzt oder dem Kaiser göttliche Verehrung erwiesen wurde. Dennoch gab es Proteste – angeführt von Herodes Antipas, der die Rolle des Verteidigers jüdischen Glaubens spielte. Man verstieg sich zu der Behauptung, es handle sich um eine demonstrative Verletzung des jüdischen Gesetzes. Sie zeige wieder einmal, wie wenig Pilatus von der jüdischen Religion verstünde. Antipas erhob förmlich Einspruch beim Kaiser. Pilatus erhielt von oben den Befehl, die Schilder zu entfernen.[9] Das hat er dem Antipas nie verziehen. Zumal wir inzwischen durch dich wissen, daß Antipas es mit dem Gesetz nicht so genau nimmt, wenn man an seine Tierbilder in Tiberias denkt. Aber nicht nur das. Er heiratete die Frau seines Bruders noch zu dessen Lebzeiten. Das war wieder ein Verstoß gegen euer Gesetz. Es gab

8 Vgl. Lk 23,12
9 Philo erzählt in der Legatio ad Gaium § 299–305 von dem Versuch, Schilde ohne Bilder, aber mit einer Widmung an den Kaiser in der Burg Antonia in Jerusalem anzubringen. Auf ihnen stand etwa »IMP(eratori) TI(berio)«.

Kritik. Aber was macht Antipas? Er sperrt den Kritiker ein, einen
Mann namens Johannes, einen Heiligen, einen Propheten, der in
der Wüste am Jordan wirkte. So etwas haben selbst wir Römer
uns bisher nicht erlaubt. Man sagt, dieser Johannes habe großen
Anklang beim Volk gefunden. In unseren Akten findet sich über
ihn aber nur eine sehr allgemeine Darstellung. Ich lese sie einmal
vor:

›Johannes, genannt der Täufer, ist ein vorbildlicher Mensch. Seine Lehre
ist: Die Juden sollen sich darin üben, Gutes zu tun, nämlich gerecht gegenüber anderen Menschen zu sein und Gott zu verehren. Das vorausgesetzt, sollten sie zur Taufe zusammenkommen. Diese Taufe ist nach
seiner Lehre nur dann vor Gott wertvoll, wenn der Mensch durch das
Ausüben von Gerechtigkeit im Innern schon gereinigt ist und die Taufe
nur noch zur Heiligung des Körpers dient, nicht aber zur Vergebung aller
möglichen Sünden.‹[10]

Ehrlich gesagt: Mit so einer unpräzisen Beschreibung können
wir wenig anfangen. All das könnte man von vielen heiligen Menschen sagen. Wir brauchen genauere Unterlagen. Wir haben nämlich erfahren, Herodes Antipas habe den Johannes eingesperrt,
weil er einen Aufstand im Volk befürchtete.[11] Wir fragen uns: Wie
kann ein harmloser Heiliger einen Aufstand hervorrufen? Ich bin
sicher, die Beschreibung, die ich dir vorlas, verschweigt das Wichtigste. Sie läßt drei Fragen offen:

Erstens: Warum wirkte Johannes in der Wüste? Warum dieser
Rückzug aus der normalen Welt wie bei den Essenern? Warum
diese Verachtung der Menschen? Vor allem: Gibt es eine Beziehung zu den Nabatäern, zu den südlichen Nachbarn?

Zweitens: Was ist aus den Anhängern des Johannes geworden,
seitdem ihr Anführer im Gefängnis sitzt? Gibt es Nachfolgeorga-
nisationen? Haben sie ihre Aktivität nach Judäa verlegt, weil ihnen im Gebiet des Herodes Antipas der Boden zu heiß geworden
ist? Ist zu befürchten, daß sie Unruhe stiften?

10 Fast wörtlich nach Josephus ant 18,117 = XVIII,5,2. Josephus beschreibt den
Täufer so, wie ihn die griechischen und römischen Leser seines Werkes verstehen konnten.
11 Diesen Grund gibt Josephus für die Inhaftierung und Hinrichtung des Täufers an (vgl. ant 18,118 = XVIII,5,2).

Drittens: Wie verhält sich Herodes Antipas? Will er Johannes ewig im Gefängnis sitzen lassen? Ist sein Regime durch die von Johannes ins Leben gerufene Opposition gefährdet? Natürlich sind wir an allem Material interessiert, das Antipas belasten könnte. Der schwärzt uns bei jeder Gelegenheit in Rom an. Da muß man für einen Ausgleich sorgen. Vielleicht könnte man die Geschichte mit dem inhaftierten Heiligen gebrauchen. Herodes Antipas empfiehlt sich ja immer wegen seines größeren Geschicks im Umgang mit den komplizierten religiösen Fragen der Juden!

Das wäre es also! Du kannst als Getreidekaufmann durch das Land reisen. Wenn du erste Ergebnisse gesammelt hast, sende sie über die Postorganisation des römischen Heeres an uns. Ansonsten erwarten wir dich in circa zwei Monaten zu einem Bericht in Jerusalem.«

Ich wollte schon gehen, als mich Metilius noch einmal in ein Gespräch verwickelte.

»Ich habe seit unserem ersten Gespräch viel über eure Religion nachgedacht. Als ich das Material über die Essener zusammenstellte, kam mir folgender Gedanke: Könnte in dieser Gruppe nicht etwas zum Ausdruck kommen, was für euer Volk typisch ist? Diese Leute ziehen sich von allen anderen zurück. Sie gehen in die Wüste – so wie einmal das ganze Volk aus Ägypten in die Wüste zog. Liegt darin nicht Menschenverachtung? Eine Ablehnung von Fremden und anderen Völkern; ja eine Ablehnung der Menschen überhaupt?«

Die Worte des Metilius trafen mich hart. Vorurteile gegen uns Juden aus seinem Munde hören zu müssen, tat weh. Denn Metilius war ein fähiger römischer Beamter, dem vielleicht eine bedeutende Laufbahn bevorstand. Er wirkte nicht unsympathisch, war belesen und um Verständnis für unsere Religion bemüht. Trotzdem hatte er die Taktlosigkeit, unsere heiligsten Traditionen gegen uns auszuspielen. Bitter sagte ich:

»Der Vorwurf des Menschenhasses ist eine üble Verleumdung. Unser Gesetz lehrt uns, in jedem Menschen Gottes Ebenbild zu achten.«

Metilius rechtfertigte sich:

»Aber warum schreibt einer unserer besten Historiker über

euch, untereinander hättet ihr engen Zusammenhalt und große
Hilfsbereitschaft, gegenüber allen anderen Menschen jedoch
feindseligen Haß?[12] Warum konnte er diesen Eindruck haben?
Das versuche ich zu verstehen. Deshalb frage ich: Hängt das mit
eurer Vertreibung aus Ägypten zusammen? Hat sie vielleicht eine
tiefe Kränkung in euch hinterlassen[13], eine Angst, ihr könntet
wieder wie rechtlose Menschen aus allen Ländern vertrieben
werden?«

Es wirkte wie eine Verlegenheitsgeste, als Metilius die ausge-
breitete Landkarte zusammenrollte und in einen ledernen Köcher steckte. Ich erklärte:

»Der Auszug aus Ägypten hat uns entscheidend geprägt. Er bedeutet Befreiung aus Sklaverei und Unterdrückung. Wir erinnern
uns an ihn nicht, um uns von anderen fernzuhalten, sondern um
anderen nicht das Unrecht anzutun, das wir selbst in Ägypten erlitten haben.«

»Was heißt das konkret?« fragte er, während er das offene Ende
des Köchers mit einem ledernen Verschluß sicherte.

»Daß wir die Fremden in unserem Land wie Brüder behandeln!
Mose hat uns geboten: ›Wenn ein Fremder bei euch wohnt in eurem Land, so sollt ihr ihn nicht bedrücken. Wie ein Einheimischer
von euch sei euch der Fremde, der mit euch wohnt; und du sollst
ihn lieben wie dich selbst, denn Fremde wart ihr in Ägypten!‹«[14]

»Aber warum gibt es so viel Haß gegen uns Römer in diesem
Land?«

Wir redeten aneinander vorbei:

»Es heißt: Du sollst den Fremden nicht bedrücken. Bedrücken
wir die Römer? Wer unterdrückt hier wen?«

Mein aggressiver Tonfall hatte ihn irritiert. Er hob den Kopf
und sah mich an:

»Wir unterdrücken nicht. Wir schaffen Frieden. Euer Gesetzge-

12 So Tacitus, Historien V,5,1f. Der Vorwurf des »Menschenhasses« begegnet
auch sonst. Er findet sich sogar bei dem Juden Paulus, der dies antisemitische
Vorurteil auf sein eigenes Volk anwendet (vgl. 1Thess 2,15).
13 Auch der den Juden gegenüber positiv eingestellte Hekataios von Abdera (ca.
300 v.Chr.) führt die »ungesellige und Fremden gegenüber ablehnende Lebensweise« der Juden auf ihre Vertreibung aus Ägypten zurück (bei Diodor XL,3,4).
14 Lev 19,33f; vgl. Dtn 10,18f.

ber Mose steht uns nicht fern. Auch wir meinen: Fremde sollen in
unserem Reich in rechtlich gesicherten Verhältnissen leben.«
   Ich schaute ihn skeptisch an. Metilius war gerade dabei, den
Köcher in einem Behälter an der Wand zu verstauen. Dadurch
entstand eine Pause. Dann kam er auf mich zu, legte seine Hand
auf meine Schulter und sagte:
   »Ich habe mich seit unserem ersten Gespräch über Mose belesen. Ich fand noch eine andere Darstellung eures Auszugs aus
Ägypten.[15] Mose sei ein ägyptischer Priester gewesen, der mit seinen Anhängern nach Judäa ausgewandert sei, weil er mit der
ägyptischen Religion unzufrieden war. Er habe die Ägypter kritisiert, weil sie ihre Götter in Tiergestalt darstellten, aber auch die
Griechen, weil sie die Götter als Menschen abbildeten. Der Gott,
der alles umfasse, Land und Meer, Himmel und Erde und alles
Sein, der sei unsichtbar und mit nichts Sichtbarem zu vergleichen. Kein Bild dürfe man sich von ihm machen. Mose habe daher einen bilderlosen Gottesdienst in Jerusalem eingerichtet –
und Gott so gelehrt, wie man ihn verehren müsse. Seine Nach-
fahren aber seien abergläubische Priester gewesen. Sie hätten das
Volk gelehrt, sich von anderen Völkern abzusondern – durch
Speisetabus und die Beschneidung. Die großartige Idee des Mose
vom bilderlosen Gottesdienst sei durch diese Sitten verdunkelt
worden. Ich fand diese Darstellung faszinierend. Ich meine:
Wenn es nur um die Verehrung des bilderlosen Gottes ginge,
könnten sich Juden und Griechen einigen. Auch einige griechische Philosophen behaupten, es sei lächerlich, sich Gott in Tier-
und Menschengestalt vorzustellen! Was meinst du?«
   »Haben diese Philosophen die Griechen etwa gelehrt, auf ihre
Götterbilder zu verzichten? Haben sie irgend jemanden davon abgehalten, nebeneinander viele Götter zu verehren? Nein – ihnen
fehlte der Mut, gegen die herkömmliche Religion den Gedanken
des einen und einzigen Gottes durchzusetzen. Nur Mose hat diesen Mut gehabt. Nur wir Juden haben die Konsequenzen aus seiner Erkenntnis auf uns genommen.«[16]

---

15 Diese Version findet sich in den Geographika XVI,2,35ff des Strabo von
Amaseia (geb. 64/63 v.Chr.).
16 Das Argument, die Philosophen hätten die wahre Gotteserkenntnis, es fehl-

Metilius trat einen Schritt zurück. Seine Stimme klang leidenschaftlich: »Aber das ist gerade das Problem, Andreas! Versetz dich in die Lage anderer! Wie muß eure Religion auf sie wirken. Ihr verehrt einen Gott, der allein ist. Er hat keinen Vater, keine Mutter, keine Kinder unter den anderen Göttern. Er ist ohne Verwandte! Ohne Familie! Er ist genau so isoliert unter den Göttern wie ihr unter den Völkern. Wenn die Götter der Völker keine Familie bilden – wie sollen dann die Völker zu einer Familie zusammenwachsen? Wie soll Frieden unter den Völkern herrschen?«

Ich protestierte: »Eure Götter bilden keine friedliche Familie. Sie kämpfen und intrigieren gegeneinander. Erst wenn alle Menschen Ehrfurcht vor dem einen und einzigen Gott haben, wird Friede auf Erden sein!«

»Wirklich? Wer andere Götter ablehnt wie ihr, lehnt der nicht auch die Menschen ab, die sie verehren? Wer die Alleinherrschaft seines Gottes proklamiert, fordert er damit nicht auch für sich Alleinherrschaft? Kannst du verstehen, daß sich andere dadurch bedroht fühlen?«

»Wenn der unsichtbare Gott nicht auf seiten der Herrscher steht, sondern auf seiten der Verlierer und Schwachen – wen bedroht er?«

»Die Juden waren nicht immer schwach. Sie haben mächtige Reiche gebildet.«

»Aber jetzt ist unser Volk unterworfen. Wen bedrohen wir? Für wen bin ich eine Gefahr, ich, der ich in eurer Hand bin?«

Metilius zuckte zusammen.

»Ja, ihr seid ein unterworfenes Volk. Aber das Ziel römischer Politik ist es, aus Unterworfenen Freunde zu machen. Dazu möchte ich in diesem Land beitragen. Deshalb beschäftige ich mich mit eurer Religion. Ich habe heute eine Menge dazugelernt. Ich verstehe, warum viele sagen: Die Juden sind ein Volk von Philosophen.[17] Philosophen haben es schwer. Sie gelten schnell als

te ihnen aber im Unterschied zu Mose der Mut, daraus die Konsequenzen zu ziehen, findet sich bei Jos. c. Ap. 2,168–171 = II,16.

17 Der Aristoteliker Theophrast (372–288/7 v.Chr.) sieht in den Juden ein »Geschlecht von Philosophen« (bei Porphyrius, de abstinentia II,26). Aber auch für den jüdischen Schriftsteller Aristobulos (2. Jh. v.Chr.) sind Juden eine »philosophische Schule« (bei Euseb praep. ev. XIII,12,8).

Atheisten und Unruhestifter: Anaxagoras wurde verjagt, Sokrates mußte den Schierlingsbecher trinken. Warum? Sie hatten neue und abweichende Ideen. Auch ihr Juden habt eine neue und abweichende Idee: den Glauben an den einen und einzigen Gott, der den Schwachen hilft. Es ist eine großartige Idee. Aber mit ihr ist eine große Last verbunden: die Last, anders zu sein als andere Völker.«

»Es ist oft eine Last. Aber es ist eine große Aufgabe, Zeuge für den lebendigen Gott zu sein, bis daß alle Völker ihn anerkennen!«

Ehe wir uns trennten, fragte ich nach Timon. Metilius sagte, er solle morgen freigelassen werden. Ich insistierte darauf, daß er sofort die Freiheit erhalten solle. Metilius zögerte. Aber ich drang in ihn, wie Mose in Pharao drang: Laß uns ziehen! Heute noch können wir mit unserer Aufgabe beginnen. Endlich willigte er ein.

Sehr geehrter Herr Kratzinger,

nach der Lektüre des letzten Kapitels fragen Sie mich ironisch, ob das Buch nicht besser ›Streit ums Judentum‹ anstatt ›Der Schatten des Galiläers‹ heißen sollte. Richtig ist: Wenn sich christliche Theologie um den historischen Jesus streitet, setzt sie sich mit ihren jüdischen Ursprüngen auseinander. Wo sie sich nicht für den historischen Jesus interessiert, neigt sie dazu, diese Ursprünge zu verdrängen.

Um Jesu Verkündigung heute verständlich zu machen, ist sachlich eine Einführung in den jüdischen Glauben notwendig. Dem Judentum verdanken wir den Glauben an den einen und einzigen Gott. Dieser war lange Zeit selbstverständlich. Heute ist er Sache einer Minorität. Man muß ihn – als wichtigste historische und sachliche Voraussetzung der Verkündigung Jesu – erst neu zugänglich machen.

Dabei ist der jüdische Ursprung dieses Glaubens eine Hilfe. Christlicher Glaube an Gott wurde durch seine Verflechtung mit Macht und Herrschaft oft gründlich komprommittiert. Juden haben als verfolgte Minorität jahrhundertelang glaubwürdiger bezeugt, daß der Gott der Bibel nicht auf seiten der Mächtigen und Herrschenden steht.

Sie deuten in Ihrem Brief an, in meiner Wertschätzung des Judentums klinge das Entsetzen über den Holocaust nach. Natürlich haben Sie recht! Natürlich habe ich eine »bestimmte Brille« auf, wie Sie sagen. Aber ist Sympathie nicht besser als Abneigung und Haß? Vielleicht sollten wir weniger über unsere »Brillen« streiten, als darüber, was wir mit ihrer Hilfe sehen! Vielleicht sehen wir durch sie auch beim historischen Jesus Neues!

Auch das folgende Kapitel dient dazu, die Welt des damaligen Judentums lebendig werden zu lassen. Auf Ihr Urteil bin ich gespannt.

Ich bleibe mit freundlichen Grüßen
Ihr
Gerd Theißen

5. KAPITEL

Die Wüstengemeinde

Wir waren wieder zu dritt. Noch am selben Abend, als Timon freigelassen worden war, begannen wir die Suche nach Malchos. Wir fanden ihn bei Bekannten in Jerusalem. Jetzt ritten wir durch die Jordanwüste in Richtung Totes Meer. Unser Ziel waren die Essener. Offen war, ob wir je zu ihnen gelangen würden. Denn wie sollten wir an sie herankommen? Wie konnten wir ihr Mißtrauen gegen Außenstehende überwinden? Den ganzen Weg grübelte ich darüber nach.

Sollten wir es mit einer Spende versuchen? Geld öffnet viele Türen. Warum sollten die Leute in Qumran eine Ausnahme bilden? Doch angeblich verachteten sie Geld und Privatbesitz. Alles gehörte der Gemeinde. Und man hatte mir erzählt, daß die Gemeinde wohlhabend sei. Die Essener arbeiteten als Bauern, Töpfer und Schreiber. Sie züchteten Fische, verkauften Salz und Asphalt aus dem Toten Meer.[1] Sie hatten eigene Einkünfte. Das machte sie immun gegen Geld.

Sollte ich so tun, als wolle ich ihrer Gemeinde beitreten? Mußten sie mich dann nicht über alle ihre Geheimnisse informieren? Aber ich ahnte: Wahrscheinlich würden sie mehr Informationen über mich sammeln als ich über sie. So viel war ja bekannt, daß das Aufnahmeverfahren mehrere Jahre dauerte.[2] Es würde viel Zeit brauchen, ihr Vertrauen zu gewinnen.

Vielleicht könnte ich über Bannos einen Weg zu ihnen finden?

---

1 In Qumran wurde eine Töpferwerkstatt und eine Schreibstube gefunden. Vermutlich haben sie Bibelhandschriften verkauft. Salz und Asphalt wurden seit jeher im Toten Meer gewonnen. Sicher haben sie Landwirtschaft betrieben.
2 Ein neues Mitglied mußte sich nach Josephus (bell 2,137f = II,8,7) zunächst einmal außerhalb der Gemeinde ein Jahr lang ihrem Lebensstil unterwerfen (wahrscheinlich in der Wüste), dann erst wurde es zwei Jahre auf Probe zugelassen. Erst nach drei Jahren hatte es als Vollmitglied Zugang zum ganzen Gemeinschaftsleben.

Einen Wüstenasketen müßten sie als Geistesverwandten akzeptieren. Aber wie sollte ich Bannos bewegen, zusammen mit mir nach Qumran zu reisen? Auch müßte ich ihn zuerst finden. Und auch dann wären nicht alle Hindernisse überwunden: Würde Bannos nicht in mir einen Abtrünnigen sehen?

An die Essener war kaum heranzukommen.

Der Weg führte durch eine Landschaft, die so tot war wie das Tote Meer: öde Sandhügel, die den Blick immer nur für wenige hundert Meter freigaben. Nirgendwo ein Baum oder Strauch. Erst in unmittelbarer Nähe des Jordans wuchs ein dichter Waldstreifen. In so einer Landschaft zwischen Jordan und Wüste hatte ich meine Zeit bei Bannos verbracht. Aber das war weiter oben, im Norden des Jordantals gewesen.

Langsam trotteten wir durch die abgestorbene Gegend. Da – was war das? Ein Mensch? Oder hatte das flimmernde Licht uns getäuscht? Aber jetzt war es unverkennbar: In einiger Entfernung bewegte sich eine dunkle Gestalt. Ein Verirrter? Er hatte weder Pferd noch Esel.

Als wir näher kamen, merkten wir, daß sich die Gestalt nur langsam bewegte. Jetzt setzte sie sich auf die Erde. Wir beschleunigten unseren Ritt. Vielleicht konnten wir helfen?

Aber warum hob der Mann seine Hände? Wollte er uns herbeiwinken? Es sah eher nach Abwehr aus. Jetzt waren wir nahe genug, um ihn zu erkennen: Eine ausgemergelte Gestalt hockte auf dem Boden. Kein Zweifel, er brauchte Hilfe! Trotzdem hob er abwehrend die Hände!

Ob er in uns Feinde sah? Räuber, die ihn ausplündern und mißhandeln wollten? Ich stieg vom Pferd und ließ die anderen zurück. In meiner Hand hielt ich demonstrativ einen Wasserbeutel, um meine guten Absichten klarzumachen. So näherte ich mich vorsichtig.

Noch immer wehrte der Mann ab. Ich hörte, wie er mir zurief: »Nein, nein!«

Ich wurde unsicher. Halluzinierte er schon? Oder war es ein armer Besessener, den sein Dämon in die Wüste getrieben hatte? Solche Leute gingen hier jämmerlich zugrunde, wenn man sie nicht in die Nähe bewohnter Orte brachte, wo sie vom Betteln leben konnten.

Als ich näherkam, wollte der Fremde weglaufen. Torkelnd erhob er sich. Er war am Ende seiner Kräfte. Ich hatte ihn bald eingeholt.

»Schalom«, sagte ich. »Ich bin Andreas, Sohn des Johannes!«
Der Mann schwieg.

»Willst du nicht essen und trinken?«

Er schüttelte den Kopf: »Ich darf nicht«, flüsterte er.

Ich schaute ihn fassungslos an: »Du siehst aus, als brauchtest du dringend etwas zu essen und zu trinken.«

»Nein, ich darf nicht. Eine Verpflichtung bindet mich. Es ist mir verboten!«

»Das verstehe ich nicht!«

»Niemand wird es verstehen! Ich bitte euch einfach: Geht weg. Überlaßt mich meinem Schicksal! Geht weg! Es ist besser für uns alle!«

Mir wurde unheimlich zumute. War er doch verrückt? Steckte ein Dämon in ihm, der ihn unerbittlich zur Selbstzerstörung trieb? Hatte er ein Gelübde getan? Oder war er einer von denen, die extrem fasteten, um in Grenzzuständen des Bewußtseins Visionen zu haben und Einblick in himmlische Geheimnisse zu gewinnen? Eins stand fest: Daß er am Verhungern und Verdursten war. Warum ließ er sich nicht helfen? Ich änderte meine Taktik:

»Wir haben uns verirrt«, sagte ich bittend. »Kannst du uns nicht helfen?«

Der Fremde stutzte. Ich hatte den richtigen Ton getroffen. Viele sensible Menschen lassen sich nur helfen, wenn man sie den Helfer spielen läßt!

»Wohin wollt ihr denn?« fragte der Fremde.

»Zu den Essenern!«

Er zuckte zusammen.

»Kannst du uns zu ihnen führen?«

Er schüttelte den Kopf. Aber dann sagte er: »Ich zeige euch den Weg. Doch ich komme nicht mit. Nur um eins bitte ich euch: Könnt ihr den Essenern eine Botschaft überbringen?«

»Natürlich! Was sollen wir ihnen ausrichten?«

»Sagt den Essenern: Ich, Baruch, Sohn des Berechja, wünsche allen Mitbrüdern Frieden! Ich lasse euch bitten: Nehmt mich wieder auf. Ich bin am Ende meiner Kräfte und werde es nicht mehr lange aushalten!«[3]

»Du bist Essener! Sie haben dich ausgestoßen? In die Wüste getrieben?«

»Ja!«

»Aber warum irrst du dann durch diese Totenlandschaft, anstatt nach Jericho oder Jerusalem zu gehen?«

»Wer von der Gemeinde ausgestoßen wurde, darf keinen Kontakt mit anderen aufnehmen. Er darf keine Speise von ihnen annehmen! Er darf keinen Becher Wasser von ihnen trinken. Sonst hat er keine Chance mehr, wieder aufgenommen zu werden!«

»Aber das ist doch unmenschlich!« rief ich. »Was hast du denn verbrochen, daß sie dich so behandeln?«

»Wir haben beim Eintritt in die Gemeinde einen Eid geschworen, der verpflichtet mich zum Schweigen.«[4]

War Baruch ein Verbrecher? Nein! Das war ausgeschlossen. Würde ein Verbrecher sich an einen Eid gebunden fühlen? Würde er in extremer Not Skrupel haben? Was für eine unheimliche Macht übte diese Gemeinschaft über diesen jungen Menschen aus, daß er lieber auf qualvolle Weise verendete als daß er sich von ihr trennte! Wie ein Dämon beherrschte ihn diese Macht, so daß er nur eine Alternative kannte: Entweder Rückkehr in die Gemeinschaft oder Tod in der Wüste! Wüßte ich nur, wie ich ihm wieder Appetit auf das Leben machen könnte!

Mir kam eine Idee:

»Wenn ein Wüstenasket vorbeikäme, der wie ihr in der Wüste auf Gott wartet – dürfte er dir helfen?«

Baruch schüttelte den Kopf: »Alle, die nicht zur Gemeinde gehören, sind Kinder der Finsternis!«

---

3 Josephus schreibt über die Essener: »Diejenigen aber, die bei bedeutenden Verfehlungen ergriffen werden, stoßen sie aus den Orten aus. Der Ausgeschlossene geht oft, vom erbärmlichsten Geschick getroffen, zugrunde; denn durch Eide und Verpflichtungen gebunden, kann er auch von Fremden keine Nahrung annehmen, nur von Kräutern lebend kommt er durch Hunger körperlich von Kräften und geht zugrunde. Aus diesem Grunde offenbar haben sie mitleidig viele, die in den letzten Zügen lagen, wieder aufgenommen, indem sie die bis zur Todesgrenze erlittene Qual als hinreichende Sühne für ihre Verfehlungen erachteten« (bell 2,143–144 = II,8,8).

4 Vgl. Josephus, bell 2,141 = II,8,7.

Gegen den Geist dieser Gemeinschaft schien ich ohnmächtig.
Aber noch gab ich nicht auf:
»Gut, du darfst aus keines Menschen Hand Essen und Trinken
annehmen. Aber willst du auch Gottes Hand zurückstoßen? Er
läßt ohne Beteiligung von Menschen Früchte und Kräuter wachsen. Willst du nicht seine Speise essen?«
»Aber hier wächst nichts!«
»Komm«, sagte ich, »ich bringe dich dorthin, wo du Speise be-
kommst, die keines Menschen Hand verunreinigt hat.« Bannos
hatte mir beigebracht, wie man sich von Pflanzen, Heuschrecken
und wildem Honig ernährt. Er hatte es von Beduinen gelernt.[5]
An der Reaktion Baruchs merkte ich, daß ich gewonnen hatte.
Wir nahmen ihn abwechselnd auf eines unserer Pferde und ritten
in Richtung Jordan. Bald näherten wir uns dem grünen Streifen,
der wie eine Erinnerung unverwüstlichen Lebens die tote Wüste
durchzieht. Wir brachten Baruch zum Ufer. Er kniete nieder und
trank mit dem Mund aus dem Jordan. Das Wasser strömte von
selbst auf ihn zu. Er schlürfte es in sich hinein. Währenddessen
durchsuchten Timon, Malchos und ich die Gegend nach Eßba-
rem: Wir sammelten Kräuter, Früchte und Heuschrecken, die auf
dem Feuer geröstet wunderbar schmecken. Und Baruch aß. Er aß
alles, was die Natur von selbst hervorbrachte! Er aß und trank! Es
war eine Freude, ihm zuzusehen. Es war, als hätte das Leben über
den Tod gesiegt.
Wir lagerten im Schatten einiger Bäume. Vor uns die Wüste wie
das Trümmerfeld einer vorzeitlichen Katastrophe, hinter uns die
Jordanaue. Welch ein Wunder, daß in dieser Landschaft Pflanzen,
Sträucher und Bäume emporschossen. Nur ein wenig Wasser
reichte, um ein Totenfeld in einen Garten zu verwandeln. Mir
ging auf: Alles Leben blüht an der Grenze zum Tod. Wald wird zur
Wüste. Lebendes Wasser zum Toten Meer. Licht zur lähmenden
Hitze!
Es war klar, daß wir Baruch in dieser Wüste nicht zurücklassen
durften! Er würde umkommen. Aber wie sollte es weitergehen?

---

5 Josephus erzählt von Bannos (vita 11), er habe sich von dem ernährt, was »von
selbst« wachse. Zu vergleichen ist auch die Nahrung Johannes des Täufers (Mk
1,6).

Sollten wir seine Botschaft ausrichten? Sollten wir ihm helfen, in seine Gemeinde zurückzukehren? Dagegen sträubte sich alles in mir. Diese Gemeinde übte eine unheimliche Macht aus, eine Macht, die in den Tod trieb. Vielleicht eine Macht, die verborgen Leben enthielt. Aber wie schnell wurde daraus Zerstörung und Vernichtung!

Außerdem fragte ich mich, ob sie ihn überhaupt wieder aufnehmen würden? Was hatte er nur getan? Vielleicht wirklich etwas Entsetzliches? Aber selbst wenn – Baruch könnte mir in jedem Falle nützlich sein. Er könnte mir alle möglichen Informationen über die Essener geben – und das um so rückhaltloser, je mehr er mit seiner Gemeinde zerfallen war. Was hatte er nur ausgefressen? Ich mußte es herausbekommen.

Seine Antwort auf meine Frage war ausweichend: »Ich kann darüber nichts sagen, ich müßte Geheimnisse preisgeben, die zu den bestgehüteten Geheimnissen der Gemeinde gehören.«

Ich ließ nicht locker: »Warum legt ihr über alles den Schleier des Geheimnisses?«

»Wer zu uns kommt, hat das normale Leben für immer verlassen. Er sieht, wie alle Menschen unwissend ins Verderben rennen – mit ihnen darf er keine Gemeinschaft mehr haben. Sie würden ihn verführen, den einmal eingeschlagenen Weg zu verlassen. Alle Brücken muß er verbrennen, alle Kontakte beenden. Beim Eintritt in die Gemeinde schwört er: Nur die eigenen Gemeindeglieder zu lieben, alle Kinder der Finsternis aber zu hassen – und nichts über die Gemeinde an Außenstehende zu verraten!«[6]

»Ihr schwört Haß gegen alle anderen?«

»Ja!«

Timon und Malchos hatten das Gespräch aufmerksam verfolgt, während sie von den gesammelten Früchten probierten. Besonders einige Kaktusfrüchte schmeckten ihnen, die gerösteten Heuschrecken ließen sie dagegen liegen. Jetzt schaltete sich Timon ein: »Haßt du uns wirklich?«

Baruch schüttelte den Kopf:

---

6 Vgl. 1QS I, 9–11: Danach sind die Essener verpflichtet, »alle Söhne des Lichtes zu lieben, jeden nach seinem Los in der Ratsversammlung Gottes, aber alle Söhne der Finsternis zu hassen, jeden nach seiner Verschuldung in Gottes Rache«.

»Ich hasse die Kinder der Finsternis, die Gottes Gebot verraten!« murmelte er.

Jetzt griff auch Malchos ein: »Willst du wirklich zu deinen Leuten zurück?«

»Was soll ich sonst tun?«

»Könntest du nicht in dein Heimatdorf zurück?«

»Ich habe alles verlassen. Ich habe mein Erbe verkauft. Den ganzen Erlös habe ich meiner Gemeinde gegeben. Ich bin völlig auf sie angewiesen!«

»Hast du noch Eltern? Geschwister?«

»Ich habe mit meiner Familie gebrochen. Es gibt keinen Weg zurück. Entweder kehre ich in die Gemeinde zurück – oder ich muß weiter in der Wüste leben!«

Er senkte den Kopf und schwieg.

Auch Timon und Malchos schwiegen.

Unser Schweigen wurde vom Schweigen der Wüste aufgesogen. Endlich sagte ich:

»Baruch, ich habe wie du einmal das normale Leben verlassen. Ich bin zu einem Asketen in die Wüste gezogen. Ich suchte das wahre Leben. Ich bin zurückgekehrt. Ich habe erkannt, daß man auch in der Wüste den Widersprüchen des Lebens nicht entrinnt. Ich mache dir einen Vorschlag: Komm zu uns! Du kannst bei uns leben. Wir helfen bei einem Neubeginn!«

Baruch lehnte ab: »Wir dürfen kein Vertrauen zu Menschen außerhalb unserer Gemeinde haben!«

»Aber Baruch«, entgegnete ich. »Du hast schon Vertrauen gefaßt!«

Verlegen sagte er: »Vielleicht habt ihr recht.«

Ich drängte weiter in ihn: »Und vertraust du wirklich den Essenern?«

Da rief er: »Eben darum ging ja der Streit! Ich wollte eine Gemeinschaft, der man sich anvertrauen kann!«

Und plötzlich sprudelte es aus ihm heraus: Er erzählte die Geschichte seines Ausschlusses. Oft in abgehackten Sätzen. Die Erregung ließ ihn immer wieder stocken. Aber allmählich verstanden wir.

Wer in die Gemeinde eintritt, gibt allen Besitz ab. Die Gemeindeglieder nennen sich daher die »Armen im Geiste«. Reichtum gilt als Schritt zum Verderben. Aber während ihrer Novizenzeit werden die Mitglieder unter höchster Geheimhaltung mit rätselhaften Kupfertafeln bekannt gemacht, zu denen nur die Aufseher Zugang haben.[7] Auf diesen Kupfertafeln sind Angaben über unvorstellbare Schätze eingraviert, genaue Angaben darüber, wo man graben muß, um sie zu finden. Angaben über Mengen und Arten der Metalle. Niemand hat je diese Schätze gesehen. Aber jeder glaubt an ihre Existenz.

Baruch hatte gemeint: Die Gemeinde müsse konsequent dem Reichtum entsagen. Wie könne man sich die »Armen« nennen, wenn man weit größere Vermögen besaß als alle Einkünfte Judäas, Galiläas und Palästinas zusammen? Man solle den Schatz für die Unterstützung Armer verwenden.

Es hatte eine große Debatte gegeben. Im Verlauf der Diskussion hatte sich Baruch zu der Vermutung hinreißen lassen: Vielleicht existierten die Schätze gar nicht! Vielleicht erzähle man den Novizen nur von ihnen, um ihnen die Abgabe ihres Besitzes zu erleichtern. Sie sollten darauf vertrauen, daß sie materiell gut versorgt waren! Aber er wolle nicht, daß ihr Zusammenleben auf Illusionen baue! Entweder solle man nachweisen, daß die Schätze wirklich existieren. Oder man solle nicht länger von ihnen reden.

Der Verdacht des Betrugs hatte die Mehrheit verbittert. Baruch wurde als Bedrohung des Gemeinschaftsfriedens ausgestoßen – und zwar unbefristet!

Ich fragte nach den Ausschlußbestimmungen im einzelnen. Baruch nannte einige Fälle:

»Für falsche Besitzangaben beim Eintritt in die Gemeinde gibt es ein Jahr Ausschluß und lebenslänglich Kürzung der Essensration um ein Viertel. Ein halbes Jahr gibt es bei Lügen, bei Wut auf ein Gemeindeglied, oder wenn man nackt herumläuft. Einen Monat kriegt man für Disziplinlosigkeiten bei den Gemeindever-

---

7 In einer der Qumranhöhlen wurden tatsächlich drei Kupferbleche, die sogenannte Kupferrolle (abgekürzt: 3Q 15), gefunden. Sie enthält in hebräischer Schrift Angaben über Größe und Orte verborgener Schätze. Keiner hat sie bis heute gefunden. Entweder handelt es sich um die Schätze der Essener oder des Tempels oder um imaginäre Schätze, die es gar nicht gibt.

sammlungen, wenn man sich z.B. unerlaubt entfernt, in der Versammlung spuckt oder laut lacht. Zehn Tage Ausschluß gibt es, wenn während der Versammlung einer einschläft oder mit der linken Hand herumfuchtelt!«[8]

»Drastische Strafen«, sagte ich. »Willst du wirklich in diese Gemeinde zurück? Warum hängst du so an ihr? Warum bist du in sie eingetreten?«

»Das erste, was ich von den Essenern hörte, war: Sie lehnen die Sklaverei ab. Sie lehnen sie ab, weil sie gegen die Gleichheit der Menschen verstößt. Sie widerspreche dem Gesetz der Natur. Diese habe alle Menschen geboren und aufgezogen. Alle seien Kinder der Natur. Alle Menschen seien Brüder. Erst der Reichtum habe sie entzweit, habe Vertrauen in Mißtrauen, Freundschaft in Feindschaft verwandelt.[9] Ich war fasziniert. Wo gibt es sonst eine Gemeinschaft, die Sklaverei ablehnt? Nirgendwo!«

»Aber habt ihr die Sklaverei der Menschen nicht gegen die Sklaverei harter Gesetze eingetauscht?«

»Unsere Gemeinde widerspricht dem üblichen Lebensstil! Wer so stark abweicht, muß sich schroff gegen die Umwelt abgrenzen! Unsere Gesetze müssen hart sein!«

Und nach einer Pause fügte er hinzu:

»Ihr seht nur die harten Seiten unseres Lebens. Ihr seht nicht das andere! Welche Freude bereitet es, einer Welt entronnen zu sein, in der sich die Menschen unterdrücken, ausbeuten und quälen! Wir warten auf eine wunderbare Verwandlung der Welt. Und wir leben schon jetzt so, wie man in dieser neuen Welt leben wird.

Darüber singen wir wunderbare Lieder, die uns der Gründer unserer Gemeinde hinterlassen hat.[10]

8 Diese Strafbestimmungen stammen aus der in Qumran gefundenen »Sektenregel« (abgekürzt 1QS); vgl. dort 1QS VI, 24 – VII, 25.

9 Der letzte Abschnitt ist freie Wiedergabe von Philo »Über die Freiheit des Tüchtigen« § 79. Die Essener haben sich tatsächlich in den Ruf gebracht, auch die unmenschlichste Form des Besitzes, den Besitz von Menschen, abzulehnen. In den in Qumran gefundenen Schriften spielt dieser Punkt keine Rolle. In der Wüstengemeinde selbst gab es keine Sklaverei.

10 Die in Qumran gefundenen Loblieder (Hodajot, daher abgekürzt 1QH) enthalten wunderbare religiöse Lyrik im Stil der alttestamentlichen Psalmen. Einige dieser Lieder gehen auf den »Lehrer der Gerechtigkeit« zurück. Der Text ist frei formuliert nach 1QH III, 19ff.

Ich preise dich, Gott,
daß du mein Leben dem Tod entrissen hast.
Aus einer Hölle hast du mich befreit!
Einer neuen Welt gehöre ich an.
Ich werde leben, wie es deiner neuen Welt entspricht.
Ich weiß: Es gibt Hoffnung für mich,
obwohl ich aus Staub gebildet bin.
Denn du befreist mich von allen Verfehlungen,
so daß ich in die Gemeinde heiliger Menschen eintreten kann.

Solche Lieder singen wir manchmal bei unseren Mahlzeiten.[11]
Auf sie freuen wir uns besonders. Alle sind rein gewaschen. Sie
kommen aus einem frischen Bad und haben ihre Arbeitskleider
abgelegt. Der Bäcker bringt die Brote, der Koch stellt jedem ein
Essen hin. Der Priester segnet das Essen. Alles ist ruhig. Ein Au-
ßenstehender würde nicht viel beobachten können. Wir aber erleben diese gemeinsamen Mahlzeiten als Vorwegnahme der zu-
künftigen Mahlzeiten. In der neuen Welt wird der Messias mit
uns gemeinsam an einem Tisch sitzen. Aber, wie gesagt: All das
läßt sich für Nicht-Eingeweihte nicht beschreiben. Diese Freude
kann nur spüren, wer zur Gemeinde gehört.«
    Ich unterbrach ihn: »Auch ich werde diese Freude spüren,
wenn du mit uns zusammen essen wirst.«
    Baruch schaute mich erstaunt an. Ich zog langsam ein paar
Datteln aus unserem Gepäck und bot sie ihm an. Timon, Malchos und ich schauten gespannt auf Baruch. Würde er sie nehmen? Er zögerte. Keiner sagte einen Ton. Alles war still. Die Span-
nung ließ die Luft zwischen uns vibrieren. Noch immer hielt ich
die Datteln hin. Endlich griff Baruch zu.
    »Danke!« sagte er, nahm die Datteln und verteilte sie an alle.
Wir lachten. Wir aßen. Baruch gehörte zu uns.
    Am selben Tag noch kehrten wir aus der Wüste ins Leben zu-
rück: nach Jericho. Baruch blieb bei uns. In langen Gesprächen erfuhr ich alles über die Essener, mehr, als ich je gehofft hatte. Ich
war fasziniert von dieser Gemeinschaft, auch wenn sie mir nach

---

11 Josephus beschreibt diese Mahlzeiten der Essener in bell 2,129–133 = II,8,5.
Das zukünftige Mahl mit dem Messias wird in der sog. »Gemeinschaftsregel«
(1QSa II,11–21) beschrieben.

wie vor unheimlich war. Im Gasthaus zu Jericho entwarf ich einen ersten Bericht über sie auf einem Papyrusblatt. Ich hatte
mich dazu ein wenig zurückgezogen. Die Gäste, meist Kaufleute
mit kleinen Karawanen, lagerten im Schatten vor der Herberge.
Ich aber saß in einem kleinen Zimmer und schrieb:

Über die Essener

Die Essener sind eine sehr disziplinierte Gemeinde, die sich auf religiöse
Fragen konzentriert. Sie sind in die Wüste gezogen, weil sie meinen, im
normalen Leben die Gebote Gottes nicht erfüllen zu können. Sie weichen von den anderen Juden vor allem durch einen eigenen Kalender ab:
sie feiern ihre Feste nach dem Sonnenkalender, während alle anderen
dem Mondkalender folgen. Daher können sie nicht am Tempelkult teil-
nehmen. Wenn dort heilige Feste sind, ist bei ihnen Alltag. Wenn sie Feste feiern, haben andere einen normalen Tag.[12]
   Ihr Verhältnis zur Jerusalemer Priesteraristokratie ist nicht so gespannt wie früher. Sie beteiligen sich zwar nicht am Opferkult, senden
aber Weihegaben an den Tempel.
   Für den Staat stellen sie keine Gefahr dar. Alle Mitglieder müssen
beim Eintritt in die Gemeinde schwören, daß sie sich nicht an Räubereien (und dazu gehören auch Anschläge gegen die Römer) beteiligen. Sie
haben keine geheimen Waffenlager. Vielmehr begnügt sich jeder mit einem Schwert, mit dem er sich gegen Überfälle schützt.[13]
   Die Essener legen unsere Ehegesetze sehr streng aus. Sie lehnen jede
Polygamie ab und sagen: Gott hat den Menschen als Mann und Frau geschaffen – also nicht als Mann und zwei Frauen. Sie argumentieren: Ehegesetze gelten für Mann und Frau. Wenn die Frau nur einen Mann haben
darf, so der Mann nur eine Frau. Entsprechend sagen sie: Wenn der Mann
seine Tante nicht heiraten darf, darf auch die Frau ihren Onkel nicht heiraten. Auch lehnen sie die Scheidung ab.[14] Mit dieser Auslegung der Ehe-

12 Die Begründung für den Sonnenkalender findet sich im »Astronomischen
Buch« des 1. Henoch (1Hen 72–82), das auch in Qumran gefunden wurde. Aber
das Buch (und andere Schriften, die den Sonnenkalender voraussetzen) waren
auch außerhalb Qumrans verbreitet.
13 Nach Josephus (bell 2,142 = II,8,7) mußten die Essener schwören, »keinen
Raub zu begehen«. Nach bell 2,125 (= II,8,5) nahmen sie auf ihre Reisen nichts
mit »außer Waffen zum Schutz gegen Räuber«, da sie damit rechnen konnten,
überall von anderen Essenern aufgenommen zu werden.
14 Diese Ehegesetze finden sich in der sog. »Damaskusschrift« CD IV,20 – V,2;
V,7–11.

gesetze müssen sie das Familienleben unserer herodäischen Fürsten kritisieren: Herodes der Große lebte mit vielen Frauen zusammen. Seine Söhne heirateten oft ihre eigenen Nichten. Sicher ist, daß sie die Ehe des Herodes Antipas mit seiner Schwägerin ablehnen.«

Ich schrieb jedoch nicht, daß die Essener die Römer haßten. Zwar verzichteten sie auf bewaffneten Widerstand in der Gegenwart. Dafür träumten sie von einem großen Krieg am Ende der Zeiten. Dann würden sie zusammen mit allen Kindern des Lichts die Kinder der Finsternis besiegen und umbringen. Die Frage war nur: Wann sie zur Erkenntnis kommen würden, daß die letzten Tage gekommen seien. Dann könnten sie gefährlich werden.[15]

Ich berichtete auch nicht von der radikalen Kritik an Macht und Reichtum, die in ihrer Gemeinde Gestalt angenommen hatte. Wer wie sie den lebenden Beweis führte, daß Leben ohne Privateigentum möglich war, mußte von allen Mächtigen abgelehnt werden und für sie eine Gefahr darstellen.

Außerdem schwieg ich über die glühende Erwartung eines nahen Umschwungs der Dinge, über das Kommen eines neuen messianischen Königs und eines neuen messianischen Hohenpriesters. Prophetien über die Änderung aller Dinge galten bei Politikern immer als gefährlich. Es gab Kaiser, die alle Wahrsagungen verboten hatten.

Ich war in Gedanken über die Essener vertieft, als es vor dem Gasthaus laut wurde. Irgend etwas war passiert. Ich horchte auf. Ich bekam nur einige Wortfetzen mit. Irgend jemand war umgebracht worden. Empörte Stimmen waren zu hören, dann Klagen, dann dumpfes Gemurmel. Ich wollte schnell nach draußen. Da kam schon Baruch auf mich zu.

»Weißt du das Neueste? Sie haben ihn umgebracht!«

»Wen?«

»Den Propheten Johannes!«

---

15 Die Schilderung des endzeitlichen Kampfes findet sich in einer der in den Qumranhöhlen gefundenen Schriften, der sogenannten »Kriegsrolle« (abgekürzt: 1QM).

Sehr geehrter Herr Kratzinger,

die Essener erinnern Sie an moderne Jugendreligionen. In der Tat: Bei der Niederschrift des letzten Kapitels hatte ich konkrete Erlebnisse mit »Sektenabhängigen« vor Augen. Habe ich also gegenwärtige Erfahrungen in die Vergangenheit zurückprojiziert?

Zunächst eine grundsätzliche Bemerkung: Fänden wir in der Vergangenheit nur, was unseren Erfahrungen entspricht, verlören wir das Interesse an ihr. Fänden wir nur, was ihnen widerspricht, bliebe sie unverständlich. Interessant ist das Fremde. Verständlich wird es durch Beziehung auf Vertrautes.

Doch nun zum letzten Kapitel: Die Essener sind keine moderne Jugendsekte. Sie bieten nicht autoritären Halt in einem Klima »liberaler« Orientierungsunsicherheit. Sie sind trotz aller Absonderung von der Gesellschaft in einen großen Konsens eingebettet: Daß Gott in der Thora gültige Anweisungen für das Leben gegeben hat. Die Interpretation der Thora mag strittig sein, unstrittig ist ihre Geltung. Diese muß jedoch gegen die vordringende hellenistisch-heidnische Kultur verteidigt werden.

Damals war die Frage, ob man einen vorgegebenen Orientierungsrahmen richtig erfüllte! Nur für ganz wenige war es eine reale Alternative, sich dem heidnisch-hellenistischen Leben anzuschließen. Heute fragen dagegen Jugendliche: Woran sollen wir uns überhaupt orientieren? Obwohl uns die Essener an eine moderne Jugendreligion erinnern, sind sie doch etwas anderes.

Was Geschichtsforschung menschlich wertvoll macht, ist gerade diese gegenseitige Erhellung von Vergangenheit und Gegenwart. Was wir über vergangenes Leben lernen, wirft immer ein Licht auf uns selbst.

Lassen Sie mich zum Schluß versichern, wie wichtig mir Ihre kritischen Bemerkungen sind. Hoffentlich finden Sie Zeit, mir auch zum nächsten Kapitel Ihre Meinung zu sagen.

Mit herzlichen Grüßen
Ihr
Gerd Theißen

6. KAPITEL

Ein Mord und seine Analyse

Baruch war außer Atem: »Herodes Antipas hat Johannes den Täufer hinrichten lassen! Die ganze Stadt schwirrt von Gerüchten!«

Ich war bestürzt. Wieder war etwas Schreckliches geschehen! Darüber mußte ich mehr erfahren. Das war etwas für Pilatus! Jetzt hatte er einen Trumpf gegen Antipas in der Hand. Sogar einen Heiligen hatte der hinrichten lassen!

Auf dem Platz vor der Herberge war eine Menschenmenge zusammengelaufen. Der junge Mann, der die schreckliche Botschaft überbracht hatte, stand in der Mitte und beantwortete die auf ihn einstürmenden Fragen so gut er konnte. Ich drängte mich vor, bis ich alles gut verstehen konnte. Der junge Mann gestikulierte mit beiden Händen: »Dahinter steckt die Herodias, seine neue Frau! Sie wollte ihn unbedingt heiraten, obwohl das gegen unsere Gesetze verstößt. Denn sie mußte sich erst vom Halbbruder des Antipas scheiden lassen.[1] Diese Frau schreckt vor nichts zurück: Sie ist schuld am Tode des Propheten. Sie wollte die Kritik an ihrer neuen Ehe zum Schweigen bringen!«

Aus der Menge kamen Beifallrufe. Ein anderer schaltete sich ein: »Die Herodias ist geschickt vorgegangen. Antipas ist viel zu gutmütig. Er soll nichts gegen den Täufer gehabt haben. Gegen seinen Willen mußte er die Hinrichtung anordnen. Als er einmal guter Laune war, hat er sich von seiner Frau das Versprechen ablocken lassen, ihr einen Wunsch zu erfüllen – und dann hat sie den Kopf des Täufers verlangt.«

»So etwas bringt eine Frau allein nicht zustande«, rief ein dritter dazwischen, »dazu gehören zwei: Herodias und ihre Tochter Salome. Die Oberschicht Galiläas und Peräas war zu einem Festban-

---

1 3Mos 18,16 heißt es: »Mit dem Weibe deines Bruders sollst du nicht ehelichen Umgang pflegen; damit schändest du deinen Bruder.« Herodias war in erster Ehe mit einem Herodessohn namens »Herodes« verheiratet.

kett zusammengekommen. Die Laune stieg. Antipas hatte schon einiges getrunken. Da fing die Salome an vorzutanzen. Die Gesellschaft war begeistert. Antipas versprach ihr, jeden Wunsch zu erfüllen – und wenn es sein halbes Königreich wäre. Wahrscheinlich hat er einen harmlosen Wunsch erwartet, wie ihn Mädchen in diesem Alter haben. Aber die Salome hat sich von ihrer Mutter den Wunsch diktieren lassen: Sie wollte den Kopf des Propheten.« Mir war klar: Das war Hofklatsch.[2] Wenn das so weiter ging, würde man am Ende erzählen, Salome habe ihren Onkel Antipas verführt. All diese Erzählungen entsprachen den üblichen Klischees: Um eine Hofintrige zu inszenieren, braucht man ein paar raffinierte Frauen, einen gutmütigen Fürsten, ein Opfer, ein unvorsichtig gegebenes Versprechen usw. Das konnte nicht die ganze Wahrheit sein. Ich wandte mich an den, der zuerst gesprochen hatte. Bei ihm klang alles am wenigsten übertrieben.

»Woher hast du die Nachricht?«

»In Jericho sind ein paar Beamte des Antipas eingetroffen!«

»Sind sie noch da?«

»Sie haben im Winterpalast des Herodes Quartier bezogen.«[3]

»Kennst du ihre Namen?«

»Ich glaube, einer heißt Chusa. Er ist ein Verwalter des Antipas.«

Das war eine gute Nachricht. Ich kannte Chusa gut. Er war mein Geschäftspartner bei vielen Getreideverkäufen gewesen. Niemand konnte besser über die Vorgänge im Haus des Antipas informiert sein als er. Schnell schickte ich Timon als Boten in den Herodespalast, um ihm zu melden, ich sei in Jericho. Ob ich ihn sprechen könne? Chusa antwortete mir sofort, er freue sich sehr, mich wiederzusehen. Er sei auf dem Heimweg nach Tiberias. Ob ich mit ihm und seiner Frau zu Abend essen wolle?

---

2 Das Ergebnis dieses »Hofklatsches«, der dann im einfachen Volk weitergereicht und weitergedichtet wurde, können wir in Mk 6,17–29 nachlesen: So etwa hat sich das einfache Volk in Palästina die Gründe, die zum Tod des Täufers führten, vorgestellt. Josephus kommt der Wahrheit wohl näher, wenn er als wahren Grund angibt, daß Herodes Antipas einen Aufstand befürchtete (Jos. ant 18,118 = XVIII, 5,2).

3 Der König Herodes hatte in Jericho einen Winterpalast bauen lassen, der ausgegraben wurde.

Chusa und seine Frau Johanna empfingen mich in einem luxuriösen Triklinium: Drei Liegen standen um kleine Tische wie in einer römischen Villa. Den Fußboden schmückte ein kunstvoll komponiertes Mosaik mit pflanzlichen Motiven.[4] An den Wänden bildete rosa und blauer Marmor ein genau abgestimmtes Muster. Oder war der Marmor nur aufgemalt? Wir legten uns zum Essen. Sklaven brachten die Speisen: Salat, Schnecken, Eier, Griespudding mit Honig, als Zuspeise Oliven, Mangold, Gurken und Zwiebel.[5] Dazu ein hervorragender Wein. Seit meinem Aufenthalt im Gefängnis hatte ich nicht mehr so gut gegessen. War das ein Genuß! Ich mußte mich im Zaum halten, um nicht gierig zu erscheinen.

Auf einem der Becher, aus denen wir tranken, war in griechischer Schrift eingraviert:[6]

WOZU BIST DU HIER?

SEI FRÖHLICH!

Dieser Becher paßte zu Chusa: Einer seiner Lieblingssprüche stammte aus dem Prediger Salomo: »Geh, iß mit Freuden dein Brot und trink deinen Wein mit fröhlichem Herzen!«[7] Überhaupt schätzte er die Schriften Salomos: seine Sprüche, seine Lieder, seine Weisheit. Chusa war ein Sadduzäer[8] – eine Glaubensrichtung in den oberen Schichten unseres Volkes. Das Leben genießen, war seine Parole. Und er genoß es – zusammen mit seiner jungen Frau.

Unser Gespräch drehte sich zunächst um belanglose Dinge.

4 Alle Mosaiken in Herodespalästen enthalten nur pflanzliche Motive. Herodes hat in seinen Palästen offensichtlich das Bilderverbot eingehalten. Im übrigen ist es historisch, daß Herodes durch bemalte Wände echten Marmor vortäuschen ließ, wie sich jeder Besucher von Masada (einer der Zufluchtsburgen des Herodes) am Toten Meer leicht überzeugen kann.

5 Dieses Essen wurde nach Plinius dem Jüngeren (Briefe I, 15) zusammengestellt.

6 Becher mit solch einer Inschrift sind aus Syrien aus dem 1. Jahrhundert n.Chr. bekannt. Vgl. A. Deissmann: Licht vom Osten, Tübingen [4]1923, S. 104.

7 Pred 9,7

8 Nach Josephus (ant 13,293 = XIII, 10,6) haben die Sadduzäer ihren Anhang unter den Wohlhabenden. Sie glauben nicht an das Schicksal (ant 13,173 = XIII, 5,9), nicht an ein Fortleben nach dem Tod (bell 2,165 = II, 8,14; vgl. Mk 12,18–27; Apg 23,8) und erkennen nur die fünf Bücher Mose als heilige Schriften an.

Natürlich wollten wir beide auf das Thema des Tages zu sprechen kommen. Aber zunächst redeten wir über anderes. Chusa war gut informiert:

»Pilatus hat mal wieder Probleme in Jerusalem gehabt. Weißt du Einzelheiten?«

Ich stutzte. Wußte auch er schon, daß ich in die Ereignisse verwickelt war? Sollte ich ihm überhaupt davon erzählen? Aber irgendwann würde er bestimmt davon hören. Also sagte ich: »Bei einer Demonstration gegen ihn sind fünf Menschen von seiner Polizei getötet worden. Ich war in der Nähe und wurde vorübergehend inhaftiert.« Und dann erzählte ich die ganze Geschichte. Ich merkte, wie Chusa sie gierig aufsog. Als Parteigänger des Antipas war er an schlechten Nachrichten von Pilatus interessiert. Ich war in Verlegenheit: Wie weit konnte ich Pilatus anschwärzen, ohne mich selbst zu gefährden? Pilatus könnte erfahren, was ich über ihn verbreitete. Ich beschwor daher Chusa:

»Um Gottes Willen, erzähl niemandem weiter, daß du die Geschichte von mir hast. Pilatus kann brutal sein! Er darf nie erfahren, was ich dir gesagt habe.«

Chusa nickte und fuhr fort: »Im übrigen hat er schon wieder neue Schandtaten vollbracht. Erst heute erfuhr ich, daß er ein paar galiläische Pilger umgebracht hat – und ihre Opfertiere dazu!«[9]

»Was? Will er denn das ganze Land gegen sich aufbringen?«

»Das Klima ist gereizt. Kleinigkeiten führen zu überzogenen Reaktionen. Immerhin handelt es sich um Galiläer. Für sie ist Antipas zuständig. Wir werden protestieren.«

Hier schaltete sich Johanna ein: »Tu nicht so, als käme euch das alles nicht höchst gelegen! Antipas hat gerade einen Propheten hinrichten lassen, Pilatus ein paar Pilger. Das gleicht sich aus. Niemand wird in der Lage sein, den andern beim Kaiser oder dem syrischen Legaten anzuschwärzen. Eine Krähe hackt der anderen kein Auge aus.«

Chusa räumte ein: »Zugegeben! Daß Pilatus Schwierigkeiten hat, kommt uns gelegen. Denn diese Geschichte mit Johannes dem Täufer wird uns noch Kummer bereiten.«

9 Vgl. Lk 13,1ff

»Kanntest du ihn?« fragte ich.

»Natürlich! Ein merkwürdiger Kauz! Schon die Kleidung! Ein lederner Gürtel und Kamelfell – das war alles. Ansonsten lange Haare, Bart, vegetarische Speise!«

»Manche von diesen Käuzen sind gar nicht so schlecht.« Ich dachte an Bannos. »Hinter der abweisenden Schale steckt manchmal ein guter Kerl! Wie wirkte Johannes auf dich? Sympathisch?«

»Teils, teils. Als Sadduzäer kann ich mit solchen Weltuntergangspropheten nichts anfangen. Erstens gibt es zu viele von ihnen. Zweitens kommt es nicht zum Weltuntergang. Eins aber fand ich gut. Du weißt, ich bin in religiösen Fragen sehr weitherzig. Unsere Oberfrommen mögen mich deshalb nicht, und ich mag sie noch viel weniger. In ihren Augen sind wir Juden zweiter Klasse. Gerade in diesem Punkt war Johannes beeindruckend. Er predigte, Gott mache keinen Unterschied zwischen Ober- und Unterfrommen. Ottern- und Natterngezücht seien die Frommen, wenn sie hofften, dem Gericht zu entkommen. Alle müßten ihr Verhalten radikal ändern, Fromme wie Unfromme. Alle seien vom unerbittlichen Gericht bedroht!«

»Warum aber hat Antipas ihn töten lassen? Was steckt eigentlich dahinter? Die Leute sagen, die Herodias sei daran schuld!«

Hier protestierte Johanna: »Natürlich sollen wieder Frauen an allem schuld sein!«

Chusa lachte: »In diesem Punkt ist meine Frau sehr empfindlich«, sagte er. »Du weißt, Antipas war mit einer nabatäischen Prinzessin verheiratet, der Tochter des Königs Aretas IV. Das war diplomatisch ein guter Schachzug. Aretas ist unser Nachbar im Süden, der eine unangenehme Neigung dazu hat, sich nach Norden auszudehnen. Durch die Heirat wollte man ihn in Schach halten: Gegen einen Schwiegersohn würde er keinen Krieg führen und von ihm kein Land beanspruchen. Deshalb waren die Römer mit der Heirat einverstanden, obwohl sie sonst mißtrauisch jeden Kontakt zwischen ihren Klientelfürsten und unabhängigen Königen beobachten. Und dann kam die Geschichte mit Herodias dazwischen!«

Ich fragte: »War das die große Liebe auf den ersten Blick?«

Johanna antwortete: »Liebe war dabei. Hätte Antipas sonst all die politischen Nachteile in Kauf genommen, die ihm diese Heirat einbrachte?«

Chusa ergänzte:»Es war nicht nur Liebe, es waren auch politische Motive. Die beiden verstanden sich so gut, weil sie denselben politischen Ehrgeiz hatten: Du weißt, daß Herodes sein Testament mehrfach geändert hat. Jedesmal wurde ein anderer zum Gesamterben eingesetzt. Antipas war auch einmal Gesamterbe gewesen, konnte sich aber bei der Erbteilung nicht durchsetzen und wurde nur Tetrarch. Herodias war mit einem anderen ehemaligen Gesamterben verheiratet, dem Bruder des Antipas, der bei der endgültigen Verteilung des Erbes noch schlechter abschnitt: Er bekam gar nichts. Nun stammt Herodias über ihre Mutter Mariamne vom hasmonäischen Königshaus ab. Sie ist eine echte Prinzessin. Die Herodäer sind dagegen nur Emporkömmlinge. Was will eine echte Prinzessin werden? Natürlich Königin! Und das konnte sie nicht in der Ehe mit ihrem ersten Mann, vielleicht aber in der Ehe mit einem Fürsten. Die beiden verliebten sich nicht zufällig gerade zu dem Zeitpunkt, als Antipas zu einer Reise nach Rom aufbrach – man munkelt, in der Hoffnung, als Nachfolger des Präfekten Valerius Gratus König über Judäa und Samarien zu werden. Beide wollten hoch hinaus.«

Johanna warf ein:»Aber gerade politisch war die Heirat ein Fiasko für Antipas!«

Chusa erklärte:»Die Sache hatte Haken: Erstens hatte Antipas seinem Bruder die Frau weggenommen. Das verstößt gegen unsere Gesetze. Zweitens ergriff Herodias die Initiative. Sie war die treibende Kraft. Das widerspricht jüdischen Sitten.[10] Drittens verlangte Herodias, daß Antipas seine erste Frau verstoße – obwohl

---

10 Herodias verhielt sich wie andere herodäische Frauen: auch Salome, die Schwester Herodes I., und Drusilla ließen sich scheiden, was Josephus als Verstoß gegen das jüdische Gesetz tadelt (vgl. ant 15,259 = XV, 7,10 und ant 20,143 = XX, 7,2). Von Herodias sagt Josephus ausdrücklich, sie habe bei ihrer Scheidung die Auflösung väterlicher Gesetze betrieben (ant 18,136 = XVIII, 5,4), was so klingt, als sei Herodias die prinzipielle Bedeutung ihres Schrittes bewußt gewesen. Möglicherweise folgte sie nicht nur der hellenistisch-römischen Rechtstradition, sondern auch aramäischen Rechtstraditionen: Auch für die Juden in der ägyptischen Kolonie Elephantine ist für das 5. Jh. v.Chr. das Scheidungsrecht der Frau belegt. Ferner gibt es einen Beleg für Palästina zur Zeit des Bar-Kochba-Aufstands (132–136 n.Chr.).

er nach jüdischem Recht mit mehreren Frauen zusammen hätte leben können. Alle diese Gesetzesverstöße weckten Empörung im Volk. Der Täufer machte sich zum Sprecher der innenpolitischen Opposition.«

Hier wurde nun Johanna lebhaft: »Man kann die Sache auch anders beurteilen. Herodias beanspruchte für sich Rechte, die jede Frau im Römischen Reich hat. In Rom kann die Frau die Scheidung begehren, während bei uns bis heute nur der Mann seine Frau entlassen kann. Das ist ungerecht. Wenn schon, dann sollen beide gleiche Rechte haben. Nichts anderes hat Herodias für sich beansprucht. Das gilt auch für den letzten Punkt: In Rom darf ein Mann nicht mehrere Frauen nebeneinander haben. Ich halte das für einen Fortschritt. Nur so ist deutlich, daß eine Frau den gleichen Wert wie der Mann hat. Herodias tat recht daran, daß sie sich weigerte, die zweite Frau des Antipas zu werden neben der ersten. Kurz, Herodias versuchte ein wenig Fortschritt in unser zurückgebliebenes Land einzuführen. Und was geschieht? Ein hinterwäldlerischer Prophet stellt sich dem Fortschritt in den Weg! Ich kann in Johannes nicht den großen Heiligen sehen, zu dem man ihn stilisieren will!«

Chusa nickte bedächtig: »Wie immer man die Affäre moralisch beurteilt, politisch hat Antipas die Stimmung im Volk unterschätzt.«

Ich bestätigte: »An diesem Punkt tauchen ganz alte Bilder im Volk auf: Elia, der sich dem heidnischen Einfluß der Isebel widersetzt. So etwa wirkte der Täufer, als er zum Gegenspieler der Herodias wurde. Das Gerücht sagt, er sei der wiedergekommene Elia. Damit kommt Antipas ganz auf die Seite des Unrechts zu stehen.«

Chusa fuhr fort: »Fatal waren auch die außenpolitischen Auswirkungen. Die nabatäische Frau des Antipas bekam Wind von ihrer bevorstehenden Verstoßung und kam ihr durch Flucht zu ihrem Vater zuvor.[11] Seitdem haben wir im Süden einen mächtigen Feind. Die Situation des Antipas ist prekär: Nach außen hin muß er mit Krieg rechnen. Denn sein ehemaliger Schwiegervater wird ihm nie die demütigende Verstoßung seiner Tochter verzei-

---

11 So erzählt Josephus (ant 18,111f = XVIII,5,1).

hen, zu der ja nach unserem Recht keine Notwendigkeit bestand.
Im Innern aber regt sich eine mächtige Opposition, hinter der die
zügellose Kraft religiösen Fanatismus' steht.«
»Aber kann ihm diese Opposition im Innern gefährlich werden? Was kann ein einzelner Prophet schon ausrichten?«
»Denk an das Schicksal des Archelaos.[12] Er verlor vor fast 25
Jahren seinen Thron. Seine Absetzung hatte viele Ursachen.
Aber eine Ursache war gewiß seine unglückselige Heirat mit Glaphyra. Sie erinnert in manchem an die Heirat des Antipas mit Herodias. Auch Archelaos mußte sich von seiner ersten Frau scheiden lassen, um Glaphyra zu heiraten. Noch wichtiger war: Glaphyra war in erster Ehe mit Alexander, einem Halbbruder des Archelaos, verheiratet – einem jener Herodessöhne, die der große
Herodes hat hinrichten lassen. Es war also eine Schwagerehe, die
nach unseren Gesetzen nur in einem Fall erlaubt ist, dann nämlich, wenn nach dem Tod des Bruders keine Nachkommen vorhanden sind.[13] Das aber war nicht der Fall. Glaphyra hatte Kinder
von Alexander. Archelaos durfte sie nicht heiraten. Diese geset-
zeswidrige Ehe hat ihm viel geschadet. Sein Ansehen im Volk
sank rapide. Seine Gegner konnten ihn mit Erfolg beim Kaiser
verklagen. Er wurde abgesetzt. Das alles ist bekannt. Wenn jetzt
Antipas eine ähnliche Ehe eingeht wie sein Bruder – so muß das
ja geradezu seine innenpolitischen Gegner herausfordern, seine
Absetzung zu betreiben!«
»Aber befürchtet ihr im Ernst, daß der Täufer selbst einen gewaltsamen Aufstand machen oder mit dem auswärtigen Feind
zusammenarbeiten könnte?«[14]
»Diese Gefahr war nie gegeben. Aber es hätte zu einem unglücklichen Zusammenwirken von innerer Opposition und äu-
ßerem Feind kommen können, ohne daß dem eine Verschwö-

12 Vgl. zum folgenden Josephus, (ant 17,349–353 = XVII,13,4.)
13 Zur Schwagerehe (auch »Leviratsehe« genannt – nach lat. levir = Schwager)
vgl. Dtn 25,5–10.
14 Nach Josephus ließ Antipas den Täufer hinrichten, weil er einen Aufstand
befürchtete (ant 18,118 = XVIII,5,2). Das wird historisch glaubwürdig sein, widerspricht aber keineswegs der neutestamentlichen Überlieferung, wonach der
Täufer wegen seiner Kritik an der Ehe des Antipas hingerichtet wurde. Ehe und
Kritik an dieser Ehe waren zweifellos ein Politikum ersten Ranges.

rung zugrunde hätte liegen müssen. Einer der Lieblingssprüche des Johannes steht im Buch des Propheten Jesaja:[15]

Stimme eines Rufenden in der Wüste:
Bereitet dem Herrn den Weg!
Macht gerade seine Pfade!

Stell dir vor, Aretas kommt mit einem Heer aus der Wüste. Und Johannes predigt als Begleitmusik: ›Bereitet dem Herrn den Weg!‹ Natürlich meint Johannes Gott. Ihm soll man in der Wüste den Weg bereiten. Aber wie schnell kann das abergläubische Volk die Devise ausgeben: Gemeint sei Aretas. Mit ihm komme das göttliche Strafgericht über Antipas. Diese Devise würde jedes jüdische Heer demoralisieren. Es gäbe Überläufer. Wir würden eine vernichtende Niederlage erleiden.«[16]

»Aber besteht diese Gefahr nicht weiterhin? Durch die Hinrichtung des Täufers hat Antipas neue Feinde bekommen.«

Chusa gab mir recht: »Die Lage ist nach wie vor gespannt. Antipas spekuliert darauf, daß die Kritik an seiner Ehe verstummt.«

»Meinst du, daß er damit Erfolg haben wird?«

Chusa zuckte die Schultern: »Vielleicht. Vielleicht auch nicht.«

Seine Befürchtungen waren berechtigt. Antipas wurde durch seine Ehe mit Herodias ins Unglück gestürzt. Sein ehemaliger Schwiegervater erhob bald Anspruch auf Gebiete an der südlichen Grenze. Es kam zum Krieg. Antipas wurde vernichtend geschlagen. Einige seiner Soldaten waren desertiert. Alle im Volk sagten damals: Diese Niederlage ist Gottes Strafe für den Mord am Täufer. Die Römer mußten eingreifen, um die Grenze gegen die Nabatäer zu sichern.[17] Antipas aber begann heimlich, Waffen zu sammeln, um für einen neuen Krieg besser vorbereitet zu sein.

---

15 Jes 40,3 (vgl. Mk 1,3)
16 Antipas hat im Jahr 36 aufgrund von Überläufern tatsächlich eine vernichtende Niederlage gegen seinen ehemaligen Schwiegervater erlitten (vgl. Jos. (ant 18,114 = XVIII,5,1).
17 Vgl. zum nabatäischen Krieg zwischen Antipas und Aretas Josephus ant 18,113ff = XVIII,5,1. Der syrische Legat Vitellius mußte eingreifen (18,120ff = XVIII,5,3). Ein größerer Krieg wurde durch den Tod des Tiberius 37 n.Chr. verhindert.

Das wurde ihm zum Verhängnis! Als er auf Drängen der Herodias den Kaiser bat, ihn den Königstitel führen zu lassen, lancierten seine Feinde (vor allem sein Neffe) Gerüchte über geheime Waffenlager nach Rom. Antipas konnte sie nicht bestreiten. Der Kaiser witterte eine Verschwörung gegen sich. Antipas wurde abgesetzt und nach Gallien verbannt. Herodias aber hatte die Wahl, ihm in die Verbannung zu folgen oder nach Galiläa zurückzukehren. Sie wählte die Verbannung. Und bewies damit mehr Charakter und Liebe, als der böswillige Klatsch ihr zugebilligt hatte. All das geschah fast ein Jahrzehnt später.[18] Jetzt aber saßen wir in Jericho. Johanna nahm noch einmal die Herodias in Schutz:
»Eins sollte klar sein. Herodias ist an der Hinrichtung des Täufers nicht schuld. Die Verantwortung trägt Antipas selbst. Er befahl die Hinrichtung aus politischen Gründen – in einer Zwangslage, in die ihn der fanatische Johannes selbst hineingebracht hatte. Glaub mir: Antipas selbst hat den Täufer noch oft im Gefängnis gesprochen, um ihn zu einer stillschweigenden Duldung seiner Ehe zu bewegen. Aber alles war vergebens. Jetzt wälzt man die Schuld auf Herodias.«
Ich warf ein: »Vielleicht wird es jetzt um die ganze Geschichte still werden. Aber das hängt von den Anhängern des Täufers ab. Gibt es Schüler?«

Johanna nickte mit dem Kopf: »Einen von ihnen habe ich kennengelernt. Ich diskutierte mit ihm darüber, ob es denn gerecht sei, daß bei uns ein Mann seine Frau entlassen kann, nicht aber eine Frau ihren Mann. Weißt du, was er mir antwortete:

Wer seine Frau entläßt und eine andere heiratet,
begeht Ehebruch gegen seine Frau.
Und ebenso begeht eine Frau,
die ihren Mann entläßt und einen anderen heiratet,
Ehebruch.[19]

Das hat mir gefallen. Hier sind wenigstens beide gleichberechtigt.«

18 Der Sturz des Antipas und seine Verbannung werden hier nach Josephus (ant 18,240–256 = XVIII, 7,1f) erzählt.
19 Mk 10,11–12

Chusa schaute etwas erstaunt seine Frau an: »Aber der ist ja noch radikaler als Johannes der Täufer. Der bestand nur auf der Einhaltung der überkommenen Gesetze. Sein Schüler aber will die Gesetze ändern, dazu noch in unrealistischer Weise. Denn das geht ja ganz an der Wirklichkeit vorbei, Ehescheidungen zu verbieten.«

Johanna verteidigte sich: »Keine Ehescheidung ist gut. Es ist immer traurig, wenn zwei auseinandergehen.«

Chusa hakte noch einmal nach: »Ich glaube, dieser Johannesschüler ist auch so ein Spinner, von denen wir genug haben.«

Ich merkte, wie Johanna zusammenzuckte. Einen Augenblick lang hatte ich den Gedanken: Ob die beiden miteinander Probleme haben? Ich mußte vom Thema »Ehescheidung« herunter. Daher fragte ich:

»Wie heißt denn dieser Nachfolger des Täufers?«

»Ich glaube: Jesus von Nazareth.«

»Und wo lebt er?«

»Er zieht in Galiläa durchs Land.«

Chusa seufzte: »Ausgerechnet durch unser Land! Könnte er seine neuen Ansichten nicht in Judäa verbreiten? Da müßte sich dann Pilatus mit ihm herumärgern.«

Ich meinte: »Wenn er keinen festen Aufenthaltsort hat, kommt er vielleicht noch nach Judäa.«

Chusa hatte eine Idee: »Wie wär es, wenn wir ihm den Boden ein wenig heiß machen? Wir streuen das Gerücht aus, Antipas wolle ihn hinrichten lassen. Und gleichzeitig geben wir einen diskreten Wink, er möge über die Landesgrenzen verschwinden.[20] Dann wären wir ihn los. Wie wär es, wenn du diese Sache in die Hand nähmst?« wandte er sich an mich. »Nazareth liegt ja nur zehn Kilometer von Sepphoris entfernt. Du kennst dich in der Gegend aus.«

Ich erschrak: Hier tat sich eine Falle auf. Wenn Pilatus erführe, daß ich ihm einen Propheten auf den Hals jagte – nein, das ging nicht. Ich wandte ein:

»Dieser Jesus muß den Wink zum Verschwinden von Leuten

---

20 Es könnte sein, daß man dergleichen tatsächlich versucht hat; vgl. Lk 13,31– 33.

bekommen, denen er vertrauen kann. Nazareth ist ein kleines
Dorf. Wir von der Stadt haben bei den Leuten auf dem Land nicht
viel zu sagen. Wir sind für sie nur die Reichen, die griechisch Gebildeten, die mit den Herodäern und Römern zusammenarbeiten.«

Chusa dachte nach:»Man müßte an ein paar fromme Leute
rankommen. Vielleicht ein paar Pharisäer. Auf ihre Warnung
würde Jesus bestimmt hören.«

Ich hatte noch einen Einwand:»Kann er in Judäa dem Antipas
nicht noch mehr Schwierigkeiten machen als in Galiläa? Stell dir
vor, Pilatus spielte ihn gegen Antipas aus: Was käme ihm gelege-
ner, als wenn die ganze jüdische Öffentlichkeit erführe, daß Antipas die Sitten der Väter verläßt?«

Chusa lachte:»Wer galiläische Pilger umbringt, warum soll der
nicht auch einen galiläischen Propheten umbringen? Im übrigen,
Propheten lassen sich nicht von den Römern engagieren, um uns
schlecht zu machen. Da kennst du unsere Propheten schlecht!«

Wir unterhielten uns noch lange, tranken und aßen. Chusa
nahm zum Abschluß seine Zither und sang seine Lieblingslieder:
die Lieder Salomos. Er sang sie als Lieder für Johanna.

»Wie schön bist du,
meine Freundin, wie schön:
Deine Augen glänzen wie Tauben
hinter deinem Schleier hervor! . . .«[21]

Zweifellos: Johanna war eine sehr schöne Frau.

---

21 Hld 4,1

Sehr geehrter Herr Kratzinger,

der Zufall will es, daß Sie gerade in diesem Semester ein Seminar über Johannes den Täufer halten. Sie waren versucht, das letzte Kapitel mit Ihren Studenten zu lesen. Aber Sie befürchteten dann doch, daß meine Erzählung – an der mühsamen Analyse der Quellen vorbei – historische Erkenntnis suggeriert, wo poetische Fiktion vorliegt.

Ich teile diese Befürchtung nicht. Mir ist beim Schreiben aufgegangen, daß die Gespräche des Buches wissenschaftliche Diskussionen in einer Hinsicht angemessener wiedergeben als gelehrte Abhandlungen: In Abhandlungen kommt man nach vielen Pro und Contra zu einem Ergebnis, das man so plausibel wie möglich darstellt – und das auf dem Weg vom Gedanken zur Druckerschwärze viel plausibler wird, als es wirklich ist. Ein erzählter Dialog kann dagegen offen enden. Niemand muß das letzte Wort haben. Wer von den Gesprächsteilnehmern die Wahrheit sagt, darf in der Schwebe bleiben.

Der offene Schluß entspricht dem tatsächlichen Forschungsprozeß. Denn was ist Geschichtswissenschaft anderes als ein immerwährendes Gespräch über die Vergangenheit, bei dem niemand das letzte Wort hat? Im Unterschied zu erzählten Dialogen verläuft das wissenschaftliche Gespräch nach strengen »Spielregeln«, die wir »historische Methoden« nennen. Sie sind auf langen Erfahrungen basierende Abmachungen darüber, welche Art von Argumenten zugelassen werden und welche nicht. Werturteile sind z.B. keine Argumente bei der Rekonstruktion historischer Sachverhalte. Eine Textvariante kann mir gefallen, aber deswegen ist sie nicht ursprünglich.

Wenn Andreas sich in vielen Gesprächen ein Bild von den Ereignissen macht, so bildet er den historischen Forschungsprozeß ab, ohne sich seinen methodischen Spielregeln unterwerfen zu müssen. Das Nachdenken über seine Dialoge hat mich zu vielen wissenschaftlichen Gedanken angeregt. Ich habe Stoff für neue Abhandlungen bekommen.

Vielleicht lesen sie das Kapitel am Ende Ihres Seminars doch noch Ihren Studenten vor.

Ich bleibe
mit herzlichen Grüßen
Ihr
Gerd Theißen

7. KAPITEL

Jesus – ein Sicherheitsrisiko?

Ich kehrte nach Jerusalem zurück, um Metilius Bericht zu erstatten. Da Johannes der Täufer tot war, betrachtete ich meinen Auftrag als beendet. Bald, so hoffte ich, würde ich wieder als einfacher Getreidehändler mit Malchos und Timon durch Palästina ziehen.

Die Straße nach Jerusalem führt steil bergauf. Aus der fruchtbaren Oasenlandschaft Jerichos kommend, betritt man eine öde Gebirgswüste. Erodierende Felsen begrenzen den Blick. Die Hitze erschwert jede Bewegung. Nähert man sich dem Gipfel des Gebirges, vermehren sich die Zeichen des Lebens. Das Grün in den Bergnischen nimmt zu. Fußpfade schlängeln sich durchs Gelände, Spuren von Menschen. Ein leichter Luftzug durchkreuzt die Hitze. Erwartungen greifen über den Horizont: Man ahnt jenseits der Höhe ein anderes Land.

Und endlich ist es soweit: Die Stadt wird sichtbar. Über dem dunklen Gewirr von Gassen und Häusern schwebt der Tempel. Gleißendes Sonnenlicht bricht sich in seinen Steinen. Eine mächtige Plattform wuchtet seine Bauten in die Höhe. Säulenhallen rahmen die Plattform ein. Sie umgeben einen riesigen Platz, den »Vorhof der Heiden«, der für alle Menschen offen ist. In seiner Mitte liegt der innere Tempelbezirk. Ihn dürfen nur Juden betreten. Dort steht der eigentliche Tempel. Nur die Priester haben Zugang zu ihm. Aber auch sie bleiben vom Allerheiligsten ausgeschlossen, jenem geheimnisvollen Raum im Inneren des Tempels, den nur der Hohepriester einmal im Jahr betritt, um das Volk mit Gott zu versöhnen. Und doch nähern sich ihm viele Gedanken jeden Tag. Denn dort ist Gott gegenwärtig. Von dort geht eine Kraft aus, deren Gewalt das Herz auf ein unbekanntes Zentrum ausrichtet, das man niemals sehen, nie hören, nie erleben und nie fühlen wird.

Ich blieb stehen. Immer wenn ich Jerusalem sehe, ist mir, als kehrte ich in meine Heimat zurück. Auf den Lippen summte ich ein Lied, das unsere Vorfahren im Exil gedichtet haben. Was da-

mals Babylon war, ist heute Rom, was damals Exil war, ist heute
die Unterdrückung im eigenen Lande:[1]

>»An den Wassern Babylons
sitzen wir und weinen,
wenn wir an Zion denken.
An die Weidenbäume haben
wir unsere Zither gehängt.
Die uns unterdrücken, wollen,
daß wir ihnen schöne Lieder singen.
Aber wie können wir schöne Lieder singen,
wenn wir verbannt sind?
Verdorren soll meine Zunge,
wenn ich dich vergesse,
Jerusalem,
wenn du Jerusalem mir nicht lieber wärst
als alle Freuden und Feste!
O Babylon,
Unterdrückerin!
Wohl dem, der heimzahlt,
was du uns getan!
Wohl dem, der deine Kinder packt
und sie am Felsen zerschmettert!«*

Solange die Römer mein Schicksal bestimmten, war ich im eigenen Land gefangen! Aber ich war zuversichtlich. Bald würden
alle Verwicklungen ein Ende finden. Hatte ich meine Aufgabe
nicht gut erledigt? Hatte ich nicht dank Baruch und Chusa mehr
über Essener und Täufer erfahren, als ich jemals gehofft hatte? Es
lag ganz bei mir, was ich an die Römer weitergab. Ich hatte die Zuversicht, daß ich die rechte Auswahl würde treffen können.
Nichts, was unserem Land schadete, würde über meine Lippen
kommen, nichts, aber auch gar nichts. In dieser Stimmung kam
ich zu Metilius.

Metilius hatte die Nachricht vom Tode des Täufers schon erhalten. Er machte einen gespannteren Eindruck als bei unserem
letzten Gespräch.

»Andreas, du kommst im richtigen Augenblick! Die Lage ist

1 Nach Motiven von Ps 137. »Babylon« ist damals ein verbreiteter Deckname für
Rom gewesen (vgl. JohApk 18; 1Petr 5,13).

ernst. Herodes Antipas hat uns offiziell mitgeteilt, er sei einem
Aufruhr durch Hinrichtung Johannes des Täufers zuvorgekommen.«
Ich erzählte Metilius einiges von dem, was ich über die Hinter-
gründe dieser Hinrichtung erfahren hatte. Metilius hörte aufmerksam zu. Dann sagte er:
»Was uns Sorge macht, ist, daß die Hinrichtung des Täufers
zeitlich mit Ereignissen zusammenfällt, die auf eine erhöhte Aktivität von Widerstandskämpfern deuten:
Kurz vorher gab es diese unglückselige Demonstration gegen
Pilatus, bei der du inhaftiert wurdest. Während deiner Abwesenheit hat es einen zweiten Zwischenfall in der Nähe Jerusalems gegeben: Eine römische Soldatenabteilung hatte eine Gruppe galiläischer Pilger auf Waffen hin durchsucht. Dabei stellte sich heraus, daß einige Pilger bewaffnet waren. Vermutlich waren es Terroristen. Es kam zu einem Gefecht. Mehrere Pilger wurden getötet – wahrscheinlich unschuldige Menschen, die gar keine Ahnung hatten, wer in ihrer Mitte mitgepilgert war. Nun sind die
Leute empört über uns Römer – und nicht über die Terroristen!«[2]
Metilius ging auf und ab. Er fuhr fort: »Um das Unglück voll zu
machen, wurde vor kurzem auf der Straße zwischen Cäsarea und
Jerusalem ein Sklave des Kaisers, der in wichtigen Verwaltungs-
angelegenheiten unterwegs war, von Terroristen überfallen und
ausgeraubt.[3] Der Sklave und seine Begleiter konnten entkommen, aber eine große Geldmenge fiel in die Hände der Terroristen. Wir haben sofort eine Kohorte in das Gebiet gesandt. Doch
die Terroristen waren wie vom Erdboden verschluckt. Aus der
Bevölkerung war nichts herauszuholen. Niemand wollte etwas
gesehen, niemand vom Überfall gewußt haben. Unsere Soldaten

---

2 Ein derartiger Zwischenfall könnte hinter der Nachricht in Lk 13,1ff stehen,
Pilatus habe galiläische Pilger zusammen mit ihren Opfertieren umgebracht.
3 Der Überfall auf den kaiserlichen Sklaven ereignete sich unter Cumanus (48–
52 n.Chr.): »Auf der Landstraße nach Bethhoron fielen Räuber über das Gepäck
eines kaiserlichen Sklaven mit Namen Stephanus her und raubten es. Cumanus
sandte eine Abteilung aus und gab den Befehl, die Bewohner der umliegenden
Dörfer gefangen zu nehmen und vor ihn zu bringen; er machte ihnen den Vorwurf, die Räuber nicht verfolgt und festgenommen zu haben« (Jos. bell 2,228f =
II,12,2).

wurden nervös und zündeten zur Abschreckung alle Dörfer in
der Nähe des Überfalls an. Die Bevölkerung soll wissen, daß sie
bei künftigen Terroranschlägen die Wahl hat, die Terroristen auszuliefern oder ...«
Metilius beendete den Satz nicht. Es war offensichtlich, wie
widerlich er die römischen Vergeltungsmaßnahmen fand. Sie waren einer umsichtigen Staatsführung nicht würdig. Er räusperte
sich und faßte zusammen:
»Alle diese Nachrichten weisen darauf hin, daß der terroristi-
sche Widerstand etwas vorhat. Er beschafft sich in Raubüberfäl-
len Geld, transportiert Waffen und könnte die gegenwärtige Empörung in der Bevölkerung nutzen, um größere Aktionen zu star-
ten. Wir sind sehr besorgt.«
Metilius ahnte etwas Richtiges. Unter der Oberfläche gärte es
im Land.
»In dieser schwierigen Situation ist es für uns entscheidend,
wie wir mögliche Anhänger des Täufers einschätzen sollen: Werden sie mit den Terroristen gemeinsame Sache machen? Oder
werden sie sich zerstreuen und verlieren?«

Die Römer hatten offensichtlich Angst, daß sich verschiedene
Gruppen gegen sie zusammenschließen und in der Bevölkerung
Unterstützung finden könnten. Die Lage war für sie undurchsich-
tig. Ihre Angst konnte sie zu noch drastischeren Maßnahmen ver-
leiten – und das konnte den Widerstand weiter anstacheln. Ich
versuchte daher zu beruhigen:
»Was Essener und Täufer angeht, so bin ich sicher, daß sie keine
gemeinsame Sache mit den Terroristen machen. Es handelt sich
um religiöse Bewegungen, deren Ziel es ist, daß die Menschen in
Übereinstimmung mit den Geboten Gottes leben. Sie streben
keine politischen Änderungen an.«
»Aber nähren sie nicht die Erwartung, es stehe eine große Wende bevor?« warf Metilius ein.
»Sie werden nie versuchen, diese Wende von sich aus herbeizuführen. Sie warten auf Gott, der die große Wende bringen wird.«
»Aber wenn jemand aufträte und sagte: Jetzt bringt Gott die
große Wende – würden nicht alle glauben: Jetzt ist die Zeit der
Römerherrschaft vorbei?«

Metilius hatte recht. Aber ich mußte ihn von seinen richtigen
Gedanken abbringen. Ich mußte versuchen, ihn zu beruhigen. In
einem langen Gespräch führte ich alles an, was Essener und Täufer als harmlose Gruppen erscheinen ließ. Metilius blieb skeptisch. Er hatte sich informiert:
»Was mich immer noch nachdenklich macht: Warum ziehen
sich diese Leute in die Wüste zurück? – Ich habe inzwischen in
euren heiligen Schriften gelesen.« Auf meinen fragenden Blick
hin fügte er hinzu:»Nicht im hebräischen Urtext, sondern in der
Septuaginta, der griechischen Übersetzung.[4] Die Wüste hat dort
eine ganz bestimmte Bedeutung: Gott führte eure Vorfahren
durch die Wüste in dies Land und vertrieb alle Feinde vor euch.
Bevor David König wurde, lebte er als Banditenführer in der Wüste und machte König Saul das Leben schwer. Gegen die Herrschaft der syrischen Könige führten fromme Israeliten von der
Wüste aus Krieg, es gelang ihnen, die Syrer zu vertreiben. Kurz,
wer grundsätzliche Opposition treiben wollte, zog sich in die Wüste zurück und erwartete, daß Gott aus der Wüste kommen würde, um seine Feinde aus dem Land zu vertreiben. Ja man kann sagen: Euer Gott ist ein Wüstengott. Er wohnt auf dem Sinai.«
Ich wandte ein:»Es gibt ein altes Prophetenorakel, das sagt:›In
der Wüste bereitet dem Herrn den Weg‹. Sowohl der Täufer wie
die Essener berufen sich darauf. Die Essener verstehen unter diesem Wegbereiten Gesetzesstudium. Der Täufer sagt: Man bereite
Gott den Weg, indem man seine Sünden bekennt, sich im Jordan
taufen läßt und sein Leben bessert.[5] Von solchen Bewegungen
geht für die Römer keine Gefahr aus.«[6]

4 Die Septuaginta (abgekürzt: LXX) wurde nach dem Aristeasbrief von 72 Jerusalemer Übersetzern auf Anordnung des Königs Ptolemäus II. (283–246) für die be-
rühmte königliche Bibliothek in Alexandrien in 72 Tagen angefertigt. Das ist eine Legende. Es handelt sich um die Übersetzung des Alten Testaments für den
gottesdienstlichen Gebrauch der außerhalb Palästinas lebenden Juden, die oft
nur Griechisch und kein Hebräisch konnten.
5 Das Prophetenorakel ist Jes 40,3. Der Täufer berief sich ebenso auf dies Orakel
(vgl. Mk 1,3) wie die Qumrangemeinde: Sie meinte, durch strenge Gesetzeserfül-
lung in der Wüste (d.h. in ihrer Wüstenoase bei Qumran) Gott den Weg zu bereiten (vgl. 1QS VIII, 12–14).
6 Als 40 Jahre später der große Aufstand gegen die Römer losbrach, beteiligten
sich auch die Essener an ihm. Einer von ihnen, genannt Johannes der Essener,

Metilius war hartnäckig. Er traute dem Täufer noch immer
nicht und fragte:

»Hat Antipas nicht recht, wenn er den Wüstenprediger Johannes als gefährlichen Rebellen hinrichten läßt?«

»Antipas wird gegenüber den Römern Unterdrückung immer
als Verhinderung von Aufruhr rechtfertigen. Der entscheidende
Grund für die Hinrichtung des Täufers liegt aber im privaten Bereich: in der Heiratsaffäre des Antipas. Auch die Täuferanhänger
legen darauf den Akzent. Einer von ihnen hält Ehescheidung für
ein Zugeständnis an die menschliche Unvollkommenheit, lehnt
sie aber grundsätzlich ab.«

»Hast du diesen Täuferjünger gesprochen?«

»Nein, aber ich habe aus zuverlässigen Quellen von ihm gehört.«

»Wie heißt er?«

»Jesus von Nazareth!«

Metilius dachte nach.

»Den Namen habe ich noch nie gehört. Wo liegt das, Nazareth?«

»In Galiläa, nicht weit von Sepphoris entfernt!«

»Galiläa!« Metilius sprang auf. »Wir haben den begründeten
Verdacht, daß Terroristen in Galiläa Schlupfwinkel haben, von
denen aus sie Aktionen unternehmen.«

»Terroristen interessieren sich nicht für Ehegesetze. Dieser Jesus scheint ein ganz normaler jüdischer Lehrer zu sein. Unsere
Rabbinen diskutieren alle Fragen des menschlichen Zusammen-
lebens.«

»Du irrst: Die Terroristen könnten im Augenblick durchaus
ein Interesse an Ehefragen haben. Wenn sie einen Aufstand gegen
Antipas und uns vorbereiten, müssen sie den Antipas im Volk un-

war Militärgouverneur der Aufständischen im Bezirk Thamna (Jos. bell 2,567 =
II,20,4). Wahrscheinlich glaubten die Essener, die Zeit des letzten Kampfes zwischen den Kindern des Lichtes und der Finsternis sei gekommen. Sie gingen in
diesem Kampf unter. Die Ausgrabungen in Qumran haben gezeigt, daß ihre Siedlung am Toten Meer damals zerstört wurde. Viele Essener wurden nach grausamen Folterungen hingerichtet. Sie weigerten sich bis zuletzt, den Kaiser als ihren
Herrn anzuerkennen, und zeigten im Ertragen der Foltern bewundernswerten
Mut und Standhaftigkeit (vgl. Jos. bell 2,152f = II,8,10).

beliebt machen. Womit könnten sie das leichter tun als dadurch,
daß sie seine Ehe anprangern!«

»Aber deswegen muß dieser Jesus doch kein Terrorist sein!«

»Natürlich nicht! Aber daß er aus Galiläa kommt, macht stutzig. Bedenke, erst vor kurzem verbargen sich Terroristen in einer
aus Galiläa kommenden Pilgergruppe!«

»Aber wenn alle Galiläer als Terroristen verdächtig wären, wäre es da nicht unklug, sich ausgerechnet unter Galiläern zu tarnen?«

Metilius ignorierte meinen Einwand.

»Der erste Aufstand gegen die Römer wurde von Judas dem
Galiläer geführt.[7] Du kennst seinen Namen. Du weißt genau, wo
er zum ersten Mal in Erscheinung trat: in Sepphoris! Und jetzt
kommt aus einem kleinen Dorf bei Sepphoris dieser Jesus, der
Schüler eines wegen Aufruhr hingerichteten Propheten!« Er legte
eine kurze Pause ein. Dann drehte er sich zu mir um. »Du erhältst
ab sofort einen neuen Auftrag: Du sollst herausbringen, ob dieser
Jesus ein Sicherheitsrisiko für den Staat ist und ob er Verbindung
zu den Widerstandskämpfern hat!«

Ich war entsetzt. Ich hatte gehofft, wieder meiner normalen
Arbeit nachgehen zu können. Was jetzt auf mich zukam, war viel
unangenehmer als Erkundigungen über Essener und Täufer. Hier
kamen bewaffnete Widerstandskämpfer ins Spiel. Ich machte
Einwände:

»Meine Familie gilt in Galiläa als prorömisch. Wie soll ich da
das Vertrauen von antirömischen Widerstandskämpfern gewinnen?«

»Das wird kein großes Problem sein: Wir haben dafür gesorgt,
daß bekannt wurde, du seist bei einer antirömischen Demonstration inhaftiert worden.«

»Sie werden jedem aus der begüterten Oberschicht mißtrauen.«

»Im Gegenteil: Die Widerstandskämpfer setzen gerade auf die

7 Vgl. Jos. bell 2,56 = II,4,1: »In Sepphoris in Galiläa brachte Judas, der Sohn des
Ezehias, der einst als Räuberhauptmann das Land durchstreift hatte und vom
König Herodes überwältigt worden war, einen beträchtlichen Haufen zusammen, erbrach die königlichen Waffenlager, bewaffnete seine Anhänger und griff
die an, die nach der Herrschaft strebten.«

junge Oberschichtgeneration. Wir wissen, daß einige ihrer Anführer aus diesen Kreisen kommen.«[8]

Wie recht er hat, dachte ich: Barabbas stammte aus einer ver-
armten Familie, aber im Grunde aus meiner Schicht. Jetzt sollte
ich gegen ihn und seine Leute spionieren. Das konnte mich in Le-
bensgefahr bringen. Bei einem verschuldeten Bauern waren die
Motive klar, wenn er zu ihnen in die Berge floh. Kamen dagegen
Oberschichtangehörige zu ihnen, so mußten sie entweder Feinde
oder potentielle Führer in ihnen sehen – oder Verräter! Sie mußten voll Mißtrauen gegen mich sein – es sei denn, ich würde mich
offen auf ihre Seite schlagen, und das konnte ich nicht. Ich mußte
etwas mitbringen, um ihr Vertrauen zu erwerben. Ich hatte eine
Idee:

»Wie wäre es, wenn ich den Terroristen gezielt Informationen
über eine bevorstehende Aktion gegen sie zuspiele? Dann würde
ich sie überzeugen können, daß ich wirklich mit ihnen sympathi-
siere.«

»Aber wir können ihnen doch nicht unsere Pläne verraten!«

»Das ist nicht nötig. Es könnte sich ja um eine Scheinaktion
handeln, z.B. verstärkte Kontrollen zwischen Ptolemais und Galiläa. Ich kündige sie im voraus an. Wenn sie dann tatsächlich
durchgeführt werden, wird man Vertrauen zu mir fassen.«

»Keine schlechte Idee«, meinte Metilius, »wie wäre es, wenn
wir in drei Wochen diese Kontrollen durchführen?«

»Gut! Bis dahin müßte ich aber Kontakt zu den Widerstandskämpfern gefunden haben. Das wird nicht leicht sein. Denn sie
wohnen in unzugänglichen Höhlen. Niemand weiß wo. Vielleicht brauche ich mehr Zeit. Wie wäre es mit Scheinkontrollen
in circa sechs Wochen?«

»Auf keinen Fall! Die erste Aktion ist genug. Wenn sie wie ange-
kündigt eintritt und planmäßig ein Fehlschlag wird, werden die
Terroristen übermütig und unbesonnen. Das wäre uns recht.«

Ich hatte genug gehört. Wenn Metilius von einer ersten Aktion
sprach, mußte es noch eine zweite geben. Diese zweite Aktion
aber würde in sechs Wochen stattfinden.

8 Tatsächlich führte 66 n.Chr. ein Bündnis zwischen den jüngeren Oberschicht-
angehörigen und der Widerstandsbewegung auf dem Lande zum Ausbruch des
Jüdischen Krieges.

Metilius war inzwischen aufgestanden, um ein Papyrusblatt mit Notizen zu holen: »Ich muß dich noch über die wichtigsten Daten informieren, die ich in unseren Akten über die Terroristen gefunden habe:

Als vor circa 24 Jahren der Herodessohn Archelaos abgesetzt wurde, kam Judäa mit Samarien unter direkte römische Verwaltung. Dieser Übergang zur römischen Verwaltung machte eine Steuerveranlagung der ganzen Bevölkerung notwendig, wie wir sie in jeder Provinz durchführen. Mit ihr beauftragt war der syrische Legat Quirinius. Erfahrungsgemäß kommt es bei solchen Steuerveranlagungen und Volkszählungen oft zu Unruhen wie z.B. in Lusitanien und Dalmatien. So auch in Judäa. Hauptanstifter war Judas der Galiläer[9], der schon am Anfang der Regierungszeit des Archelaos für Unruhen in Sepphoris gesorgt hatte. Er stammte aus einer traditionsreichen Banditenfamilie. Sein Vater Ezechias hatte als Oberräuber dem König Herodes das Leben schwer gemacht. Er selbst verband sich mit einem jüdischen Schriftgelehrten namens Zadok und propagierte folgende Lehre: Steuerzahlungen an die Römer widersprächen dem ersten Gebot der jüdischen Religion. Wer dem Kaiser Steuern zahle, erkenne neben Gott einen anderen als Herrn an. Das Land gehöre allein Gott. Nur Gott habe das Recht, von den Erträgen des Landes Abgaben zu erheben – in Form von Abgaben an den Tempel. Diese Widerstandsgruppen nennen sich manchmal auch Zeloten, d.h. Eiferer. Sie eifern für Gott und die jüdischen Gesetze, die sie ziemlich extrem auslegen. Ihr Aufstand wurde damals blutig niedergeschlagen. Wahrscheinlich kam Judas dabei um.[10] Vermutlich führen seine Söhne noch heute den Widerstand im verborgenen weiter.«[11]

9 Vgl. Josephus bell 2,118 = II,8,1: »Während seiner (d.h. des Coponius 6–9 n.Chr.) Amtszeit verleitete ein Mann aus Galiläa mit dem Namen Judas die Einwohner der soeben genannten Provinz (nämlich des Gebietes von Archelaos: Judäa und Samarien) zum Abfall, indem er es für einen Frevel erklärte, wenn sie bei der Steuerzahlung an die Römer bleiben und nach Gott irgendwelche sterblichen Gebieter anerkennen würden.«

10 Der gewaltsame Tod des Judas Galiläus wird nicht bei Josephus berichtet, dafür aber in Apg 5,37. Die Apostelgeschichte berichtet hier wahrscheinlich in Übereinstimmung mit den Tatsachen.

11 Zwei Söhne des Judas Galiläus mit Namen Jakobus und Simon wurden unter dem Prokurator Tiberius Alexander (46–48 n.Chr.) gekreuzigt (Jos. ant 20,102 = XX,5,2). Der Widerstand wurde also von der Familie des Judas Galiläus nach dessen Tod weitergeführt. Enkel von ihm treten an leitender Stelle im Jüdischen Krieg (66–70) auf. Zu ihnen gehört der Verteidiger von Masada, das erst 74 n.Chr. von den Römern erobert wurde.

Metilius hielt sein Notizblatt noch immer in der Hand. Nachdenklich meinte er: »Da regieren wir nun ein Vierteljahrhundert
diese Provinz – und noch immer herrscht im Land kein rechter
Friede. Noch immer gärt es unter der Oberfläche! Irgend etwas
machen wir falsch! Aber was? Was macht Pilatus eigentlich
falsch, Andreas?«

Auf diese Frage war ich nicht gefaßt. Wollte Metilius mich de-
mütigen, indem er von mir Ratschläge zur besseren Unterdrükkung meines Volkes erbat? Wollte er meine Meinung über Pilatus
ausforschen? Mich auf meine Loyalität gegenüber dem römischen Präfekten hin testen? Oder hatte er Zweifel an der Richtig-
keit der Politik, die auch er zu vertreten hatte? Ich mußte vorsichtig sein:

»Ich glaube schon, daß Pilatus auf dem richtigen Weg ist. Aber
er wählt manchmal die falschen Methoden!«

»Was meinst du damit?«

»Ich meine z.B. seine Münzpolitik. Alle Präfekten vor ihm haben darauf verzichtet, auf ihren Münzen heidnische Symbole darzustellen. Sie begnügten sich mit Ähren oder Palmen oder anderen Harmlosigkeiten. Aber Pilatus ließ gleich am Anfang seiner
Amtszeit Münzen mit einem Trankopfergerät und einem Au-
gurenstab prägen!«

»Aber hat nicht der herodäische Fürst Philippus auf seinen
Münzen einen heidnischen Tempel abgebildet? Und trotzdem
genießt er hohes Ansehen!«

»Bei den Herodäern wissen wir, woran wir sind. Aber Pilatus
war uns unbekannt. Der Verdacht entstand, er verfolge bewußt
ein Programm, heidnische Bräuche und Symbole in unserem
Land einzuführen.«

»Er will nur, daß man heidnische Bräuche und Symbole von
Nichtjuden auch in diesem Land toleriert – nicht mehr!«

»Aber warum geht er so provokativ vor? Warum läßt er heimlich in der Nacht Kaiserbilder nach Jerusalem bringen – Bilder in
die Stadt des bilderlosen Gottes? Gut, er mußte sie auf unsere Proteste hin zurückziehen. Hat er daraus gelernt? Nein! Er versuchte
dasselbe noch einmal mit Schildern, auf denen der Name des Kaisers eingraviert war! Warum tut er das? Warum verletzt er das, was
uns so wertvoll ist?«

Metilius schien durchaus Verständnis für meine Argumente zu haben. Aber er war hartnäckig. »Warum aber gab es diese Proteste gegen den Plan, Tempelgeld für ein Aquaedukt zu verwenden? Was haben wir hier falsch gemacht?«

»Die Sache mit dem Aquaedukt wäre unter normalen Umständen gut gegangen. Aber nun war einmal das Mißtrauen da. Jeden Tag wird es durch Münzen bestätigt, die durch unsere Hände gehen. Dies Mißtrauen muß beseitigt werden. Das ist die wichtigste Aufgabe!«

Ich wagte nicht auszusprechen, daß es dazu wohl nur einen Weg gab: Pilatus abzuberufen. Er hatte zu viel Vertrauen zerstört. Aber die Schlußfolgerung mußte ich Metilius selbst überlassen. Metilius rollte das Problem noch einmal von einer anderen Seite auf:

»Wenn ich recht sehe, hängen unsere Probleme mit dem Tempel zusammen. Wir verletzen seine Heiligkeit in den Augen vieler Juden. Versuch aber einmal die Sache aus unserer Sicht zu sehen: Wir wollen den Tempel ehren – wie wir alle Tempel in der Welt ehren. Überall geschieht das in der Weise, daß der Statthalter einer Provinz demonstrativ dem jeweiligen Landesgott opfert. Er beteiligt sich am Kult. Er wird aufgenommen in den Kreis der Verehrer des Gottes. Warum geht das bei euch nur begrenzt? Warum laßt ihr niemanden in den Tempel, wenn er nicht ein Jude ist? Alle anderen Götter sehen es gerne, wenn Fremde ihnen auf ihren Altären Opfer bringen! Nur euer Gott ist so wenig gastfreundlich!«[12]

»Unser Gott verlangt nicht nur Opfer und Weihegeschenke. Nur wer seine Gebote im ganzen Leben ernst nimmt, darf ihm Opfer darbringen. Unsere Religion ist eng mit unserer gesamten

12 Fremde konnten im Jerusalemer Tempel für sich opfern lassen, d.h. sie kauften die Opfertiere und die Priester vollzogen in Abwesenheit der Fremden, die den heiligen Bezirk nicht betreten durften, die Opfer. Die Einstellung dieser Opfer war im Jahr 66 n.Chr. das Zeichen zum Aufstand gegen die Römer (vgl. Jos. bell 2,409f = II,17,3). Zu den damals eingestellten Opfern gehörten auch Opfer für den Kaiser und das Volk der Römer zweimal am Tag (Jos. bell 2,197 = II,10,4). Die Opfer für den Kaiser hatte der Kaiser einmal auf eigene Kosten angeordnet (Philo Legatio ad Gaium 157). Später waren die Kosten auf die jüdische Allgemeinheit abgewälzt worden (erschließbar aus Jos. c. Ap 2,77 = II,6).

Lebensführung verbunden. Und das gibt es anderswo nicht. Die Götter der Völker verlangen nicht, daß man das ganze Leben nach ihrem Gebot ausrichtet. Sie nehmen von jedem ihre Opfer!«

»Aber ich sehe doch, daß ihr selbst die Gebote eures Gottes nicht konsequent erfüllen könnt! Auch ihr habt zu Hause so einen kleinen Götzen!«

»Wir wissen, daß wir die Gebote nie vollkommen erfüllen. Eben deswegen ist der Tempel so wichtig. Einmal im Jahr geht der Hohepriester ins Allerheiligste, um für alle Gebotsübertretungen in unserem Volk Gnade zu erlangen! Aber nicht nur das Volk als ganzes, jeder einzelne kann im Heiligtum durch Sühneopfer seine Übertretungen wiedergutmachen. Gerade weil wir die Gebote Gottes so ernst nehmen, sind wir auf den Tempel angewiesen. Ohne ihn gäbe es keine Versöhnung!«

»Lehren das alle eure Gelehrten?«

»Jeder Jude wird mir zustimmen!«

»Auch Johannes der Täufer? Erzähltest du nicht vorhin, er fordere die Menschen auf, sich im Jordan taufen zu lassen, um Vergebung der Sünden zu erlangen? Stellt er damit nicht eure ganze Religion in Frage? Was soll noch der Tempel, wenn man unabhängig von ihm Versöhnung erlangen kann? Und wie steht es mit den Essenern? Sie nehmen demonstrativ nicht am Tempelkult teil!«

Ich mußte Metilius ein Kompliment machen. Er hatte recht, hier lag ein Widerspruch.

Metilius war jetzt in Fahrt: »Auf der einen Seite gibt es also bei euch Leute, die die Stellung des Tempels untergraben. Die nennt ihr Heilige. Auf der anderen Seite tasten wir Römer durch einige ungeschickte Handlungen die Heiligkeit des Tempels an. Wir aber werden als Frevler hingestellt.«

Ich wandte ein: »Keiner unserer Heiligen wird je ein heidnisches Symbol in die Nähe des Tempels bringen wollen! Das ist der Unterschied.«

»Mag sein!« sagte Metilius. Er ging wieder aufgeregt im Zimmer auf und ab. Endlich rief er: »Jetzt weiß ich, warum unsere Politik immer wieder mit der Heiligkeit eures Tempels kollidiert! Der Tempel ist bei euch selbst umstritten! Weil er von innen her in Frage gestellt wird, reagiert ihr allergisch nach außen. Der Fanatismus, mit dem ihr den Tempel gegen unsere angeblichen Übergriffe verteidigt, gilt in Wirklichkeit euren eigenen Leuten!« Metilius sagte es mit Nachdruck, als hätte er eine große Erkenntnis gemacht. Meiner Meinung nach unterschätzte er die Rolle der Römer.

»Der Tempel mag bei uns umstritten sein. Aber er ist umstritten, weil er für uns von unendlichem Wert ist. Gerade weil unser Gott unsichtbar ist und ohne Bilder verehrt werden will, gerade darum hängt unser Herz an dem einzigen sichtbaren Ort in der Welt, an dem er versprochen hat, nahe zu sein!«

Wir unterhielten uns noch lange über die religiöse und politische Lage im Land. Metilius war ein intelligenter Mann. Er begriff schnell, worum es in unserer Religion geht. Er war in einem Punkt völlig glaubwürdig: Er wollte mit möglichst wenig Unterdrückung und Blutvergießen Frieden und Ordnung im Lande aufrecht erhalten. Er hatte gute Absichten. Und doch diente er einem System, das mir im Traum als tierische Bestie begegnet war und das mich noch immer in seinen unbarmherzigen Klauen festhielt. Heute hatte ich wieder etwas von dieser Unbarmherzigkeit gespürt. In dem Augenblick, als ich schon gehofft hatte, ihm entronnen zu sein, hatte es mich wieder gepackt. Wieder mutete es mir Verrat an meinem Volk zu – diesmal möglicherweise Verrat an Leuten, die mir nahestanden. Und das alles im Namen von Frieden und Ordnung? War das ein menschlicher Friede?

Im Traum war mir damals ein »Mensch« erschienen, der das Untier besiegte und mich von einem Alpdruck befreit hatte. Aber jetzt spürte ich nichts davon. Ich war froh, als ich wieder bei Timon und Malchos in unserem Quartier war und mich mit harmlosen Gesprächen ablenken konnte. Immer wieder schweiften meine Gedanken zu Barabbas, den ich kannte, und zu Jesus, den ich nicht kannte und über den ich in den nächsten Wochen Material sammeln sollte. Was war das für ein Mensch, ein Asket wie Bannos? Ein Prophet wie der Täufer? Ein Spinner? Ein Terrorist?

Sehr geehrter Herr Kratzinger,

Sie werfen noch einmal die Grundsatzfrage auf: Zwei Jahr-
hunderte historisch-kritischer Exegese haben uns zur Skepsis gegenüber der historischen Auswertbarkeit unserer Quellen erzogen. Wir wissen: Die Quellen sind tendenziös, einsei-
tig und enthalten weniger historische Information als eine
religiöse Botschaft. Diese Skepsis werde in meiner Jesuser-
zählung übersprungen! Sie fragen konkret: Was wissen wir
denn wirklich von Pilatus?
  Gewiß, alle Quellen stammen von fehlbaren Menschen.
Aber wenn Menschen unfähig sind, die historische Wahrheit
unverfälscht zu übermitteln, so sind sie ebenso unfähig, die
Quellen so umzuprägen, daß die historische Wahrheit ganz
verlorengeht. Beides stößt bei unvollkommenen Menschen
auf Grenzen.
  Darf ich Sie zu einem Gedankenexperiment einladen? Angenommen, es hätte in Palästina im 1. Jh. n. Chr. ein »Komitee
zur Irreführung späterer Historiker« gegeben, das sich ver-
schworen hätte, uns ein historisch unzutreffendes Bild von
den damaligen Ereignissen zu hinterlassen – auch das mäch-
tigste Komitee wäre nicht mächtig genug, um alle Quellen
kontrollieren und umprägen zu können. Sollte es tatsächlich
ganz verschiedene Schriftsteller oder deren Abschreiber
überredet haben, Notizen über Pilatus in ihr Werk aufzuneh-
men, Notizen, die wir jetzt bei Philo, Josephus, Tacitus und in
den Evangelien lesen? Sollte es durch Palästina gezogen sein,
um an zufälligen Orten Kupfermünzen des Pilatus zu verstecken? Sollte es gar eine Inschrift in Auftrag gegeben haben,
nach der Pilatus ein »Tiberieum« seinem Kaiser widmete –
und die später als Treppenstufe im Theater von Cäsarea unauffällig der Nachwelt erhalten blieb? Unmöglich!
  Die Zufälligkeit der Relikte und Quellen zu Pilatus machen uns gewiß: Pilatus hat gelebt. Was die Evangelien über
ihn schreiben, widerspricht nicht den anderen Quellen, läßt
sich aber aus ihnen nicht ableiten. Die Evangelien haben bei
Pilatus zweifellos einen »historischen Hintergrund«. Für Herodes Antipas könnte man einen ähnlichen Nachweis füh-

ren. Denn auch hier können wir urchristliche Aussagen an außerneutestamentlichen Quellen überprüfen. Muß man dann aber nicht per Analogieschluß schließen: Auch die in den Evangelien enthaltenen Jesusüberlieferungen haben einen historischen Hintergrund? Was nicht heißt, daß sie mit der historischen Wahrheit identisch sind. Sie sehen, daß ich nicht ganz so skeptisch urteile wie Sie. Eben deshalb möchte ich auf Ihr kritisches Urteil nicht verzichten.

Ich bleibe bis zum nächsten Mal
mit herzlichen Grüßen
Ihr
Gerd Theißen

8. KAPITEL

Nachforschungen in Nazareth

Endlich war ich wieder zu Hause in Sepphoris. Meine Familie hatte von meiner Inhaftierung gehört und war überglücklich, mich wiederzusehen. Ich verschwieg, was der Preis für meine Freilassung war. Berechnende Klugheit und Scham verschlossen mir den Mund. Wie sehr wünschte ich, alles sei ein Irrtum, ein böser Traum, den man beim Erwachen abschüttelt. Aber es war kein Traum. Es war kein Irrtum. Es war Realität.

Mit Baruch kamen wir überein, daß er in unser Geschäft eintreten solle. Er war intelligent, konnte schreiben und rechnen. Vor allem hatte er bei den Essenern gelernt, wie man Warenlager verwaltet. Er war ein guter Verwalter.

Doch ich will gleich zur Hauptsache kommen: zu meinen Nachforschungen über Jesus. Das Nächstliegende war, zunächst seine Heimatstadt zu besuchen. Dort mußten Angehörige leben oder Leute, die ihn kannten. Wir kauften in Nazareth ohnehin oft Oliven. Diese Oliven verarbeiteten wir in Sepphoris zu Öl und verkauften das Öl mit großem Gewinn an Juden in den syrischen Städten. Die kauften bevorzugt galiläisches Olivenöl, weil es als rein galt und nicht in Berührung mit Heiden gekommen war, ja, sie bezahlten für unser »reines« Öl einen weit höheren Preis als für das Öl heidnischer Konkurrenten.[1] Uns war das recht. Unser Geschäft blühte.

Ich zog also mit Timon und Malchos nach Nazareth. Gewöhnlich kauften wir bei einem der größeren Bauern unsere Oliven. Aber diesmal war ich daran interessiert, einfache Leute kennenzulernen. Es war nicht schwer. Ein Bauer namens Tholomäus war

---

1 Im Jüdischen Krieg machte der Rebellenführer Johannes von Gischala hohe Gewinne, indem er reines Öl an in Syrien wohnende Juden verkaufte. Er verkaufte es um den achtfachen Preis dessen, was er selbst für das Öl bezahlt hatte (Josephus bell 2,591f = II, 21,2).

sofort bereit, mir seine Ernte zu verkaufen. Er wohnte zusammen mit seiner Frau Susanna in einem ärmlichen Haus. Sie waren um die 50 Jahre alt und lebten allein. Vielleicht waren sie kinderlos? Vielleicht waren die Kinder schon erwachsen? Wir feilschten lange über den Kaufpreis. Ich drückte ihn nicht allzu weit herunter, denn ich wollte Tholomäus bei guter Laune halten, um von ihm möglichst viel zu erfahren. Nach dem Geschäft kamen wir ins Gespräch. Wir saßen vor seinem Haus mit seiner Frau und sprachen über das Wetter, die Ernte und den Olivenhandel, während Timon und Malchos die gekauften Oliven auf unsere Esel packten.

Tholomäus und Susanna machten einen bedrückten Eindruck. Sie klagten: »Wir müssen jetzt alles allein machen!«
Ich blickte sie fragend an. Tholomäus erklärte:
»Drei kräftige Söhne hatten wir. Und jetzt sind sie nicht mehr da.«
»Wie schrecklich – sind sie gestorben?«
»Nein, sie leben. Aber sie sind weggelaufen, einfach auf und davon, und haben uns allein gelassen.«
»Hat es Streit gegeben?«
»Nicht im geringsten. Wir verstanden uns gut. Aber es laufen ja heute so viele weg!«
»Man kann nicht sagen, daß die jungen Leute schuld sind«, schaltete sich Susanna ein. »Der erste, der im Dorf verschwand, war unser Nachbar Eleazar. Plötzlich war er weg – mit Frau und Kindern.«
»Aber warum verschwinden die Leute?«
»Eleazar war ein kleiner Bauer, der recht kümmerlich von seinem Land lebte. Wir hatten vor einiger Zeit ein paar Jahre hintereinander schlechte Ernten. Eleazar mußte sein Saatgut essen, um nicht zu verhungern. Neues Saatgut war wegen der allgemeinen Getreideknappheit teuer. Wer jetzt Getreide übrig hatte, verdiente gut – aber den Ärmsten ging es noch schlechter als vorher. Eleazar geriet in Schulden. Er konnte sie nicht zurückzahlen. Was sollte er tun? Sollte er seine Kinder auf dem Sklavenmarkt in Tyros verkaufen, wie andere es getan hatten? Niemals! Sollte er sich und seine Familie an einen reicheren Juden verkaufen, um späte-

stens nach sieben Jahren freigelassen zu werden?[2] Sollte er warten, bis seine Gläubiger ihn vor den Richter schleppten, um ihn in
Schuldhaft zu nehmen? Um dann zuzusehen, wie seine Frau ins
Elend geriet? Eleazar war ein selbstbewußter Mensch. Er bäumte
sich gegen das drohende Elend auf. Er verschwand zusammen
mit seiner Familie in die Berge.«

Ich wußte, was das hieß: Dorthin war auch Barabbas verschwunden, nachdem er Bannos verlassen hatte. Eleazar hatte
sich den Zeloten angeschlossen. Jeder in Galiläa wußte, wovon
die Rede war. Und so sagte ich:

»Wie gut, daß Eleazar mit seiner ganzen Familie verschwunden
ist. So kann niemand seinetwegen die Familie unter Druck setzen. Vor kurzem hörte ich von einem ähnlichen Fall aus Ägypten:[3] Ein armer Mann war im Rückstand mit Zahlungen und hatte aus Furcht vor Strafen das Weite gesucht. Daraufhin schleppte
der Steuereinnehmer, dem er das Geld schuldete, seine Frau, Kinder, Eltern und Verwandte gewaltsam fort. Er schlug und mißhandelte sie, damit sie den Flüchtling verrieten oder dessen Rück-
stände bezahlten. Aber sie konnten weder das eine noch das andere. Denn sie wußten nicht, wo er sich aufhielt, und sie waren
genauso arm wie der Flüchtling. Der Steuereinnehmer aber ließ
sie nicht frei, sondern folterte sie und brachte sie auf qualvolle
Weise ums Leben. Er befestigte einen mit Sand gefüllten Korb an
Stricken, hing ihnen diese schwere Last um den Nacken und

2 Jüdische Sklaven mußten im 7. Jahr ohne Lösegeld freigelassen werden, es sei
denn, sie wählten freiwillig die dauernde Sklaverei (vgl. 5Mos 15,12ff). Sie durften
nicht an Nichtjuden verkauft werden – denn dann wären sie ohne rechtlich gesi-
cherte Hoffnung auf Freilassung. Heidnische Sklaven blieben dagegen dauernd
versklavt. Viele von ihnen konvertierten jedoch zum Judentum. Dadurch kamen
sie in den Genuß der Privilegien jüdischer Sklaven. Insgesamt muß man feststel-
len, daß das Judentum die Sklaverei in einem für die Antike erstaunlichen Maße
begrenzt hat. Sie war zeitlich begrenzt. Aber auch innerhalb der zeitlichen Be-
grenzung gab es gesetzlich verordnete Ruhetage: den Sabbat.
3 Die folgende Geschichte stammt aus Philo, de specialibus legibus (Über die
Einzelgesetze) III, 159–162. Diese Geschichte basiert gewiß auf typischen Vor-
kommnissen in Ägypten. Daß auch in Palästina die Lage der verschuldeten Menschen oft aussichtslos war, zeigen Mt 5,25–26 und 18,23–35. Die hier vorausge-
setzte Schuldhaft ist dem jüdischen Recht unbekannt und zeigt, daß Juden in
den Geltungsbereich fremder Rechte geraten waren.

stellte sie unter freiem Himmel auf offenem Markte hin, damit
sie, durch Wind und Sonnenbrand, durch die öffentliche Schande
und die aufgebürdeten Lasten zur Verzweiflung gebracht würden.
Für die anderen, die das mit ansehen mußten, sollten sie ein ab-
schreckendes Beispiel sein. Einige von den Verschuldeten haben
sich in der Tat durch Schwert oder Gift oder Strang selbst das Leben genommen, da der Tod ohne Folterqualen ihnen wie ein
Glück im Unglück erschien. Die aber, die nicht Hand an sich ge-
legt hatten, wurden der Reihe nach, wie bei Erbschaftsprozessen,
herangeholt, zuerst die Nächstverwandten und nach ihnen die
Verwandten zweiten und dritten Grades bis zu den entferntesten;
und als von den Verwandten keiner mehr übrig war, schritt man
weiter zu den Nachbarn. Ganze Dörfer und Städte haben so ihre
Einwohner verloren und eingebüßt, weil alle fortzogen, um sich
versteckt zu halten.«

Das Ehepaar hatte mir aufmerksam zugehört:»Wenn das hier
bei uns so weiter geht, werden auch hier bald die Dörfer leer sein
– wie in einigen Gegenden Ägyptens. Noch mehr werden verschwinden, so wie Eleazar verschwunden ist.«

Ich wagte eine weitere Frage:»Sind eure Söhne aus solchen
Gründen verschwunden?«

»Die Gründe waren anders«, erklärte Tholomäus. »Wir sind
arm; aber wir sind bisher durchgekommen. Unsere Söhne hätten
bleiben können. Aber unser Nachbar Eleazar wirkte als Vorbild.
Er hat jedem im Dorf gezeigt: Es gibt einen Ausweg, wenn man
nicht weiterweiß.«

Susanna pflichtete bei:»Ohne das Vorbild von Eleazar hätten
sich unsere Söhne vielleicht mit vielem abgefunden. Aber von
jetzt ab handelten sie im Bewußtsein, daß sie nicht alles schluk-
ken mußten.«

Tholomäus setzte fort:»Als erster verschwand unser ältester
Sohn Philippus. Er hatte zusammen mit anderen aus unserem
Dorf mit einem Großgrundbesitzer einen Pachtvertrag abge-
schlossen: Vom Ertrag des gepachteten Landes mußten sie die
Hälfte an den Besitzer abliefern, während die andere Hälfte ihr Ei-
gentum war. Davon konnten sie schlecht und recht leben. Nun
muß man wissen, daß der Besitzer weit weg in Ptolemais an der
Mittelmeerküste wohnt und seine Besitzungen durch einen Auf-

seher verwalten läßt. Jedes Jahr kommt ein Abgesandter aus Ptolemais, um die Hälfte der Ernte abzuholen. Dabei gibt es oft Streit. Dem Besitzer ist gleichgültig, wie groß die Ernte ist – Hauptsache, er verdient daran. Wenn er zu einem günstigen und frühen Zeitpunkt verkauft, kann er manchmal mehr verdienen, als wenn er das Getreide ausreifen läßt und der ganze Markt von Getreideprodukten überschwemmt wird. Bei einer frühen Ernte sind die Preise viel höher. Die Pächter sind dagegen an einer möglichst großen Ernte interessiert. Denn sie müssen von ihr leben. Sie wollen erst spät ernten. Sie schickten daher den ersten Abgesandten mit leeren Taschen zurück. Der Besitzer sandte zwei andere mit Drohungen: Wenn sie nicht sofort die Ernteerträge ablieferten, würde er sie vor Gericht bringen und ruinieren. Philippus und seine Mitpächter waren aufgebracht. Sie haben die beiden Abgesandten verprügelt und aus unserem Dorf vertrieben.[4] Jetzt konnten sie erst recht vor Gericht angeklagt werden. Was sollten sie tun? Das Gericht in Ptolemais hätte immer dem Besitzer recht gegeben, zumal wenn ein Städter gegen Leute vom Land prozessiert. Es blieb nur eine Möglichkeit: sie verschwanden in die Berge.«

»Auch ich habe Freunde, die in die Berge verschwunden sind«, sagte ich. Dabei dachte ich an Barabbas, der zwar nicht aus Not, aber aus Überzeugung Zelot geworden war.

Tholomäus schaute mich dankbar an, weil ich seinen Sohn nicht verurteilte: »Viele halten die in den Bergen für Banditen. Aber es sind nur Menschen, die aus Verzweiflung keinen Ausweg wußten. Eleazar und Philippus sind gute Menschen.«

Seine Frau ergriff das Wort: »Nicht alle gehen in die Berge. Bei unserem zweiten Sohn Jason war es anders. Um existieren zu können, müssen wir neben der Bebauung unseres Landes immer wieder Gelegenheitsarbeiten übernehmen – als Saisonarbeiter und Tagelöhner. Jason ging darum oft auf den Marktplatz, wo sich

---

4 Derartige Vorfälle werden im Gleichnis von den »bösen Winzern« (Mk 12,1–9) vorausgesetzt. Aus der Mitte des 3. Jahrhunderts v.Chr. sind uns auf Papyrus Briefe des Zenon erhalten, der sich vergeblich darum bemüht, Schulden einzutreiben: Der von ihm beauftragte Eintreiber wird aus dem Dorf vertrieben (vgl. CPJ I, Nr. 6, S. 129f).

alle sammeln, die Arbeit suchen.[5] Dort heuern die reichen Bauern und Verwalter die Leute an, die sie brauchen. Manchmal war es eine entsetzliche Warterei, und er stand oft den ganzen Tag herum, ohne Beschäftigung zu finden – und wurde dann auch noch ›Faulenzer‹ genannt. Dabei hätte er nichts lieber getan als arbeiten. Wenn er mit den anderen Arbeitslosen zusammenstand, erzählten sie sich von den großen Städten, in denen es mehr Möglichkeiten gab. Je weniger sie hier Arbeit fanden, um so mehr träumten sie davon. Auch Jason sah hier keine Chancen mehr. Er wußte, er würde einmal einen Teil unseres Landes erben – aber das würde viel zuwenig sein, um eine Familie zu ernähren. Eines Tages brach er auf, um nach Alexandrien zu ziehen. Letztes Jahr hat er uns geschrieben, es ginge ihm gut. Wenn er zu Geld gekommen wäre, würde er uns besuchen. Aber jetzt ginge es nicht.«

Tholomäus nickte:»Ob sich die jungen Leute da nicht einen Wunschtraum zurechtgelegt haben: Sie erzählen immer nur von denen, die im Ausland zu Reichtum und Ansehen gekommen sind. Von den vielen anderen hören sie nichts.«

Susanna fuhr fort:»Aber es ist immer noch besser, ins Ausland zu gehen, als hier verrückt zu werden. Wenn du unser Dorf verläßt, wirst du ein paar irrsinnigen Bettlern begegnen. Auch sie haben einmal Haus und Hof besessen. Als sie in Not gerieten, haben sie den Verstand verloren. Sie sind besessen. Ein Dämon ist in sie gefahren. Jetzt lungern sie in Gräbern und an Wegen herum. Meist sterben sie recht bald. Bis dahin ernähren sie sich kümmerlich von den Spenden ihrer alten Bekannten im Dorf. Gott sei Dank, daß keiner unserer Söhne verrückt geworden ist. Aber beinahe hätte ich den Verstand verloren, als unser letzter Sohn uns verließ.«

Der Frau standen Tränen in den Augen. Ich schaute fragend Tholomäus an. Der erklärte:

»Das Schlimmste war, daß auch Bartholomäus uns verließ. Meine Frau kann es immer noch nicht fassen.«

»Aber warum ging der denn? Nachdem die beiden anderen weg waren, hätte er doch gut von eurem Land eine kleine Familie ernähren können!«

---

5 Arbeitslosigkeit wird in Mt 20,1–16 als ein soziales Problem vorausgesetzt.

»Eben deswegen ist alles so unbegreiflich«, sagte Susanna. »Die anderen gingen aus Not. Sie waren in einer Zwangslage. Aber der Letzte hätte bleiben können. Wenigstens einer hätte bei seinen Eltern bleiben müssen!«

Tholomäus sagte leise: »Er kommt bestimmt wieder. Er war schon einmal zu Besuch. Es ist richtig: Er ging nicht aus nackter Not. Aber auch er wurde von einer Art Not getrieben. Bartholomäus war ein sensibler Junge. Er war mit unseren Nachbarkindern, den Söhnen des Eleazar, befreundet. Er hat es nie fassen können, warum sie sogenannte ›Banditen‹ werden mußten. Er hat darunter gelitten. Es war für ihn ein zweiter Schock, als seine Brüder uns verließen. Er zweifelte an dieser Welt, die so ungerecht eingerichtet ist. Er wußte: Das konnte nicht so weitergehen. Die Reichen können nicht immer die Armen verdrängen, die Richter können nicht immer die Großen begünstigen, die Fremden nicht immer das Land unterdrücken. Es muß einmal anders werden. Das Unrecht auf Erden schreit zum Himmel. Gott sieht und hört alles. Er wird nicht zulassen, daß es so weitergeht. Er wird eine Wende herbeiführen und dafür sorgen, daß alle satt werden, daß die jungen Leute einen Platz auf dieser Welt haben, daß die Reichen abgeben müssen und die Unterdrücker die Macht verlieren. Gott selbst wird die Herrschaft übernehmen!«

»Viele erwarten die Herrschaft Gottes«, sagte ich. »Aber deswegen verlassen sie nicht ihre Eltern.«

»Das ist es eben!« sagte Tholomäus. »Er hat es auch nicht von selbst getan. Einer aus unserem Dorf hat ihn überredet. Er heißt Jesus. Er zieht durch das Land und verkündet, die Herrschaft Gottes beginne schon jetzt. Man müsse nicht bis in ferne Zeiten warten, bis alles anders würde. Die große Wende sei schon im Gange. Sie sei das Wichtigste in der Welt – wichtiger als Arbeit und Familie, wichtiger als Vater und Mutter. Bartholomäus hat mir bei seinem Besuch einige Worte Jesu gesagt. Es sind schöne Worte:

Glücklich seid ihr Armen, denn euch gehört die
Herrschaft Gottes!
Glücklich seid ihr, die ihr jetzt hungert, denn
ihr werdet satt werden!

Glücklich seid ihr, die ihr jetzt weint, denn ihr
werdet lachen![6]

Mit diesen Worten zieht Jesus durchs Land und sagt einigen
jungen Leuten, die es hier nicht mehr aushalten: Folgt mir nach!
Es wird anders werden. Die Armen werden nicht mehr arm sein,
die Hungernden nicht mehr hungern, die Weinenden nicht mehr
weinen.«

Da schaltete sich Susanna ein. Sie war sichtlich erregt: »Dieser
Jesus ist ein schlimmer Verführer. Er verdirbt die jungen Leute.
Das klingt ja so schön: Glücklich seid ihr Weinenden, denn ihr
werdet lachen! Aber was bewirkt er tatsächlich? Er bewirkt, daß
Eltern über ihre verlorenen Söhne weinen. Er verheißt, alles würde anders. Was aber verändert er tatsächlich? Daß Familien zerstört werden, weil Kinder ihren Eltern weglaufen.«

Tholomäus verteidigte seinen Sohn: »Ist es nicht besser, er
läuft diesem Jesus nach, als daß er in die Berge verschwindet? Ist
es nicht besser, er lebt mit einer neuen Hoffnung, als daß er den
Verstand verliert? Und ist es nicht besser, er bleibt in Galiläa, anstatt ins Ausland zu ziehen? Er kann jederzeit wiederkommen.
Ich habe die Hoffnung nicht verloren.«

Susanna widersprach: »Warum will er nicht bei uns bleiben!«
Tholomäus wandte seinen Blick ab. Er wollte vor einem Fremden
nicht darüber diskutieren. Doch Susanna war in Fahrt geraten.
Voller Empörung rief sie: »Als er hier war, habe ich ihn hart zur Rede gestellt. Ich habe ihm gesagt: Was du tust, ist unmoralisch. Wir
werden alt. Wir haben euch Kinder aufgezogen. Und jetzt laßt ihr
uns im Stich. Wißt ihr, was er mir gesagt hat? Einmal sei zu seinem
Meister jemand gekommen, der ihm nachfolgen, aber zuerst seinen verstorbenen Vater beerdigen wollte. Jesus habe ihm gesagt:
›Laß doch die Toten ihre Toten begraben!‹[7] und ihn aufgefordert,
ihm unmittelbar nachzufolgen. Ist das nicht unmenschlich: Gelten denn Eltern überhaupt nichts mehr? Sind wir Eltern nur so

---

6 Vgl. Lk 6,20–21. Die parallele Fassung bei Matthäus macht aus den Armen im
wirtschaftlichen Sinne »Arme im Geiste« (Mt 5,3), was etwa so viel bedeutet wie
»Arme vor Gott« – eine Neuformulierung der Seligpreisung, die nicht dem ursprünglichen Wortlaut entspricht.
7 Mt 8,21–22

viel wert wie Kadaver von Tieren, die man nicht beerdigen muß?
Da kam er mit einem anderen Spruch Jesu, der nicht weniger
abstoßend ist:

Wenn jemand zu mir kommt
und haßt nicht seinen Vater und seine Mutter,
seine Frau und seine Kinder,
seine Brüder und seine Schwestern
dazu sein eigenes Leben,
dann kann er nicht mein Jünger sein![8]

Was gilt denn noch im Leben, wenn man sich nicht auf seine
Familienangehörigen verlassen kann? Daß diese jungen Leute
uns im Stich lassen, ist traurig. Daß sie es mit solchen Parolen be-
gründen, ist entsetzlich!«

Ich fragte:»Dieser Jesus stammt doch aus eurem Dorf. Was sagen denn seine Angehörigen zu solchen Lehren?«

Susanna lachte:»Die halten ihn für verrückt! Einmal wollten
sie ihn mit Gewalt nach Hause zurückbringen. Aber sie konnten
nicht an ihn heran. Zu viele Zuhörer waren um ihn herum. Da ließen sie ihm bestellen: Deine Mutter und deine Brüder sind da, sie
wollen dich sprechen. Was antwortete er? Er fragte: ›Wer ist meine
Mutter? Wer sind meine Brüder?‹ Dann zeigte er auf seine Zuhörer und fügte hinzu: ›Wer den Willen Gottes tut, ist mein Bruder,
meine Schwester und meine Mutter!‹[9]

Susanna brach in Schluchzen aus. Tholomäus legte einen Arm
um sie und streichelte sanft ihr Haar. Auch er hatte Tränen in den
Augen.

Timon und Malchos waren inzwischen fertig und mahnten
zum Aufbruch. Wir wollten vor Sonnenuntergang in Sepphoris
zurück sein. So verabschiedeten wir uns.

In der Tat: Dieser Jesus hatte abstoßende Züge! Manches an
ihm erinnerte an die Essener. Hier wie dort die unheimliche

8 Lk 14,26
9 Mk 3,21.31–35. Daß die Familie zu Lebzeiten Jesu ein gespanntes Verhältnis
zu Jesus hatte, dürfte historisch sein. Später gehören jedoch Familienangehörige
zur christlichen Gemeinde (z.B. der Bruder Jesu, Jakobus, vgl. Gal 1,19).

Macht über junge Menschen, der radikale Bruch mit der Umwelt, die Verachtung des Reichtums! Hier wie dort die Hoffnung auf die große Wende! Und doch war da ein großer Unterschied: Hinter Jesus stand keine gut organisierte Gemeinde mit verborgenen Schätzen! Er bot kein Haus, keine Sicherheit. Er bot gar nichts. Er zog auch nicht in die Wüste, sondern wanderte im Land herum. Angeblich hielt er sich meistens in der Nähe des Sees Genezareth auf, zwischen Kapernaum und Bethsaida. Wenn ich ihm einmal begegnete, solle ich Bartholomäus grüßen, hatte mir Susanna beim Abschied aufgetragen.

Ob Jesus ein Sicherheitsrisiko für den Staat war, konnte ich nicht beurteilen – für die Familien in Nazareth war er sicher ein Risiko. Mir fiel ein altes Prophetenorakel über die Endzeit ein: »Der Sohn verachtet den Vater, die Tochter setzt sich wider die Mutter, die Schwiegertochter wider die Schwiegermutter, und des Menschen Feinde sind die eigenen Hausgenossen.«[10] Sollte dies Wort über die Spaltung der Familien jetzt in Erfüllung gehen?

10 Mi 7,6. In Lk 12,53 wird vorausgesetzt, daß die Prophetie des Michabuches in der Verkündigung Jesu in Erfüllung gegangen ist.

Sehr geehrter Herr Kratzinger,

meiner These einer Zuordnung Jesu zu den unteren Schichten setzen Sie noch einmal eine grundsätzliche historische Skepsis entgegen. Wir wüßten zu wenig von Jesus, um ihn sozial einordnen zu können. Anders als bei Pilatus gebe es keine außerbiblischen Quellen, nur ein paar Notizen bei antiken Schriftstellern, die aber nach Ansicht der meisten Gelehrten nichts von Bedeutung über ihn sagen.

Wir sind darin einig, daß der große Jesusabschnitt bei Josephus (ant 18,63f = XVIII,3,3) christlich überarbeitet, vielleicht sogar interpoliert ist. Für unverdächtig halte ich den Bericht des Josephus über die Hinrichtung des Herrenbruders Jakobus im Jahr 62 n.Chr. (ant 20,197–203 = XX,9,1). Josephus spricht hier von »Jesus, der Christus genannt wurde«. Unverdächtig ist auch die Stelle bei Tacitus über die »Chrestianer«, die Nero für den Brand in Rom im Jahr 64 n.Chr. verantwortlich machte. Tacitus leitet ihren Namen von »Christus« ab und weiß zu berichten, daß er »unter der Herrschaft des Tiberius auf Veranlassung des Prokurators Pontius Pilatus hingerichtet worden ist« (ann XV,44,3).

Wir können diesen Notizen entnehmen, daß Jesus mit den herrschenden Schichten in Konflikt geraten ist. Ein römischer Statthalter ist für seinen Tod verantwortlich. Die jüdische Aristokratie verfolgt später seine Anhänger. Auch Sueton (Claudius 25) und Plinius d.J. (ep. X,96) erwähnen Jesus anläßlich von Konflikten seiner Anhänger mit den Behörden.

Sagen diese Quellen wirklich nichts von Bedeutung? Sie sagen, daß Jesus mit großer Wahrscheinlichkeit nicht zur Oberschicht gehörte und daß nicht »die Juden«, sondern ein römischer Beamter für seine Hinrichtung verantwortlich ist. Die Geschichte des Christentums sähe anders aus, wäre beides immer bewußt gewesen. Diese wenigen antiken Quellen sagen viel über Jesus – viel aber auch über historisch-kritische Exegeten, denen sie so wenig sagen!

Die Frage der sozialen Zuordnung Jesu wird für die weitere

Erzählung noch wichtig sein. Ob ich Sie doch noch von meiner Sicht der Dinge überzeugen kann?

Mit herzlichen Grüßen
bin ich
Ihr
Gerd Theißen

9. KAPITEL

In den Höhlen von Arbela

Ich nahm die nächste Gelegenheit wahr, um eine Geschäftsreise von Sepphoris nach Bethsaida Julias zu machen. Zusammen mit Timon und Malchos zog ich durch die Ebene von Asochis in Richtung See Genezareth. Auf dem Rückweg wollte ich in Tiberias Johanna und Chusa besuchen.

Ich hoffte, irgendwo am Nordufer des Sees Jesus zu treffen oder wenigstens Spuren von ihm zu finden. Doch ich brannte keineswegs darauf, ihn kennenzulernen. Wir würden uns wahrscheinlich fremd sein. Kamen wir doch aus verschiedenen Welten: ich aus einer begüterten Familie, die in der modernsten Stadt Galiläas wohnte – er aus kleinen Verhältnissen in einem unbedeutenden Dorf. In meinen Ohren klangen noch seine schroffen und unversöhnlichen Aussprüche, die mir Tholomäus mitgeteilt hatte:

»Eher kommt ein Kamel durch ein Nadelöhr,
als ein Reicher in die Gottesherrschaft.«[1]
»Niemand kann zwei Herren dienen.
Denn er wird entweder den einen hassen
und den anderen lieben,
oder er wird dem einen treu sein
und den anderen verachten.
Ihr könnt nicht zugleich Gott dienen und dem Besitz.«[2]
»Weh euch Reichen,
denn ihr habt euren Anteil schon empfangen.«[3]

Sprach nicht aus solchen Sprüchen die Verachtung der armen Landbevölkerung gegen die reichen Städter? Wenn man selbst reich war, hörte man solche Worte mit gemischten Gefühlen. War

1 Mk 10,25: Das Wort sagt, es ist unmöglich, daß ein Reicher in die Gottesherrschaft kommt.
2 Mt 6,24
3 Lk 6,24. Im Hintergrund steht die Vorstellung: Jedem wird eine bestimmte Portion »Glück« zugeteilt. Die Reichen haben ihre Portion schon empfangen. Darum sind jetzt die Armen an der Reihe.

Jesus einer von denen, welche die Not einfacher Leute ausnutzten, um Unruhe zu stiften? Die den Haß gegen die Reichen schürten? Die unrealistische Hoffnungen weckten, alles würde anders werden, wenn man den Reichen ihren Besitz wegnähme und die Mächtigen entmachtete? Verständlich, daß ihm die jungen Leute aus bedrückenden Verhältnissen nachliefen! So trottete ich in Gedanken versunken auf der Straße von Sepphoris nach Bethsaida. Es war ein schöner Tag. Die grüne Landschaft strahlte im Sonnenlicht. Auf den Hügeln flimmerten die Terrassierungen als Muster parallel gemalter Striche. Obstbäume mischten schattige Flecken in die Helligkeit. Dies Galiläa war ein wunderbares Land – ein Land, in dem alle Menschen genug zu essen haben könnten.[4] Sollte dies Land nicht für alle da sein? Konnte man hier nicht tatsächlich auf den Gedanken kommen, daß Not und Elend nicht zur Schöpfung gehören müssen?

Schöpfer der Welt,
unendlich groß bist du,
umhüllt von Schönheit
und umströmt von Licht.
Spürbar bist du im Rätsel der Zeit,
und im Geheimnis des Raums.
Offenbar in den Wundern der Welt
und verborgen im Leid der Geschöpfe.
Du schläfst im Stein
und träumst in der Blume.
Du regst dich im Tier
und sprichst zum Menschen.
Licht verwandelst du in Leben
und Regen in Wachstum,

4 Vgl. die Beschreibung Galiläas durch Josephus: Galiläa »ist in seiner ganzen Ausdehnung fruchtbar und reich an Viehweiden, dazu auch mit Bäumen aller Art bepflanzt, so daß von seiner Ergiebigkeit auch derjenige ermutigt wird, der sonst keine Freude an der Landarbeit findet. Das ganze Land wird darum auch von seinen Bewohnern ausnahmslos angebaut, und kein Teil liegt brach, aber auch die Städte sind zahlreich, und die Bevölkerung in den Dörfern ist wegen des fruchtbaren Bodens überall beträchtlich, so daß auch das kleinste Dorf mindestens 15000 Einwohner hatte« (bell 3,42–43 = III,3,2). Die Zahlenangaben sind wohl etwas übertrieben.

Korn und Wein läßt du wachsen
für alle Menschen,
für Arme und Reiche,
Schwarze und Weiße.
Herr, dein ist die Erde,
dein Garten, den du uns gabst.[5]

Es war wirklich ein herrlicher Tag. Und es wäre ein herrlicher
Tag geblieben, wenn nicht plötzlich ein lauter Schrei mich aus
meinen Gedanken gerissen hätte. Alles ging unheimlich schnell.
Eine Horde bewaffneter Männer stürmte auf uns los. Etwa fünf-
zehn gegen uns drei. Wir hatten keine Chance. Ehe wir den Gedanken an Widerstand fassen konnten, waren wir überrumpelt,
wurden von unseren Eseln gezerrt, an den Händen gefesselt und
mit verbundenen Augen auf einem Pfad den Berg hochgetrieben.
    Die Angst war wieder da. Mein Herz klopfte zum Zerspringen.
Kalter Schweiß brach aus allen Poren, die Muskeln verkrampften
sich. Was hatten diese Verbrecher mit uns vor? Waren es gewöhn-
liche Räuber? Warum nahmen sie uns dann nicht alles Geld ab
und ließen uns laufen? Sie unterhielten sich nur in kurzen Zuru-
fen. Nichts enthüllte Sinn und Ziel ihres Überfalls. Ich versuchte,
sie anzusprechen. Aber sie reagierten nicht.
    Drei Stunden lang ging es durchs Gebirge. Ich merkte, daß wir
in die Höhe kamen. Der Weg wurde steiniger. Plötzlich machten
wir halt. Jemand sagte: »Ihr müßt jetzt eine schmale Treppe und
einige Leitern hinuntersteigen. Vorsicht! Ein Fehltritt kann das
Leben kosten! Wir klettern an einem Abgrund entlang.« Auch
jetzt erlaubten sie nicht, daß uns die Augenbinden abgenommen
wurden. Wir sollten keine Chance haben, zu sehen, wo wir uns
befanden. Der Weg war von oben teils in Stein gehauen, teils
durch bewegliche Leitern gebahnt. Langsam tasteten wir uns voran. Unsere Begleiter sagten uns bei schwierigen Stellen, wo wir
unsere Füße hinsetzen sollten. Zwischendurch durchfuhr mich
der Gedanke: Wenn sie mich loshaben wollten, brauchten sie mir
nur einen Stoß zu geben.
    Endlich hatten wir wieder festen Boden unter den Füßen. Wir
mußten uns klein machen, um durch eine enge Öffnung zu krie-

5 Nach Motiven von Ps 104

chen. Man trennte uns. Ich hörte, wie Timon, Malchos und einige
Begleiter sich in anderer Richtung entfernten. Ich wurde hin und
her gedreht, bis ich jede Orientierung verloren hatte. Dann wurde
mir die Augenbinde abgenommen. Ich stand in einem dunklen
Raum, der von einem Öllämpchen schwach erhellt wurde. Die
Wände waren aus Felsen. Geräusche verrieten, daß irgendwo
noch andere Menschen waren. Aber zunächst wurde ich allein
gelassen – nicht ohne daß man mir zuvor die Füße gebunden hatte.

Mir kam ein Gedanke: die Höhlen von Arbela! Dies konnten
sie sein. Hier hatten schon immer Widerstandskämpfer ihre
Schlupfwinkel gehabt. Mein Vater hatte mir oft erzählt, wie der
große König Herodes gegen sie gekämpft hatte. Es war eine
schaurige Geschichte. Ich hörte in meinem Innern seine Stimme,
wie er sie erzählte:[6]

»Die Höhlen von Arbela lagen in steilen Bergabhängen und
waren von nirgends her unmittelbar zugänglich; sie hatten nur
schräge, sehr enge Einstiegsmöglichkeiten. Die Felsmasse, an der
sich ihre Eingänge befanden, fiel in sehr tiefe Schluchten ab, steil
und zerklüftet. Herodes war deshalb lange Zeit infolge der Unzu-
gänglichkeit des Geländes in Verlegenheit, schließlich kam er auf
einen sehr gefährlichen Einfall. Er befahl, die stärksten Leute sollten in Kästen an Seilen herabgelassen werden. So verschaffte er
ihnen Zugang zu den Höhlen. Die Soldaten schleuderten Feuer-
brände auf alle, die sich zur Wehr setzten, und machten sie samt
ihren Familien nieder. Herodes wollte einige von ihnen am Leben
erhalten und ließ ihnen sagen, sie sollten zu ihm heraufkommen.
Niemand aber ergab sich freiwillig. Viele zogen den Tod der Gefangenschaft vor. Unter den Widerstandskämpfern befand sich
auch ein alter Mann mit sieben Söhnen. Den baten seine Frau
und die Söhne um Erlaubnis, auf die Zusage der Begnadigung hin
die Höhle zu verlassen. Da tötete er sie auf folgende Weise: Er befahl ihnen, einzeln herauszukommen, stellte sich selbst an den
Eingang der Höhle und stieß jeden seiner Söhne, wie er hervor-

---

6 Das folgende fast wörtlich nach Josephus bell 1,310–313 = I,16,4. Die Höhlen
von Arbela sind sehr viel kleiner als die oben vorausgesetzten. Jedoch gibt es in
der Wüste Juda Höhlensysteme, die von Widerstandskämpfern benutzt wurden.
Sie wurden hier gewissermaßen nach Galiläa »versetzt«.

kam, nieder. Herodes, der das von fern sah, wurde von Mitleid ergriffen, streckte dem alten Mann seine Rechte entgegen und redete ihm zu, seine Söhne doch zu schonen. Auf den machten diese Worte aber keinen Eindruck, im Gegenteil, er beleidigte den Herodes wegen seiner niedrigen Herkunft, tötete außer den Söhnen auch noch seine Frau, warf die Leichen in den Abgrund und stürzte sich selbst hinterher.«

Und jetzt saß ich in diesen Höhlen von Arbela! Wir waren Fanatikern in die Hände gefallen! Wer bereit war, seine eigenen Kinder zu töten, wird jeden töten, wenn seine Überzeugung es verlangt. Hätte dieser fanatische Alte nicht auch das Jesuswort sagen können:»Wer nicht seinen Vater und seine Mutter, seine Frau und seine Kinder haßt..., der kann nicht mein Jünger sein.«? Ob dieser Jesus nicht doch ein Zelot war? Nur daß er sich nicht in Höhlen versteckte, sondern öffentlich lehrte und deshalb seine aufrührerische Botschaft nicht ganz so deutlich vertrat?

Ich hörte Schritte. Ein schwacher Lichtschein ließ ungenaue Schatten über die Felswand huschen. Ein Mann kam auf mich zu. Er trug eine Öllampe, die er so abschirmte, daß ich sein Gesicht nicht erkennen konnte. Er erklärte:

»Du bist so lange unser Gefangener, bis deine Familie Lösegeld für dich zahlt. Wir haben euer Gepäck durchsucht. Ihr seid reiche Leute. Wir verlangen ein halbes Talent Silber – zahlbar bis in dreißig Tagen. Deine beiden Sklaven werden wir mit einer entsprechenden Botschaft nach Hause schicken. Du wirst jetzt einen Brief mit unseren Forderungen schreiben!«

Ich wagte Widerspruch:»Und wenn meine Familie nicht zahlt? Ein halbes Talent Silber ist viel Geld!«

Der andere entgegnete ruhig:»Auch das wird für deine Familie teuer: Ein Begräbnis kostet eine Menge. Für die Leiche sorgen wir.«

»Und wenn ich den Brief nicht schreibe?«

»Dann gibt es drei Begräbnisse.«

»Wollt ihr uns wirklich wegen Geld umbringen?«

»Ich habe Befehl, mit dir über nichts zu diskutieren. Schreib den Brief! Es liegt bei dir, daß alles gut endet.«

Die Worte trafen mich wie Peitschenhiebe. Ich konnte nur eins: meinen Haß der eisigen Kälte meiner Entführer entgegensetzen. In diesem Augenblick hörten sie auf, für mich Menschen zu sein. Sie verwandelten sich in Teufel und Tiere. Nur die Erinnerung an die Geschichte vom alten Mann und seinen sieben Söhnen bildete ein schwaches Gegengewicht. Einmal hatte ich diesen Mann als Helden bewundert! Waren unsere Entführer von demselben mitleidlosen Heldenmut geprägt? Der Gedanke ließ mich noch einmal einen Versuch wagen, ein Gespräch anzufangen:

»Warum macht ihr das alles?«

Aber der andere fuhr mich sofort an: »Kein Wort jetzt! Schreib!«

Stumm löste er meine Handfesseln. Ich erhielt ein Papyrusblatt, Feder, Tinte und ein kleines Schreibpult. Während ich Vorbereitungen zum Schreiben traf, überlegte ich angestrengt: Sollte ich nach Barabbas fragen? Ich wußte, daß die Zeloten oft in rivalisierende Gruppen zerfielen. Wenn nun Barabbas einer anderen Gruppe angehörte? Oder wenn er die Zeloten schon verlassen hatte und als Verräter galt? Nein, ich konnte vom Regen in die Traufe kommen, wenn ich jetzt voreilig meine wenigen Chancen verspielte. Also schrieb ich den Brief:

Andreas grüßt seinen Vater und seine Mutter! Ich hoffe, es geht euch gut. Ich denke immer an euch. Leider bin ich wieder in großes Unglück geraten. Heute wurde ich von Räubern entführt. Sie verlangen als Lösegeld 1/2 Talent Silber und geben euch 30 Tage Zeit, um es aufzutreiben. Sie haben gedroht, mich und die anderen umzubringen. Seid trotzdem zuversichtlich: Ich bin den Gefängnissen der Römer entronnen, so werde ich auch dieser Gefangenschaft entrinnen.
Grüße an Baruch!
Timon und Malchos werden diesen Brief überbringen.
Friede sei mit euch allen!

Sie würden den Brief bestimmt lesen, dachte ich, ehe sie ihn abschickten. Wenn sie erst einmal wußten, daß ich vor kurzem von Pilatus inhaftiert worden war – dann mußten sie entgegenkommender werden! Ich reichte das Papyrusblatt meinem finster dasitzenden Bewacher. Er nahm den Brief, ohne hineinzuschauen. Ob er überhaupt lesen konnte? Ich war enttäuscht. Bevor er wegging, fesselte er meine Hände. Dann hörte ich, wie er im Labyrinth der Gänge verschwand. Ich war allein.

Ich grübelte: Waren das die jungen Leute, die aus den galiläi-

schen Dörfern verschwunden waren? Waren das Leute wie Eleazar und Philippus, die einmal Unrecht erfahren hatten? Und die
jetzt selbst Unrecht taten? Was war mit ihnen geschehen, daß sie
kaltblütig unschuldige Menschen mit Mord bedrohen konnten –
auf Befehl von oben, mit ruhiger Stimme, als ginge es um das
Selbstverständlichste in der Welt?

Noch als ich vor ein paar Tagen bei Tholomäus war, hatte ich
Verständnis und Sympathie für die Zeloten empfunden: Wer sich
gegen eine aussichtslose Lage auflehnt, verdient unsere Anerkennung. Aber jetzt merkte ich, wie Anerkennung und Sympathie in
Nichts zerfallen waren. Wenn man mit gefesselten Händen und
Beinen in ihren Höhlen saß und einem ungewissen Schicksal ent-
gegensah, verging alle Bewunderung für den Heldenmut der Widerstandskämpfer. Da kam Verachtung hoch – Verachtung wie
gegenüber Pilatus. Da war die Angst, hilflos einem Mächtigen auf
Leben und Tod ausgeliefert zu sein. Da war die Erbitterung über
die schamlose Ausnutzung der Abhängigkeit: Hatte Pilatus nicht
genauso erpreßt und gedroht, nur etwas geschickter, etwas fei-
ner? Hatte er nicht genauso seine Macht ausgespielt? Wo lag eigentlich der Unterschied?

Ich schloß die Augen: Vor mir tauchten noch einmal Bilder aus
Galiläa auf: die wunderbare Helligkeit der Täler und Hügel – die
Sonne in der klaren Luft. Wie schön war das alles gewesen. Aber
wie abscheulich war das, was unter der Sonne geschah – wie sich
die Menschen da ausbeuteten und ausnutzten, erpreßten und
mißbrauchten und bedrohten. Und über all dem ging die Sonne
auf und unter, als kümmerte sie das nicht. Alte Worte fielen mir
ein:

»*Ich wandte mich und sah an alles Unrecht, das unter der Sonne geschah; und siehe, da waren Tränen derer, die Unrecht litten und sie
hatten keinen Tröster; und die ihnen Unrecht taten, waren zu mächtig, daß sie keinen Tröster haben konnten. Da lobte ich die Toten, die
schon gestorben waren mehr denn die Lebendigen, die noch das Leben hatten; und besser denn alle beide ist, der noch nicht des Bösen
inneward, das unter der Sonne geschieht.*«[7]

7 Pred 4,1–3

Vor meinen inneren Augen sah ich die Sonne. Wie schön wäre es, wenn ich sie wiedersehen dürfte.

Ich weiß nicht, wie lange ich in das schwache Licht der Öllampe gestarrt hatte. Es war ausländische Keramik, aus Tyros. Wahrscheinlich hatte sie ein phönizischer Handwerker hergestellt und ein galiläischer Händler nach Palästina gebracht. Vielleicht war er überfallen worden? Jetzt brannte das Öllämpchen in den Höhlen von Arbela – und meine Hoffnung mischte sich in das kleine, aber beständige Licht.

Wiederum näherten sich Schritte. Ich wurde von den Fesseln befreit und in einen Raum geführt. Mehrere Männer saßen im Kreis. Ihre Gesichter konnte ich nicht erkennen. Der Raum war nur schwach beleuchtet. Die Szene wirkte wie eine Gerichtsversammlung. Sollte ich verhört werden? Vor mir saß jemand erhöht, wohl der Vorsitzende. Er sprach mich an:

»Andreas, Sohn des Johannes. Stimmt es, daß die Römer dich verhaftet haben?«

Meine Rechnung war aufgegangen. Ich war erleichtert. Sie hatten den Brief gelesen und angebissen. Ich erzählte ausführlich von der Demonstration gegen Pilatus und schloß mit dem Gedanken, eigentlich sei es bei dieser Demonstration nicht um das Aquaedukt des Pilatus gegangen. Entscheidend war das Geld: Die Römer saugten durch Steuern unrechtmäßig das Land aus. Jetzt aber gingen sie dazu über, auch noch die allein rechtmäßigen Abgaben – die Abgaben an den Tempel – für sich zu beanspruchen. Dagegen müsse man sich wehren.

Der Vorsitzende wandte sich an einen Beisitzer: »Du warst bei der Demonstration. Kannst du die Aussage bestätigen?«

Der Angeredete bejahte. Zwar habe er mich bei der Demonstration nicht gesehen. Aber er habe gehört, daß zwei junge Leute aus Sepphoris unrechtmäßig inhaftiert worden seien. Nicht weil sie sich etwas zuschulden hätten kommen lassen, sondern weil sie als Römerfeinde bekannt waren.

Wieder ergriff der Vorsitzende das Wort:

»Weil du gegen die Römer bist, wollen wir auf ein Lösegeld verzichten. Aber wir brauchen einen Beweis dafür, daß du auf unserer Seite stehst. Die Römer erheben von uns Juden unrechtmäßig

Steuern. Wir verlangen von dir und deiner Familie, daß ihr denselben Betrag, den ihr den Römern an Steuern zahlt, jedes Jahr an uns abliefert. Als Gegenleistung bieten wir an, in Zukunft eure Handelskarawanen und Sendboten ungeschoren passieren zu lassen. Das ist ein faires Angebot.«

In Wirklichkeit war es Erpressung. Aber was sollte ich tun? Man munkelte in ganz Galiläa von solchen Abmachungen. Räuber und Zeloten kassierten regelmäßig Zoll von Kaufleuten. Nur so konnte die Zahl der Überfälle verringert werden. Das Angebot war insofern »handelsüblich«. Nur der Preis war unverschämt hoch. Ich fing an zu feilschen:

»Die römischen Behörden nehmen nur von Juden unrechtmäßig Steuern, nicht von Heiden. Wir haben in Sepphoris einige heidnische Sklaven. Die dürfen nicht mitberechnet werden.«

Ich hütete mich zu sagen, daß Timon ein halbheidnischer Sklave war. Er gehörte zu jenen Leuten, die wir die »Gottesfürchtigen« nennen: Sie glauben an einen Gott und halten die zehn Gebote, nehmen am Synagogengottesdienst teil – aber sie lassen sich nicht beschneiden. Solange Timon in der Gewalt dieser Leute war, durfte das nicht bekannt werden. Denn man sagte den Zeloten nach, daß sie Leute vor die Entscheidung stellten: Tod oder Beschneidung! Wenn sie erst einmal der Meinung waren, daß jemand jüdischen Glaubens war.

Zu meiner Überraschung gingen die Zeloten auf mein Argument ein. Die ein, zwei heidnischen Sklaven sollten nicht mitberechnet werden. Ich ließ nicht locker:

»Wir zahlen in Galiläa die Steuern nicht direkt an die Römer, sondern an Herodes Antipas, der den Römern einen Teil weitergibt. Ein gewisser Anteil muß auch hier abgezogen werden. Herodes Antipas ist ein Jude. Er ist rechtmäßig unser Fürst.«

»Er ist Idumäer!« wurde geantwortet. »Die Herodäer haben die Herrschaft an sich gerissen.«

Nach einigem Hin und Her erreichte ich noch einmal einen kleinen Nachlaß, als ich versprach, hin und wieder Informationen zu liefern. Dabei konnte ich meine Scheininformation über bevorstehende Kontrollen im Grenzgebiet zwischen Ptolemais und Galiläa gut verkaufen. Ich merkte, wie ich während des Verhandelns sicherer wurde. Wenn Menschen anfangen, sich geschäftsmäßig zu verhalten, werden sie berechenbar. Ein schurkischer Kaufmann ist angenehmer als ein fanatischer Terrorist.

Am Ende sagte der Vorsitzende zufrieden:
»Das war ein gutes Geschäft – ein Geschäft, das auf gegenseitigen Interessen beruht.«

Ich setzte hinzu: »Und auf der Tatsache, daß ihr mich in diese Höhle verschleppt habt.«

Der Vorsitzende lachte: »Glaub mir, Andreas: Ich habe in einem langen Leben gelernt, daß die Menschen freiwillig nur schwer zu nützlichen Handlungen zu bewegen sind. Man muß da manchmal nachhelfen.«

Genau das hatte auch Pilatus gesagt.

Er unterbrach sich und fuhr ernst fort: »Noch eins: Wenn ihr euch an die Geschäftsbedingungen nicht haltet, erzählen wir in Cäsarea und anderswo, ihr wäret verdächtig, Beziehungen zu Terroristen zu haben. Das wird eurem Geschäft nicht gerade nutzen. Verstanden?« Dann lachte er wieder: »So, und jetzt wollen wir erst einmal essen und trinken.«

Es wurde gemütlicher. Timon und Malchos wurden gebracht. Viele Öllämpchen erhellten nun den Raum, so daß ich die Gesichter erkennen konnte. Die meisten waren so alt wie ich. Nur der Anführer war deutlich über dreißig Jahre. Doch wen sah ich da? Ich wollte meinen Augen nicht trauen. War das nicht Barabbas? Ja, das war er. Ich wollte auf ihn losstürzen. Aber der andere drehte sich unbeteiligt weg. Hatte ich mich geirrt? Ich wurde unsicher und wartete, bis ich den Fremden wieder unauffällig anblicken konnte. Nein, es konnte keinen Zweifel geben: Es war Barabbas. Wieder drehte er mir den Rücken zu. Mir dämmerte: Er wollte nicht, daß jemand von unserer Bekanntschaft erfuhr. Vielleicht waren noch nicht alle Gefahren überstanden? Ich war verwirrt. Aber ich ließ mir nichts anmerken, als er mich harmlos fragte:

»Wo bist du geboren?

Was ist dein Vater von Beruf?

Wieviel Geschwister hast du?«

Jetzt war ich sicher: Er wollte den Eindruck erwecken, daß ich ein Unbekannter war. Er mußte Gründe haben. Ich spielte mit. Als sich unsere Augen flüchtig trafen, merkte ich, daß sie mich

freundlich anblickten, als wollte er mir bestätigen: Ich bin dein
Freund. Meinen Körper durchströmte eine angenehme Wärme!
Wie gut das tat, mitten in dieser Bande einen Freund zu haben.
Jetzt konnte eigentlich nichts schiefgehen.

Es wurde verabredet, daß wir die Nacht in der Höhle verbrach-
ten. Am nächsten Morgen sollten wir in aller Frühe aufbrechen.
Dann legten sich alle schlafen. Ich erhielt zusammen mit Timon
und Malchos einen eigenen Raum. Bald schon hörte ich die regel-
mäßigen Atemzüge der beiden Jungen.

Sehr geehrter Herr Kratzinger,

Sie stört, daß ich einen reichen Kaufmann zur Hauptgestalt
meiner Erzählung gemacht habe, wo ich doch Jesus aus einer
»Perspektive von unten« sehen will. Der Grund ist einfach:
Wir können uns so mit Andreas identifizieren. Er lebt in Distanz zur sozialen Welt Jesu. Er lebt nicht ungebrochen in seinen religiösen Traditionen. Er ist (bisher) Jesus nie unmittelbar begegnet. Er ist ein »Forscher« auf den Spuren Jesu –
durchaus einem historisch-kritischen Forscher vergleichbar.
Andreas muß aufgrund verschiedener Überlieferungen
ein Bild von Jesus rekonstruieren. Er muß Aussagen kombi-
nieren und kritisch bewerten. Geschichtsschreibung beginnt
ja damit, daß man nicht mehr schlicht behauptet: »So und so
war es«, sondern: »Aufgrund dieser und jener Quellen möchte ich – vorbehaltlich besserer Einsicht – folgendes Bild der
Ereignisse entwerfen.«
     Andreas versucht, die mit Jesus verbundene Erneuerungs-
bewegung durch historische Analogien zu erhellen – genauso wie die Geschichtswissenschaft es tut. Immer wieder
reflektiert er über Gemeinsamkeiten zwischen Jesus, den
Zeloten und anderen religiösen Bewegungen im damaligen
Palästina.
     Er deckt Zusammenhänge auf, die nicht unmittelbar evi-
dent sind, z.B. die Zusammenhänge zwischen wirtschaftli-
cher Not, religiöser Unruhe und politischem Widerstand.
Wie ein Historiker legt er ein Geflecht von Bedingungen und
Wechselwirkungen offen.
     Kritik, Analogie und Korrelation sind die Grundkatego-
rien historischen Bewußtseins. Auch in den Nachforschungen des Andreas sind sie wirksam. Er ist deshalb kein Wissenschaftler. Dazu müßte er Rechenschaft über sein methodi-
sches Vorgehen ablegen (was ich in diesen Briefen tue); ferner
müßte er Behauptungen durch Angabe öffentlich zugängli-
cher Quellen überprüfbar machen (was in den Anmerkungen
geschieht). Aber insgesamt verkörpert er das Abenteuer historisch-kritischer Forschung. Das gilt auch für Distanz und
Nähe zum Gegenstand seiner Untersuchungen: Ein unge-

liebter Forschungsauftrag verwandelt sich für ihn in eine existenzielle Auseinandersetzung. Der Forscher wird in die Sache hineingezogen, die er untersuchen soll.

Über die von Ihnen angeschnittenen politischen Fragen nächstes Mal! Das folgende Kapitel bringt dazu neue Gesichtspunkte.

Herzlich
Ihr
Gerd Theißen

10. KAPITEL

Terror und Feindesliebe

Langsam schlief ich ein. Ich wußte nicht, ob ich träumte oder im Halbschlaf phantasierte. Bilder vom vergangenen Tag schoben sich wirr durcheinander. Bald sah ich mich vor dem Tribunal der Zeloten. Bald stand ich vor Pilatus. Bald zog ich durch die sonnige Landschaft Galiläas. Dann wurde es wieder finster – und ich wußte nicht, ob ich im Jerusalemer Gefängnis saß oder in den Höhlen von Arbela. Aus dem Dunkeln tauchten Köpfe auf: Der Zelotenführer grinste mich an. Dann erschien Pilatus. Auch er grinste. Ihre Gesichter verwandelten sich. Ich hörte wieder das Knurren des wilden Tieres, sah riesige Zähne, Tatzen, die mich vernichten wollten. Schon spürte ich, wie sie sich auf mein Gesicht legten. –

Da wachte ich erschrocken auf. Jemand hatte mich berührt. Mich durchfuhr der Gedanke: Sie wollen mich umbringen, heimlich, in der Nacht. Aber eine vertraute Stimme flüsterte: »Pst! Komm leise hinter mir her!« Es war Barabbas.

Wir schlichen vorsichtig einen Gang entlang, der uns ins Freie führte. Draußen kletterten wir weiter den Felsen entlang, bis wir zu einer kleinen Höhlung kamen!

»Hier sind wir sicher«, flüsterte Barabbas. »Ich habe Nachtwache.«

»Barabbas!« Ich fiel ihm um den Hals.

Wir setzten uns und schauten in die Nacht. Über Galiläa hing ein klarer Sternenhimmel. Der Mond strömte fahles Licht über die Felsen. Sein Spiegelbild ruhte auf der unbewegten Oberfläche des See Genezareth. Wir hockten im Schatten. Niemand nahm hier Notiz von uns. Barabbas flüsterte:

»Du mußt verstehen, daß ich dich heute verleugnet habe. Sie dürfen nicht wissen, daß wir uns kennen. Sonst hätten sie versucht, dich für unser Leben zu gewinnen – auch mit Druck und Erpressung. Und wenn du nein gesagt hättest, ich weiß nicht, was passiert wäre.«

Ich schwieg.

»Es war meine Idee, die Lösegeldforderung gegen einen langfristigen Vertrag einzutauschen.«

»Vielen Dank! Aber sag: Hätten sie mich getötet, wenn ich zu allem nein gesagt hätte?«

Barabbas antwortete nicht. Ich fragte noch einmal: »Hätten sie mich getötet?«

Er seufzte: »Ich weiß nicht, was du jetzt denkst. Du denkst, wir seien kaltblütige Mörder. Ich gebe zu: Ich habe Menschen getötet. Der erste war ein römischer Soldat, der mich verfolgte. Ich mußte ihn umbringen, oder er hätte mich umgebracht. Der zweite war ein reicher Gutsbesitzer, den wir zum Tode verurteilt hatten. Er hatte eine Familie in den Selbstmord getrieben. Sie sollten in Schuldhaft. Aber sie zogen den Tod dem Gefängnis vor.«

»Aber ich habe niemanden bedroht, niemanden verfolgt, niemanden unterdrückt. Und doch habt ihr gedroht, mich zu töten. Warum? Allein, weil ich aus einer reichen Familie stamme! Das ist mein einziges Verbrechen!« protestierte ich.

Barabbas legte den Zeigefinger auf die Lippen und machte eine beschwichtigende Handbewegung. Wir mußten vorsichtig sein. In einiger Entfernung löste sich ein Stein und verschwand polternd in der Tiefe. Ich hielt die Luft an. Doch alles blieb ruhig. Wir waren allein.

»Wir haben dich nicht getötet. Wir wollten nur dein Geld. Du nennst das vielleicht Raub. Aber wir nehmen euch Reichen nur weg, was ihr den Armen entrissen habt, oft ohne ein einziges Gesetz zu verletzen. Wir sorgen dafür, daß die Güter dieser Erde ihre wahren Besitzer wiederfinden. Schau dir doch all diese Kerle hier an. Die meisten wurden von Haus und Hof verdrängt. Sie kamen zu uns, weil sie keinen anderen Ausweg sahen. Wir sind ihr letzter Halt, ihre letzte Hoffnung.«

»Aber du hättest andere Möglichkeiten. Deiner Familie geht es nicht so schlecht.«

»Ich bin eine Ausnahme. Gerade deswegen bleibe ich hier. Ich habe eine große Aufgabe. Meine Idee ist: Wir bestrafen all die Reichen, alle Richter und Beamte, die Unrecht tun. Eigentlich müßte der Staat das tun. Aber er versagt. Ja, er vermehrt das Unrecht durch Gesetze, die die Armen benachteiligen. Wir müssen an seiner Stelle einspringen. Wir müssen für Gerechtigkeit sorgen.

Wenn die Leute merken, daß sie nicht mehr ungestraft ihre Bosheit ausüben können, dann werden sie sich in Zukunft scheuen, die kleinen Leute auszusaugen. Deswegen muß ich hier bleiben. Ich sorge dafür, daß diese verzweifelten Menschen nicht nur plündern und morden, sondern eine Idee verwirklichen.«

»Nennst du Gerechtigkeit, zwei junge Sklaven mit Ermordung zu bedrohen? Gegen wen haben Timon und Malchos Unrecht getan? Wen unterdrücken sie?«

Barabbas schwieg. Ich ließ nicht locker:

»Kann man denn so sicher die Bösen treffen? Jeder reiche Gutsbesitzer lebt in seinem Haus mit Dienern und Sklaven, mit Alten und Kindern. Wenn ihr ihm nachts das Haus anzündet, riskiert ihr, daß unschuldige Menschen umkommen – keine Reichen, keine Unterdrücker, keine Blutsauger, sondern selbst Unterdrückte, Ausgesaugte und Ausgebeutete! Wenn ihr einen Reichen tötet, müßt ihr seine Sklaven angreifen, die ihn begleiten, und auch sie töten. Wenn ihr seine Ernte vernichtet, vernichtet ihr die Lebensgrundlage für alle, die auf seinem Gut arbeiten und schuften. Ich finde entsetzlich, was sich viele aus unseren Schichten leisten. Aber was wird denn besser, wenn ihr uns mit Terror bekämpft?«

Wieder schwiegen wir eine Weile. Dann sagte Barabbas: »Vor kurzem ist jemand von uns abgehauen. Er redete wie du. Ich war mit ihm befreundet.«

»Was macht er jetzt?«

»Er zieht hinter einem merkwürdigen Propheten her, den er einmal kennengelernt hat, als er für uns im galiläischen See Fische gefangen hat.«

»Sag mal, heißt dieser Prophet Jesus?«

»Du kennst ihn?«

»Ich habe ihn nie gesehen. Aber ich habe von ihm gehört! Ich dachte, er sei selbst ein Zelot. Was er über die Reichen sagt, klingt fast, als hättest du es formuliert.«

»Andreas, du irrst. Dieser Jesus ist ein Spinner! Ich habe noch nie jemanden getroffen, der so verrückte Ideen hatte.«

»Aber sagt er nicht genauso wie ihr, daß eine große Wende kommt? Daß Gott das Unrecht nicht länger mit ansehen wird? Daß seine Herrschaft endlich kommt?«

»Aber da ist ein großer Unterschied: Auch wir wollen, daß Gott alleine herrscht und nicht die Römer, die unser Land unterdrük- ken. Aber wir sind überzeugt, daß Gott nur denen hilft, die ihr Schicksal selbst in die Hand nehmen.[1] Er hilft nur denen, die zum Aufstand und zur Gewalt gegen die Feinde bereit sind. Weißt du aber, was dieser Jesus sagt? Simon hat mir eines seiner Gleichnis- se erzählt.

Die Gottesherrschaft ist wie ein Mensch, der Samen auf die Erde streut, und er schläft und steht auf, nachts und tags, und der Same wächst und wird groß, er selbst weiß nicht wie. Von selbst trägt die Erde Frucht, zuerst den Halm, dann die Ähre, dann den vollen Wei- zen in der Ähre. Wenn aber die Frucht es zuläßt, sendet er die Sichel, denn die Ernte ist da![2]

So harmlos stellt er sich das vor: Von selbst komme die Gottes- herrschaft. So sanft und leise wie die Pflanzen aus dem Boden. Ja, manchmal spricht er in rätselhaften Worten von ihr, als sei sie schon da, obwohl doch jedermann sieht, daß die Römer noch über unser Land herrschen! Jeder sieht, daß sie nicht da ist. Er ist ein Spinner. Und Simon auch!«

»Wer?«

»Simon ist mein Freund, der uns verlassen hat. Unter den An- hängern Jesu wird er ›Simon der Zelot‹ genannt.[3] Simon hat Jesus einmal gefragt, ob man sich denn gegen Unrecht nicht wehren müsse. Weißt du, was er geantwortet hat? Er sagte:

Ihr habt gehört, daß gesagt ist:
Auge um Auge, Zahn um Zahn.

1 Die Zeloten lehrten nach Josephus (ant 18,5 = XVIII, 1,1): »Gott würde nur un- ter der Bedingung zum Gelingen dieses Vorhabens (der Erringung der Freiheit von den Römern) bereitwillig beitragen, wenn man selbst dabei mitwirke, oder noch besser, wenn diejenigen, die in ihrer Gesinnung Anhänger einer großen Sa- che geworden seien, auch der Mühe nicht aus dem Wege gingen, die (mit ihrer Ausführung) verbunden sei.«
2 Mk 4,26–29: Das Gleichnis von der selbstwachsenden Saat.
3 Vgl. Lk 6,15. Matthäus nennt Simon den »Kananaios« (von hebräisch »kana« = eifern). Er bestätigt also die Angabe des Lukas, Simon sei ein »Zelot«, ein Eiferer (vgl. Mt 10,4). Der im Neuen Testament erwähnte Zelot zeigt im übrigen, daß die »Zeloten« sich nicht erst im Laufe des Jüdischen Krieges als eine Widerstands- gruppe gebildet haben, auch wenn man aus Josephus diesen Eindruck haben könnte.

Ich aber sage euch:
Widersteht nicht dem Bösen.
Sondern wer dich auf die rechte Backe schlägt,
dem halte auch die andere hin.
Und dem, der dir vor Gericht das Hemd nehmen will,
dem laß auch den Mantel,
und wer dich zu einer Meile Dienstleistung erpreßt,
mit dem geh zwei![4]

Andreas, wer so was sagt, der spinnt. Wir sagen: Wenn dich jemand schlägt, schlag zurück! Wenn dir jemand das Hemd nimmt, zünd ihm das Haus an! Wenn dich jemand erpreßt, entführ ihm seine Kinder und erpresse ihn! Nur so kann das Unrecht eingedämmt werden!«

»Aber Simon, der Zelot, findet diese ausgefallenen Ansichten, die Jesus verbreitet, gut?«

»›Ausgefallen‹ ist ein schwacher Ausdruck! Man kann sich zur Not vorstellen, daß man von einem Freund lieber Unrecht leidet als ihm Unrecht tut – aber gegenüber Feinden? Ist es nicht unsere Pflicht, Freunden zu helfen und Feinden zu schaden? Als Simon ihn danach fragte, antwortete Jesus:

Ihr habt gehört, daß gesagt ist:
Liebe deinen Nächsten und hasse deinen Feind!
Ich aber sage euch:
Liebt eure Feinde
und bittet für eure Verfolger,
damit ihr Söhne eures Vaters im Himmel werdet,
denn er läßt seine Sonne aufgehen über Böse und Gute
und er läßt regnen über Gerechte und Ungerechte.[5]

Wer kann sich schon erlauben, so großzügig gegenüber seinen Feinden zu sein? Das kann nur, wer stark und unabhängig genug ist, daß ihm seine Feinde nichts anhaben können. Das können nur die großen Sieger, die Könige und Kaiser. Aber dieser Jesus zieht durch unser unterdrücktes Land und will den kleinen Leuten eine Haltung beibringen, die sich nur eine schmale Ober-

---

4 Mt 5,38–41
5 Mt 5,43–45

schicht als Luxus gelegentlich erlauben kann, die aber lähmt, was
allein Veränderung bringen kann: die Solidarität der Unterdrückten gegen ihre Peiniger und ihren Haß gegen die Großen!«
»Lehrt er denn, man solle sich den Großen einfach fügen? Es
kursieren scharfe Worte gegen die Reichen von ihm.«
»Das ist es ja gerade: Er bringt den Unmut des Volkes gegen die
Großen zum Ausdruck. Er sagt zum Beispiel:

Ihr wißt,
daß die sogenannten Herrscher der Völker sie unterjochen
und ihre Großen sie unterdrücken.
So aber soll es nicht unter euch sein!
Sondern wer groß unter euch sein will,
der sei euer Diener.
Und wer der erste unter euch sein will,
der sei Sklave aller![6]

Das hören die Leute gerne. Sie meinen dann, es sei möglich, ohne
Gewalt Unterdrückung und Ausbeutung abzuschaffen. Aber
worin besteht diese Unterdrückung denn konkret? Sie besteht
darin, daß die Leute Steuern zahlen müssen – und nicht wissen,
woher sie das Geld nehmen sollen, daß sie sich verschulden und
ihren Besitz verlieren.[7]

Unterdrückung – das bedeutet: Die Herrschenden eignen sich
so viel vom Ertrag des Landes an, daß das Volk ständig um das Exi-
stenzminimum fürchten muß. Solche Unterdrückung muß sich
immer wieder um ihrer selbst willen erneuern. Die Steuer- und
Abgabelast muß immer so hoch sein, daß die Bevölkerung in
zwei Gruppen zerfällt: einerseits diejenigen, die an der Erhaltung
der gegenwärtigen Verhältnisse interessiert sind, andererseits die
große Menge, die um ihre Existenz bangt. Existenzsorgen nehmen ihr den Mut, die Verhältnisse im Großen ändern zu wollen.

6 Mk 10,42–43
7 Den Zusammenhang von Steuerschulden, Verarmung und Zuflucht zur »Räuberei«, d.h. zum Widerstandskampf, kann man klar aus Josephus (ant 18,274 =
XVIII,8,4) erschließen: Weil man durch lang anhaltende Protestdemonstratio-
nen die Äcker nicht bestellt, befürchtet man, »daß die Unterlassung des Land-
baus Räuberei zur notwendigen Folge habe, weil sie (d.h. die an der Demonstration teilnehmenden Bauern) die Steuern nicht würden bezahlen können«.

Karge Existenzmöglichkeiten aber suggerieren ihr, man könne auch unter den gegebenen Verhältnissen mit Fleiß und Glück über die Runden kommen. Wer scheitert, sei selbst schuld oder habe außergewöhnliches Pech. Das ist die Unterdrückung, die hier im Lande herrscht. Du siehst, wie entscheidend die Frage der Steuern ist.

Wir haben Jesus gefragt, was er denn gegen diese Unterdrükkung tun wolle? Wir fragten: Ist es erlaubt, dem Kaiser Steuern zu zahlen oder nicht? Da ließ er sich einen Denar bringen und fragte zurück: ›Wen stellt das Bild auf der Münze dar? Und wen nennt die Inschrift?‹ Und als wir antworteten: ›Den Kaiser!‹, sagte er:

*So gebt dem Kaiser, was des Kaisers ist
und Gott, was Gottes ist.*[8]

Immer weicht er aus, wenn es konkret wird! Er will den sanften Weg gehen!«

»Ist er wirklich so harmlos, wenn er sagt: Überall unterdrücken die Herrscher ihre Völker! Bei euch aber soll das anders sein? Viele sagen, es sei eine Illusion, ohne Unterdrückung Politik machen zu wollen. Jesus aber sagt: Und wenn alle anderen Völker und Gesellschaften ohne Unterdrückung nicht auskommen, ihr sollt anders sein. Eure Aufgabe ist es, die Spaltung des Volkes in Unterdrückte und Unterdrückende zu überwinden.«

»Jesus hat formuliert, was uns seit je auszeichnet. Alle unsere Nachbarn haben Staaten gebildet, in denen Könige und ihre Leute das Land besaßen, und die auf dem Land arbeitenden Bauern nur wenig bessergestellt waren als frei verkäufliche Sklaven. Wir aber haben uns von Anfang an dagegen gewehrt, unter solchen Verhältnissen zu leben. Und wir werden weiter dafür kämpfen!«

»Aber hat Gott nicht zugelassen, daß wir unter die Herrschaft anderer Völker gerieten? Wie könnten wir uns dagegen auflehnen?«

»Gott hat zugelassen, daß wir in Ägypten in Sklaverei gerieten. Aber seinen eigentlichen Willen offenbarte er, als er uns aus die-

---

8 Mk 12,13–17. In der jetzigen Fassung der Geschichte im Markusevangelium sind die Pharisäer und Herodäer die Fragesteller. Es ist möglich, daß ursprünglich Sympathisanten der Widerstandskämpfer die Gesprächspartner Jesu waren.

ser Sklaverei befreite. Als wir dann in dies Land kamen, haben wir
200 Jahre lang ohne zentrale Regierung gelebt, als freie Bauern,
die sich gegen ihre Feinde gegenseitig unterstützten. Wir haben
gezeigt: Ein Volk kann auch mit einem Minimum an Herrschaft
leben.«

»Aber dann mußten auch wir Herrscher akzeptieren! Auch wir
erlebten, wie mit dem Königtum eine herrschende Klasse groß
wurde.«

»Ohne Könige wären wir in Abhängigkeit von anderen Völkern geraten. Aber wir haben uns von Anfang an dagegen gewehrt, daß unsere Könige wie Pharaonen regierten! Mit den Königen traten Propheten auf. Sie kritisierten im Namen Gottes unsere Herrscher, wenn ihre Macht zu groß wurde. Und als die Könige scheiterten, haben unsere Propheten darin eine Strafe für ihren Machtmißbrauch nach innen und außen gesehen. Wieder hat
Gott gezeigt, daß er nicht auf seiten der Herrschenden steht.«

»Aber dann gerieten wir in Abhängigkeit von Babyloniern, Per-
sern und Griechen!«

»Gott schickte uns neue Propheten, als wir im babylonischen
Exil gefangen waren. Er verhieß einen neuen Auszug aus Ägypten. Er bediente sich des persischen Königs Kyros, der die Babylonier besiegte und uns freiließ.«

»Aber die Perser blieben unsere Herrscher! Und Gott hat es gewollt!«

»Die Perser ließen zu, daß wir unser Leben nach den Geboten
Gottes einrichteten. Als das Volk durch Verarmung und Verschuldung in zwei Klassen auseinanderzufallen drohte, hat der
persische Statthalter Nehemia eine große Reform im Namen
Gottes durchgeführt: Alle Schulden wurden erlassen. Alle Israeliten wurden frei.«[9]

»Zeigt Nehemias Reform nicht, daß es noch einen anderen
Weg als den der Gewalt gibt?«

»Unter günstigen Umständen: ja. Aber es herrschen selten
günstige Umstände. Sie veränderten sich unter den Griechen und
Syrern. Die griechischen Eroberer staunten über die vielen freien

9 Neh 5

Kleinbauern bei uns.[10] Aber sie respektierten unsere Traditionen
nicht. Alles eroberte Land betrachteten sie als ihr Eigentum, alle
auf ihm Lebenden als ihren Besitz. Nur in ihren Städten gaben sie
einer kleinen Gruppe von Bürgern die Freiheit. Auch in unserem
Land wollten sie solche Verhältnisse einführen. Einigen reichen
Juden erlaubten sie, in Jerusalem eine freie griechische Stadt zu
gründen. Mit der Übernahme griechischer Lebensform sollten sie
ihre Religion mit dem griechischen Glauben verschmelzen: Unser Tempel wurde damals dem Zeus gewidmet! Dagegen erhob
sich ein Aufstand auf dem Land. Mit dem Glauben an Gott stand
die Freiheit aller auf dem Spiel: die Freiheit und die Lebenschancen vieler kleiner Bauern.[11] Seitdem wissen wir: Wenn wir den
Glauben an Gott aufgäben, hätten wir kein Mittel mehr, uns gegen die Unfreiheit zu wehren, unter der alle umliegenden Völker
leben. Nur der Respekt vor unseren religiösen Traditionen hindert die Römer bis heute, alle Freiheiten zu beseitigen. Und deshalb wehren wir uns so fanatisch gegen jeden Angriff auf unseren
Glauben.«
    »Aber wären jetzt nicht wieder Zeiten, die eine Reform verlan-
gen? Wie unter Nehemia?«
    »Ich halte das für eine Illusion! Ohne den Druck der Gewalt
wird sich in diesem Land nichts ändern! Du siehst doch, wie die
Römer immer zielstrebiger unser Land in ihr Reich eingliedern:
Zuerst ließen sie es noch durch unsere eigenen Herrscher regieren. Dann ersetzten sie unsere Fürsten durch die Herodäer, die
den Römern ihre ganze Macht verdanken. Schließlich übernah-
men sie in Judäa und Samarien selbst die Regierung. Zwanzig Jahre lang respektierten sie unsere religiösen Traditionen. Jetzt aber
versuchen sie, die Sonderstellung des Tempels in Frage zu stellen!
Sie lassen heidnische Münzen prägen! Sie bringen Kaiserbilder
nach Jerusalem! Schritt für Schritt ebnen sie alles ein, was uns von

10 Hekataios von Abdera, der z.Z. Alexander d.Gr. lebte, berichtet über die Juden, Mose habe jedem von ihnen ein Stück Land zugeteilt, den Priestern ein etwas größeres, damit sie sich dem Gottesdienst widmen könnten. Den Juden sei
es jedoch verboten, ihr Land zu verkaufen, damit nicht die Reicheren die Ärme-
ren unterdrücken könnten (in: Diod. Siculus XL, 3,7).
11 Die Geschichte des Makkabäeraufstands wird im 1. und 2. Makk geschildert.

anderen Völkern trennt. Bald wird niemand mehr sagen können:
›Überall unterdrücken die Herrscher ihre Völker. So soll es nicht
unter euch sein!‹ Vielmehr wird man sagen: Überall regieren die
Römer als Wohltäter der Völker. So auch bei euch! Niemand wird
dann noch Unterdrückung Unterdrückung und Ausbeutung
Ausbeutung nennen. Jetzt ist daher die Stunde des gewaltsamen
Widerstands! Jetzt ist nicht die Stunde des Nehemia! Jetzt ist
nicht die Stunde des Jesus von Nazareth.«

»Aber auch Jesus will, daß sich die Dinge verändern!«

»Das ist es gerade: Er weckt die Hoffnung, es könne sich etwas
verändern ohne Widerstand und Blutvergießen! Er ist schlimmer
als die, die sagen, man müsse sich in alles schicken! Er will gleichzeitig Veränderung und Frieden – das ist eine Illusion! Eine gefährliche Illusion!«

»Aber habt nicht auch ihr Illusionen? Hat Simon vielleicht erkannt, daß mit eurer Methode nichts besser wird? Hat er sich Jesus angeschlossen, weil es der einzige Weg schien, aus diesen
Höhlen herauszukommen?«

»Simon ist ein Problem. Wenn sein Beispiel Schule macht, werden uns noch viele verlassen. Deswegen haben einige vorgeschlagen, wir sollten ihn als Verräter umbringen!«

»Um Gottes willen!«

»Ich habe es verhindert.«

Barabbas hatte es leise gesagt. In mir aber löste es eine tiefe Bewegung aus. Dankbarkeit und Sympathie strömten in die Gleichgültigkeit der Nacht. Alles schien auf uns zu blicken, als hätte das
Universum ein Interesse daran, ein Leben zu retten. Erwartete
nicht alles, daß ich auch Barabbas hier herausholte?

»Barabbas – ich bitte dich: Hör mit diesem Höhlenleben auf!
Du brauchst ja nicht den Weg Simons zu gehen. Es gibt noch andere Wege!«

»Das ist nicht so leicht: Wenn ich hier abhaue, gibt es niemanden mehr, der verhindert, daß sogenannte Verräter umgebracht
werden! Mit anderen Worten: Sie werden versuchen, mich umzubringen. Sie brauchen es nicht einmal selbst zu tun. Sie brauchen
nur an die Behörden zu verraten, daß ich einen römischen Soldaten und einen Großgrundbesitzer getötet habe! Ich muß hier bleiben.«

Wir mußten aufbrechen, um vor Tagesanbruch zurückzugelangen. Bevor wir in die Höhle stiegen, flüsterte ich Barabbas zu: »Wie es auch kommt, ich werde dir helfen. Du könntest in die Diaspora verschwinden! Du kannst dich auf mich verlassen. Ich werde dir immer helfen. Ich verspreche es dir!« Wir kletterten vorsichtig zurück, ohne bemerkt zu werden. Ich legte mich nieder, fand aber keinen Schlaf. Wieder jagten wirre und unzusammenhängende Bilder durch meine Schlaflosigkeit. Aber allmählich ordneten sie sich. Immer klarer trat mein Dilemma hervor.

Da reiste ich für die Römer durchs Land. Innerlich hatte ich ihnen jede Loyalität aufgekündigt. Ich wollte das Schicksal meines Volkes über die römischen Interessen stellen. Hier fand ich nun eine Gruppe, die sich ganz mit den Interessen unseres Volkes identifizierte – und die mich genauso schlecht behandelte wie die Römer. Was war hier anders als bei Pilatus? Ich sah nur Erpressung und Gegenerpressung, Unterdrückung und Gegendruck, Terror von oben und unten!

Es gab auf beiden Seiten verständige Menschen. Metilius war kein Unmensch. Konnten solche römische Beamte nicht Frieden schaffen? Konnten auch sie nur bestenfalls Unterdrückung weise organisieren, so daß unnötiges Leid vermieden wurde? Konnte Politik mehr erreichen? War Metilius eine Ausnahme?

Und Barabbas: War nicht auch er eine Ausnahme? Stand er nicht allein mit seinen Ideen? Auch er wollte nur ein Minimum an Gegengewalt, nur ein Minimum an Terror – und doch konnte er sich den unheimlichen Konsequenzen des einmal eingeschlagenen Wegs nicht entziehen!

Zwischen zwei Fronten mußte ich meinen Weg gehen. Ich war weder hier noch dort zu Hause. Da sprach ich zu Gott:[12]

Herr, mein Gott,
wie kann ich mir selbst treu bleiben?
Ich komme auf schiefe Bahnen,
wohin ich auch gehe.
Könnte ich reden wie andere,
dann spürte ich keinen Schmerz!

12 Nach Motiven von Ps 73

Sie behaupten,
die Welt sei so eingerichtet,
daß nur Gewalt und Unterdrückung zum Ziel kommen!
Und sie haben Erfolg!
Sie kommen zu Reichtum!
Sie kommen zu Ansehen!
Sie kommen an die Macht!
Ist es nicht sinnlos,
daß ich versuche, ohne Schuld zu leben?
Daß ich nicht mit den Wölfen heule?
Deswegen bin ich zerrissen,
immer schmerzt es in mir.
Wenn ich so redete wie alle anderen –
so ist mir, als verriete ich alles, was ich geworden bin.
Dennoch bleibe ich immer bei dir!
Du führst mich, wohin ich nicht will,
du stellst meine Ehre her,
du gibst mir die Achtung wieder!«

Wieder dachte ich an unsere Vorfahren, an Abraham, der die
Ägypter betrogen, Jakob, der seine Brüder überlistet, David, der
den Feinden des Landes gedient hatte. Auch sie waren krumme
Wege gegangen. Auch sie waren zwischen verschiedenen Fronten hin- und hergeirrt. Konnten die verworrenen Wege, die ich
ging, vielleicht doch noch zu einem guten Ziel führen? Konnte
Gott alles zu einem guten Ende bringen?

Dieser Gedanke ließ mich kurz in Schlaf fallen. Aber ich wurde
schon bald geweckt. Es war noch dunkel. Zwei Zeloten führten
uns, Timon, Malchos und mich, mit verbundenen Augen aus der
Höhle. Ich hatte in der Nacht die steilen Felswände gesehen. Sie
waren in der Tat gefährlich. Wieder ging es auf halsbrecherischen
Wegen und über Leitern den Felsen entlang. Ich war froh, als wir
auf dem Bergrücken waren. Dort erhielten wir unsere Esel zurück. Ich merkte, wie unsere Führer uns absichtlich kreuz und
quer führten, damit wir jede Orientierung verlieren mußten. Endlich, nach zwei Stunden, durften wir die Augenbinden abneh-
men.

Wir standen auf dem Abhang eines Berges. Vor uns lag der galiläische See. In ihm erstrahlte die Morgensonne, die über den Go-
lanhöhen im Osten aufgegangen war. Alle waren stehengeblie-

ben und schauten wie gebannt in das farbige Spiel über dem Wasser.

Endlich wandte sich einer der Zeloten an mich: »Ich heiße
Matthias, Sohn des Mattathias. Kannst du mir einen Gefallen
tun?« Er zeigte auf das Nordende des Sees: »Dort im Dunst liegt
Kapernaum. Da wohnen meine Eltern mit meinen Geschwistern.
Bringe ihnen diesen Brief und dies Geld. Ohne meine Unterstützung könnten sie nicht leben. Ich konnte ihre Armut nicht mehr
aushalten. Deshalb ging ich zu den Zeloten.«

Ich versprach, alles auszuführen. Lange schaute ich in die Richtung, die er mir gezeigt hatte: Irgendwo dort im morgendlichen
Dunst lagen die Häuser dieser Menschen. Dort schufteten sie, litten, klagten und verzweifelten. Aber unberührt davon ging die
Sonne über ihnen auf, als ginge sie alles nichts an, »all das Unrecht, das unter ihr geschah«.[13]

Ich schaute zurück. Timon und Malchos verabschiedeten sich
von unseren Begleitern. Das Morgenlicht ließ alle Gesichter wie
verwandelt erscheinen. Auch die beiden Zeloten sahen wie andere Menschen aus. Neben Timon und Malchos schienen sie auf
einmal viel jünger zu sein. Ich ahnte in ihren verwitterten Gesich-
tern die weichen Spuren von Kindern. Da standen wir nun zusammen: Terroristen, harmlose Menschen und ich. War es nur
Gleichgültigkeit gegen menschliches Leid, wenn die Sonne über
allen strahlte? War es nicht Ausdruck unbegreiflicher Güte, daß
sie keinen Unterschied machte zwischen diesen Banditen und
uns?

Und ich lobte Gott dafür, daß er seine Sonne aufgehen ließ
über Böse und Gute, über Gerechte und Ungerechte jeden Tag
neu. Mich erfaßte der Gedanke: Wenn die Sonne über Römer und
Zeloten, Arme und Reiche, Herren und Sklaven scheint, wenn sie
auf beiden Seiten steht – war nicht auch ich berechtigt, zwischen
Römern und Juden, Behörden und Zeloten, Reichen und Armen
hin- und herzupendeln? Mußte es nicht möglich sein, all diese
Grenzen zu ignorieren, ohne dabei zugrunde zu gehen? Ich bekam neuen Mut.

13 Pred 4,3

Sehr geehrter Herr Kratzinger,

das letzte Kapitel hat Ihnen Unbehagen bereitet. Sie kritisieren die »Politisierung« der Verkündigung Jesu. Das Wort von
den Ersten, die die Sklaven aller werden sollen, beziehe sich
nicht auf politische Machtverhältnisse. Gemeint seien zwi-
schenmenschliche Beziehungen in der Gemeinde. Für mein
Verständnis des Wortes spricht aber, daß sich Jesus gegen die
Politik unter »Heiden« abgrenzt. Gegenbegriff zu »Heiden« ist
»Israel«. »So soll es nicht unter euch sein«, heißt: In Israel soll
es nicht so sein wie unter anderen Völkern. Dabei redet er die
Jünger an, die ganz Israel repräsentieren. Stellvertretend für
die zwölf Stämme hat er »Zwölf« ausgewählt.

Wir stoßen hier auf ein grundsätzliches Auslegungspro-
blem: Jesus hat keine christliche Gemeinde gründen wollen,
er wollte Israel erneuern. Wer seine Worte nur auf die Kirche
bezieht, verkennt, daß sie einmal an die gesamte jüdisch-pa-
lästinische Gesellschaft gerichtet waren!

Für diese Gesellschaft erwartet er eine wunderbare Veränderung: Die Armen, die Kinder, die Sanften und die Ausländer werden in ihr zur Geltung kommen. Das wird das Reich
Gottes sein. Es ist keine rein »geistliche Größe«. Man kann in
ihm essen und trinken. Es liegt in Palästina. Die Menschen
strömen von allen Seiten zu ihm. In ihm steht ein neuer Tempel.

Jesus erwartet politisch radikal veränderte Verhältnisse,
aber nicht, daß sie durch politische Veränderungen realisiert
werden. Das Ziel ist »politisch«, seine Verwirklichung geschieht ohne Politik: Gott wird dies Ziel realisieren. Und das
heißt: Menschen dürfen dies Ziel nicht durch Gewalt gegen
andere Menschen verwirklichen. Aber sie sind nicht völlig
passiv.

Ich frage mich oft, warum der historische Jesus bei großen
Theologen so wenig galt. Gewiß spielt dabei die Schwierigkeit eine Rolle, ein historisch vertretbares Bild von ihm zu
entwerfen. Aber könnte es nicht sein, daß man ahnte: Läßt
man sich auf den historischen Jesus ein, so begegnet man ei-

ner Verkündigung, die nicht nur Auswirkungen in der Kirche haben will, sondern in der ganzen Gesellschaft?

Vielleicht kommen wir auf das Problem noch einmal zurück.

Herzlich
Ihr
Gerd Theißen

11. KAPITEL

Konflikt in Kapernaum

Kapernaum lag auf dem Weg nach Bethsaida Julias, etwa zwölf Kilometer von Arbela entfernt. Von dort waren es fünf Kilometer bis zu unserem Ziel. Wir wollten noch vor dem Abend in Bethsaida sein, um am Sabbat ruhen zu können.[1]

Wir beeilten uns daher, möglichst schnell unseren Auftrag in Kapernaum zu erledigen. Die Familie des Mattathias wohnte in einem kleinen Fischerhaus am See. Der Vater war zum Fischen. Seine Frau Hanna war zu Hause geblieben, anstatt auf den Feldern zu arbeiten. Eine Tochter war krank. Sie hieß Mirjam und war vielleicht zwölf Jahre alt. Sie lag blaß und mit fiebrigen Augen in einer Ecke der Hütte. Die älteren Geschwister bewegten sich nur leise im Hause. Alles war gedämpft und still. Ich kannte diese Stimmung. Es war die Stimmung einer Familie, die den Tod fürchtete. Keiner wagte es auszusprechen. Aber jeder wußte es. Sobald man das Haus betrat, spürte man den Schatten des Todes – und die trotzige Hoffnung auf Rettung.

Trotzdem wurden die Augen etwas heller, als ich Brief und Geld überreichte. Ich brauchte keine langen Erklärungen abzugeben:

»Ein Fremder in Arbela hat mir dies für euch mitgegeben. Er läßt grüßen.«

Die Familie wußte Bescheid. Ich wurde herzlich willkommen geheißen und mußte mich in die Stube setzen. Timon und Malchos paßten auf unsere Esel auf.

Mirjam schaute mich mit großen Augen an. Ich merkte, daß sie mich etwas fragen wollte und lächelte ihr zu. Da sagte sie:

»Bist du der Messias?«

Um Gottes willen! dachte ich, sie ist krank und phantasiert im Fieber. Freundlich antwortete ich:

---

1 Nach der damaligen Zeiteinteilung hörte ein Tag mit Sonnenuntergang auf, und es begann der nächste Tag.

»Ich bin Andreas, ein Kaufmann aus Sepphoris.«

»Weißt du, wann der Messias kommt?« fragte sie enttäuscht.

Ich gab die übliche Kinderantwort:

»Er kommt am Ende der Zeiten!«

»Nein, er ist schon da!«

Ich schaute Hanna fragend an. Sie erklärte: »Sie meint einen Propheten, den einige für den Messias halten. Er heilt Kranke und treibt Dämonen aus. Viele im Dorf glauben an ihn. Ein paar junge Leute folgen ihm nach. Sie hofft, er möge kommen und sie heilen.«

»Du meinst Jesus!«

Mirjam nickte: »Hast du ihn gesehen?«

»Nein«, sagte ich. »Aber ich würde ihn gern sehen. Alle erzählen von ihm. Er soll oft in dieser Gegend sein.«

»Er ist nie lange an einem Ort«, erklärte Hanna.

Mirjam murmelte: »Warum ist er nicht hier? Warum macht er mich nicht gesund?«

Die Mutter setzte sich zu Mirjam auf den Boden und streichelte liebevoll ihr Haar: »Er hat gesagt:

Blinde sehen und Lahme gehen,
Aussätzige werden rein und Taube hören,
Tote werden auferweckt
und die Armen erhalten eine gute Botschaft.
Glücklich, wer nicht Anstoß an mir nimmt.«[2]

»Wenn er doch käme!« flüsterte das Kind.

Hanna wickelte ihre Tochter in ein Tuch und nahm sie auf den Schoß: »Ich kann ihn nicht herbeiholen. Glaub mir, ich kann es nicht. Aber ich kann dir eine Geschichte von ihm erzählen, willst du?«

Mirjam nickte, und Hanna begann:[3]

»Eine Frau litt zwölf Jahre lang an Blutungen. Sie hatte schon viel durchgemacht, hatte viele Ärzte besucht und ihr ganzes Vermögen dafür aufgebraucht. Aber es hatte nichts genutzt. Im Gegenteil, es war noch schlimmer geworden. Als sie von Jesus hörte, kam sie mitten in der Menge zu ihm und faßte heimlich von hinten sein Kleid an. Denn sie sagte sich: ›Wenn ich nur ein Stückchen von seinen Klei-

2 Mt 11,5–6
3 Mk 5,25–34

dern berühre, werde ich gerettet.‹ Da hörten die Blutungen sofort auf.
Sie spürte am ganzen Körper, daß sie geheilt war. Aber auch Jesus hat-
te etwas gemerkt. Er drehte sich um und fragte: ›Wer hat meine Klei-
der berührt?‹ Seine Jünger sagten: ›Du siehst doch, wie dich das Volk
bedrängt und da fragst du: Wer hat mich berührt?‹ Aber Jesus schaute
sich trotzdem um, um herauszufinden, wer es getan hatte. Die Frau
fürchtete sich sehr und zitterte am ganzen Körper. Sie trat vor und
warf sich vor ihm nieder. Er aber sagte: ›Tochter, dein Glaube hat dich
gerettet.
Gehe hin in Frieden und sei geheilt von deinen Beschwerden.‹«

Mirjam hatte begierig zugehört, als wäre alles zu ihr gesagt. Aber
jetzt hielt sie nicht mehr an sich. Sie schrie:
»Warum kommt er nicht? Warum kann ich ihn nicht berühren
wie die Frau, damit ich gesund werde? Warum nicht?« Und sie fing
an zu weinen.

Da hatte ich einen Einfall: Ich ging zu ihr hin, legte meine Hand
auf ihre Stirn und sagte:
»Mirjam, du bist wie die Frau in der Geschichte. Du glaubst,
daß Berührungen gesund machen. Aber hast du nicht gehört, was
Jesus am Ende gesagt hat? Er hat gesagt: Dein Glaube hat dich gerettet. Er hat nicht gesagt: Deine Berührung hat dich gerettet!«

Ich gebe zu, es war ein verzweifelter Einfall. Ich war selbst nicht
davon überzeugt, daß es richtig war, was ich tat. Ich wollte etwas
Freundliches zu dem Mädchen sagen, das Angst vor dem Sterben
hatte.

Mirjam schaute mich dankbar an. Sie wurde ruhiger. Sie bat
um mehr Geschichten. Hanna erzählte. Sie erzählte von einer
Frau, die für ihr kleines Töchterchen Jesus um Heilung gebeten
hatte – und Jesus hatte es aus der Ferne geheilt, ohne zu ihr zu
kommen.[4] Hanna fügte hinzu:
»Warum muß er denn unbedingt in unsere Hütte kommen?
Kann er nicht auch dich aus der Ferne heilen?«

Und dann erzählte sie von Blinden, die wieder sehend geworden waren, von Aussätzigen, die geheilt wurden, von Lahmen, die
wieder gehen konnten. Ihre Geschichten wurden immer wun-
derbarer und unwahrscheinlicher. Mirjam sog jede Geschichte in

4 Mk 7,24–30

sich hinein. Es waren ihre Geschichten. Sie war blind und wurde sehend. Sie war lahm und konnte wieder gehen. Sie wurde krank und wurde wieder gesund. Aus jedem Wort schöpfte sie neue Hoffnung.

Auch ich hörte gebannt zu: Manches in diesen Geschichten stieß mich ab. Es klang abergläubisch und primitiv. Aber ich wurde mit der Zeit nicht weniger von ihnen gepackt als Mirjam. Ich merkte: In diesen Geschichten lag die ganze Hoffnung dieser armen Leute. Ich hörte aus ihnen ihr Aufbegehren gegen Leid und Tod. Ich spürte: Solange diese Geschichten erzählt wurden, würden sie sich nicht damit abfinden, daß Menschen hungern und dürsten, daß sie verstümmelt und behindert, daß sie krank und hilflos sind. Solange sie diese Geschichten hatten, würden sie Hoffnung haben.

Ich fragte mich, ob Hanna all ihre Geschichten von Jesus, die sie Mirjam erzählte, gehört hatte. Oder ob sie nicht einige erfand, um die kleine Mirjam zu trösten? Ich glaube, wenn ihr die Geschichten ausgegangen wären, ich hätte mich selbst hingesetzt und einige hinzu erfunden. Ich weiß, Geschichten allein machen nicht gesund. Aber ich hatte das Gefühl, ohne diese Geschichten würde Mirjam nicht geheilt.

Inzwischen war der Vater vom Fischfang zurück. Er war auf böse Nachrichten gefaßt. Seine Miene hellte sich auf, als er Mirjam ruhig vorfand und Brief und Geld von seinem Sohn erhielt.

Ich hatte inzwischen einen Plan, um Mirjam zu helfen. Ich kannte in Tiberias einen Arzt Hippokrates, einen Griechen, wie schon der Name verriet. Man konnte mit dem Boot in vier Stunden in Tiberias sein. Wenn einer der älteren Söhne des Mattathias zusammen mit Timon und Malchos noch heute abend hinüberführen und dort am Strand übernachteten, könnten sie morgen Hippokrates holen und nach Kapernaum zurückfahren.

Mattathias wandte gegen meinen Plan ein: »Wir haben zu wenig Geld, um einen Arzt zu bezahlen! Wir brauchen das bißchen Geld zum Leben – und um die Steuern zu zahlen!«

Ich beruhigte ihn. Das Geld würde ich bezahlen. Ich schrieb sogleich einen Brief an Hippokrates und bat ihn eindringlich zu kommen und zu helfen. Für Honorar und Kosten würde ich aufkommen. Außerdem gab ich eine Nachricht an Chusa und Johanna mit, daß ich sie in der nächsten Woche in Tiberias besuchen wollte.

Es war noch eine Stunde bis Sonnenuntergang. Die jungen Leute gingen zum Strand hinunter. Die tief stehende Sonne breitete einen goldenen Glanz über den See, in dem das Boot als schwarzer Tropfen verschwand. Wir zündeten die Sabbatlichter an, sprachen den Segen und aßen.

Es dauerte nicht lange, und es wurde an der Hütte geklopft. Zwei Männer verlangten Mattathias zu sprechen. Der ältere hieß Gamaliel, der jüngere Daniel. Mattathias bat sie herein. Die beiden nahmen Platz.

Gamaliel begann: »Dein Sohn ist mit ein paar Fremden am Sabbat zum Fischen gefahren! Weißt du nicht, daß es verboten ist, am Sabbat zu arbeiten?«

Mattathias beruhigte ihn: »Sie fuhren nicht zum Fischen. Sie wollten nach Tiberias, um einen Arzt für Mirjam zu holen. Niemand hat den Sabbat übertreten!«

Daniel wandte ein: »Konntest du nicht warten, bis der Sabbat vorüber ist?«

Ich schaltete mich ein: »Ich habe sie geschickt. Mirjam braucht Hilfe. Wenn es um eine Heilung geht, ist es erlaubt, die Sabbatregeln außer Kraft zu setzen.«

»Nein!« widersprach Daniel. »Nur wenn es keine andere Möglichkeit gibt.«

Ich wurde ärgerlich. In Sepphoris war es selbstverständlich, daß man am Sabbat den Arzt holen durfte. Waren diese Leute vom Lande engherzig! Aber vielleicht mußten sich die beiden auch nur dafür rechtfertigen, daß sie uns beim Essen gestört hatten.

Gamaliel sagte nachdenklich: »Es gibt erlaubte Fälle: Wenn am Sabbat ein Schaf in den Brunnen fällt, so darf es rausgeholt werden!«

Daniel protestierte: »Da bin ich anderer Meinung. Wenn Gott will, daß das Schaf überlebt, wird es überleben! Man darf sich erst nach dem Sabbat darum kümmern.«[5]

5 Die Essener vertraten in der Tat diese strenge Meinung, wie wir aus der u.a. in Qumran gefundenen »Damaskusschrift« (abgekürzt CD) wissen: »Niemand soll Vieh beim Werfen helfen am Sabbattag. Und wenn es in den Brunnen fällt oder in

Gamaliel widersprach: »Wie kann es denn überleben. Es wird
ertrinken. Willst du Gott ein Wunder vorschreiben? Ihr Essener
seid strenger als wir Pharisäer. Wir wollen praktikable Lösungen.
Die meisten Schriftgelehrten stimmen mit mir überein, daß die
Rettung eines Tieres am Sabbat erlaubt ist. Schließen wir nun
vom Geringeren aufs Größere, dann komme ich zu dem Ergebnis:
Wenn es erlaubt ist, ein Tier zu retten, wieviel mehr ist es erlaubt,
einen Menschen zu heilen!«
Mirjam hatte die Diskussion verfolgt. Sie rief dazwischen:
»Auch Jesus hat Menschen am Sabbat geheilt! Mama, erzähl doch
die Geschichte!«
Hanna war es sichtlich peinlich, vor den beiden Besuchern von
Jesus zu reden. Doch welche Mutter hätte in dieser Situation ih-
rem Kind eine Bitte abgeschlagen? Also erzählte sie:

*»Jesus kam am Sabbat in eine Synagoge. Dort war ein Mensch mit ei-
ner verdorrten Hand. Und die Leute lauerten darauf, daß er den Sabbat bricht. Und er sprach zu dem Mann mit der verdorrten Hand:
›Steh auf und tritt in die Mitte!‹ Dann sagte er zu den anderen: ›Ist es
erlaubt, am Sabbat Gutes zu tun oder soll man Böses tun? Ist es erlaubt, Leben zu retten oder soll man töten?‹ Die Leute schwiegen. Er
blickte sich zornig um, und er war voll Traurigkeit über die Verstok-
kung ihrer Herzen und sprach zu dem Mann: ›Streck deine Hand
aus!‹ Und er streckte sie aus, und seine Hand war geheilt.«[6]*

Alle hatten ihr aufmerksam zugehört. Gamaliel sagte freundlich:
»Mirjam, ist das nicht ein anderer Fall als unser Schaf im Brunnen? Das Schaf würde ertrinken, wenn man es nicht sofort raus-

eine Grube, so soll er es nicht am Sabbat wieder herausholen« (CD XI, 13f). Dasselbe wird auch für Menschen geltend gemacht: »Einen lebendigen Menschen,
der in ein Wasserloch fällt oder sonst in einen Ort, soll niemand heraufholen mit
einer Leiter oder einem Strick oder einem (anderen) Gegenstand« (am Sabbat) (CD
XI, 16f). Die Pharisäer vertraten hier eine mildere Meinung: »Wenn ein Stück Vieh
(am Sabbat) in einen Wassergraben gefallen ist, so bringt man Decken und Polster
und legt sie ihm unter. Kommt es herauf, so kommt es herauf« (d.h. man braucht
sich deswegen keine Sorge wegen der Entweihung des Sabbats zu machen;
b Schabbat 128b). Mt 12,11 setzt für das 1. Jahrhundert n.Chr. sogar die Meinung
voraus, man dürfe einem Vieh aktiv am Sabbat helfen.
6 Mk 3,1–5

holt. Aber könnte der Mann mit der verdorrten Hand nicht einen Tag warten? Es geht doch nicht darum, Gutes oder Böses zu tun, zu heilen oder zu töten! Es geht darum, das Gute heute oder morgen zu tun.«

Daniel warf ein: »Da siehst du, was daraus wird, wenn man Zugeständnisse macht. Sie werden ausgenutzt. Dieser Jesus weiß genau: Alle Schriftgelehrten stimmen mit ihm darin überein, daß am Sabbat einem anderen Menschen geholfen werden darf. Und das legt er nun extrem aus: Jeder könne entscheiden, wann er die Sabbatregeln zu beachten habe und wann nicht, wann er zur Hilfe verpflichtet sei und wann nicht.«

Hanna hatte ungeduldig zugehört: »Ich verstehe diese Spitzfindigkeiten nicht. Es ist doch klar: Man darf am Sabbat helfen. Der Sabbat wurde für den Menschen geschaffen und nicht der Mensch für den Sabbat. Menschliches Leben ist mehr wert als der Sabbat.«[7]

Gamaliel verteidigte sich: »Was heißt hier helfen? Jemand könnte sagen, ich will meinem Nachbarn bei der Ernte helfen. Also darf ich die Sabbatregeln verletzen. Nein, es ist wichtig, daß wir die einzelnen Fälle genau regeln.«

Ich versuchte zu vermitteln: »Darum laßt uns doch wenigstens für diesen Fall festhalten: Es ist erlaubt, am Sabbat nach einem Arzt zu schicken. Wir haben nichts Falsches gemacht, als wir nach Hippokrates gesandt haben.«

Das hätte ich nicht sagen sollen! Daniel fiel gleich über mich her: »Hippokrates – ein heidnischer Arzt! Ein Fremder! Gibt es denn keine jüdischen Ärzte in Tiberias? Nein, das ist wirklich zu viel. Erst den Sabbat brechen, dann die Reinheitsgebote verletzen. Weißt du nicht, daß Fremde und Juden sich nicht berühren sollen? Sie sollen so getrennt bleiben wie rein und unrein. Aber du willst ein jüdisches Mädchen von einem heidnischen Arzt behandeln lassen? Willst ihn in diese Stube kommen lassen?«

Ich entgegnete trotzig: »Hippokrates behandelt in Tiberias Juden. Wieso nicht in Kapernaum?«

Demonstrativ drehte uns Mattathias den Rücken zu, holte

7 Mk 2,27

sich einen Hocker und setzte sich zu Hanna, die immer noch das fiebernde Kind auf dem Schoß hielt.

Gamaliel sagte ernst: »Die in Tiberias nahmen es mit den Reinheitsregeln nie so genau. Als Herodes Antipas die Stadt gründete, wußte er, daß diese Siedlung gegen unsere Gesetze verstieß. Denn Tiberias wurde auf vielen Gräbern gebaut.[8] Unser Gesetz sagt, daß solche Siedler unrein sind. Aber niemand beachtete das. Dieses Tiberias ist eine unreine Stadt!«

Daniel unterstützte ihn: »Die Nachlässigkeit breitet sich jetzt auf dem Lande aus. Die Jesusanhänger vernachlässigen den Unterschied zwischen rein und unrein. Sie waschen sich nicht die Hände vor dem Essen.[9] Sie ziehen durch die Felder und raufen Ähren am Sabbat.[10] Sie sondern sich nicht von den Fremden ab. Jetzt holen sie sogar heidnische Ärzte in jüdische Häuser!«

Nun wurde ich ärgerlich: »Ich bin kein Jesusanhänger! Ich habe Jesus nie gesehen. Und ich würde immer einen heidnischen Arzt holen, gleichgültig was Jesus oder ihr sagt! – Aber was hat Jesus zu den Reinheitsgeboten denn gesagt?«

Gamaliel erklärte: »Ich habe ihn darüber diskutieren hören. Er wischte alle unsere Überlegungen mit dem Argument weg:

>Nichts was von außen in den Menschen hereinkommt,
kann den Menschen verunreinigen.
Sondern was aus dem Menschen herauskommt,
das verunreinigt den Menschen!<«[11]

Ich fragte: »Sagt er damit, daß es keinen Unterschied zwischen rein und unrein gibt?«

»Das ist es ja! Wenn er recht hätte, gäbe es keine unreinen Speisen mehr, keine unreinen Menschen, keine unreinen Orte. Alles wäre rein. Man könnte alles von Heiden kaufen und alles an Heiden verkaufen!«

---

8 Zur Gründung von Tiberias auf einem Friedhof vgl. Josephus ant 18,38 =
XVIII,2,3.
9 Vgl. Mk 7,1ff
10 Mk 2,23–28
11 Mk 7,15

Ich wurde hellhörig:»Man könnte auch Olivenöl von Fremden kaufen?«

Gamaliel nickte:»Das wär die Konsequenz!«

Ich begann über mögliche Folgen für unseren Olivenhandel nachzudenken, aber dann platzte Mattathias in die Diskussion hinein:

»Was schert mich diese Diskussion über rein und unrein! Über eure Sabbatregeln! Brecht ihr nicht selbst den Sabbat, wenn ihr mit euren gelehrten Diskussionen andere Leute behelligt, anstatt uns und unser krankes Kind in Ruhe zu lassen? Seht ihr nicht, wie krank sie ist! Seht ihr nicht, daß wir ganz andere Sorgen haben! Aber ihr diskutiert über Helfen und Nichthelfen, Erlaubtsein und Nichterlaubtsein, anstatt zu helfen. Anstatt wenigstens still zu sein. Jesus sagt noch ganz andere Sachen über euch:[12]

>Weh euch, ihr Schriftgelehrten und Pharisäer, ihr Heuchler.
Ihr reinigt das Äußere des Bechers und der Schüssel.
Innen aber seid ihr voll von Raub und Unreinheit:
Weh euch, ihr Schriftgelehrten und Pharisäer, ihr Heuchler,
ihr ähnelt getünchten Gräbern, die von außen schön erscheinen,
innen aber sind sie voll toter Knochen und Unreinheit.<

Recht hat er!«

Kein Zweifel: Das war ein Rausschmiß. Unsere beiden Schriftgelehrten wandten sich zum Gehen. Gamaliel sagte noch:

»Du bist ungerecht, Mattathias. Die Sorge um dein Kind spricht aus dir! Möge es gesund werden!« Dann eilten die beiden hinaus.

Ich war versucht, ihnen nachzugehen. Gerne hätte ich etwas Versöhnliches gesagt. Aber jetzt war es wichtiger, Mirjam zu beruhigen. Ich setzte mich neben sie und erzählte ihr harmlose Geschichten, keine Wundergeschichten, sondern Fabeln und Märchen. Bald schlief sie ein. Und auch wir legten uns schlafen.

Am Sabbatmorgen ging ich in den Gottesdienst. Die feierliche Stille verwandelte das Dorf. Menschen, die sechs Tage lang ge-

12 Mt 23,25–27

schuftet hatten, traten aufrechten Gangs aus ihren Hütten. Alle versammelten sich in der Synagoge. Gamaliel hatte Schriftlesung und Auslegung übernommen. Er begann mit seinem Segen:

»Gepriesen bist du, Herr, unser Gott,
König der Welt,
Bildner des Lichts
und Schöpfer der Finsternis,
der Frieden stiftet
und alles erschafft.
Der der Erde
und denen, die auf ihr wohnen,
Licht spendet
und in seiner Güte
jeden Tag immerdar
das Werk der Schöpfung erneuert!«[13]

Dann las er aus dem Buch Exodus vor. Es war die Geschichte von Gottes Offenbarung am Sinai. Seine Auslegung konzentrierte sich auf einen Satz:

»Mein ist die ganze Erde. Und ihr sollt mir ein Königreich von Prie-
stern werden und ein heiliges Volk!«[14]

Gamaliel sprach:
»Wieso konnte Gott in der Wüste von Priestern sprechen? Dort gab es keinen Tempel! Keine Opfer! Doch Gottes Tempel ist die ganze Welt. Er sagt: ›Mein ist die ganze Erde‹. Daher sollen wir uns überall so verhalten, als seien wir im Tempel, wo alles heilig ist: Sonne und Licht, Tag und Nacht, Berge und Flüsse, Meer und Land, Pflanzen und Tiere. Alles müssen wir mit Ehrfurcht behandeln.

Vielleicht sagt ihr jetzt: In den Tempel treten nur Priester! Nur

---

13 Segensspruch, der am Morgen vor den Bibelabschnitten gesprochen wird; zit. n. R. Rendtorff (Hg.), Arbeitsbuch Christen und Juden, Gütersloh 1979, 154. Der hebräische und deutsche Text findet sich bei S. Bamberger: Sidur Sefat Emet, Basel 1972, 33f.
14 Ex 19,5f

von ihnen verlange Gott besondere Rücksicht auf die Heiligkeit
des Tempels! Aber Gott will, daß wir alle ein heiliges Volk werden. Es soll nicht zwei Klassen geben: Priester mit besonderer
Heiligkeit und andere, die draußen stehen. Vor ihm sind alle
gleich!

Vielleicht denkt mancher unter euch: Genügt es nicht, wenn
wir am Sabbat vor Gott treten? Aber wenn die Welt Gottes Tempel ist, so stehen wir ja in jedem Augenblick vor Gott, auch wenn
es uns nicht bewußt ist. Am Sabbat aber erinnern wir uns gegenseitig an Gott. Wir würden ihn sonst vergessen! Wir würden vie-
les für wichtiger halten als den Gedanken an Gott – wenn wir uns
nicht durch strenge Verpflichtungen an jedem siebten Tag von aller Arbeit abhielten!«

Nach dem Gottesdienst kam Gamaliel auf mich zu. Er erkundigte sich nach Mirjam und sagte:

»Ich war gestern sehr unglücklich, weil unser Gespräch kein
versöhnliches Ende hatte. Ich werde noch heute zu Mattathias
gehen, um mich mit ihm auszusprechen.«

Ich beruhigte Gamaliel. Mattathias sei ein gutmütiger Mensch.
Mirjam sei bald eingeschlafen und habe am Morgen etwas besser
ausgesehen. Auch ich hätte das Gespräch gestern gerne fortge-
setzt. Mir sei klar geworden, daß die Schriftgelehrten die Hilfelei-
stung für andere Menschen höher einschätzten als die Beachtung
der Sabbatregeln. Aber warum müsse man die Ausnahmen so genau festlegen? Warum traue man nicht jedem Menschen zu,
selbst entscheiden zu können, was sich mit dem Sabbat verträgt
und was nicht. Gamaliel nickte und sagte:

»Schau dir einmal das Leben bei anderen Völkern an. Sie kennen keinen Sabbat. Sie kennen nur Opferfeiern für die Götter.
Zähle sie im Jahr zusammen. Vielleicht sind es 20 Tage, vielleicht
30 – aber nicht mehr! Die meisten Tage im Jahr arbeiten die einfachen Leute. Sie kommen nur selten in den Genuß jener Ruhe, die
für Besitzende und Mächtige selbstverständlich ist. Bei uns Juden
aber ist es anders: 52 Mal feiern wir den Sabbat. Nicht nur die Herren und Reichen feiern ihn. Er gilt auch für kleine Leute. Er gilt
auch für Diener und Sklaven. Und zu diesen 52 Sabbaten kommen noch Feste:

Die großen Feste im Herbst: Rosch Haschana, das Neujahrsfest,

Jom Kippur, der Versöhnungstag, und Sukkot, das Laubhütten-
fest. Dazu die Feste im Frühjahr und Frühsommer: Passa und das
Wochenfest. Etwa 60 Tage hat bei uns auch der kleine Mann einen Ruhetag im Jahr! Kein Wunder, daß die anderen Völker arg-
wöhnen, wir seien faul!«[15]
»Keiner unter uns will diese vielen Ruhetage abschaffen! Warum aber die vielen Regeln im einzelnen? Warum die Aufregung,
wenn nicht alle gehalten werden?«
»Keiner will sie abschaffen! Aber viele Reiche hätten gerne, daß
ihre Sklaven, ihre Dienerinnen, ihre Pächter am Sabbat für sie arbeiteten! Dann könnten sie noch mehr verdienen! Zumal sie sehen, wie ihre heidnischen Konkurrenten und Geschäftspartner
ihre Leute ausnutzen und auch am Sabbat arbeiten lassen. Sie
wollen gewiß nicht den Sabbat abschaffen, aber sie würden ihn
aushöhlen. Sie würden tausend Ausnahmen zulassen! Wenn es
um Geld geht, muß man mit ganz scharfen Bestimmungen ge-
genwirken – sonst setzen sich Geld und Reichtum durch.«
»Befürchtest du denn, daß Leute wie Jesus den Sabbat in diesem Sinne aushöhlen?«
»Absichtlich tut er es gewiß nicht. Im Gegenteil! Reiche und
Mächtige finden bei ihm wenig Unterstützung! Aber was er zu
wenig bedenkt: Sein Beispiel könnte Schule machen. Es könnte
modern werden, das Arbeitsverbot am Sabbat lax zu handhaben.
Andere könnten das in ihrem Sinne ausnutzen.«
»Ist es nach deiner Meinung verboten, was Jesus tut?«
»Das kann man nicht sagen. Alles, was Jesus zum Sabbat und
zu den Reinheitsgeboten lehrt, könnte auch einer von uns sagen.
Gewiß hat er eine radikale Auffassung. Aber bei uns vertreten vie-
le radikale Auffassungen.«
»Aber warum gibt es immer Streit um seine Lehre?«
»Er denkt zu wenig an die Konsequenzen. Er sieht nicht, daß je-
de Durchlöcherung der Sabbatregeln später dazu führen könnte,
daß wir wie die Heiden leben! Und diese Unbesonnenheit findet
sich oft bei ihm! Er gibt sich mit zweifelhaften Gestalten ab: mit
Säufern, Prostituierten, Betrügern. Das ist nicht verboten. Wer

15 Daß die Juden den Sabbat aus Faulheit halten, meinen Tacitus (hist V, 5) und
Juvenal (sat XIV, 105f).

Sünder auf den rechten Weg zurückbringt, findet unsere Anerkennung. Wir wissen, daß Gottes Barmherzigkeit denen gilt, die versagen! Wir freuen uns über die Umkehr der Bösen! Aber er ißt mit ihnen zusammen, ohne sich zu vergewissern, daß sie sich von ihrem bisherigen Lebensweg abgekehrt haben. Er stellt keine Anforderungen. Er hofft, daß sie schon von selbst zur Umkehr kommen! Das nenne ich Leichtsinn. Vielleicht hilft er einigen Menschen so. Aber was für Auswirkungen hat es auf die vielen anderen? Werden sie nicht sagen: Warum muß ich mich noch anstrengen, das Gute zu tun? Wenn Jesus recht hat, ist Gott auch so schon mit mir zufrieden.«

Gamaliel hatte sich in seine Gedanken gesteigert. Seine Worte wurden bewegter.

»Ja«, sagte er. »Dieser Jesus könnte mein Schüler sein! Er könnte alle seine Meinungen vertreten. Aber ich würde ihn zwingen, die Konsequenzen für unser Volk und das alltägliche Leben zu durchdenken. Ich nenne noch ein Beispiel. Eines Tages kam ein heidnischer Hauptmann zu ihm, der hier in Kapernaum wohnt.[16] Er bat ihn, seinen Burschen zu heilen. Natürlich muß man Heiden helfen. Aber warum ausgerechnet diesem! Jeder weiß, daß diese heidnischen Offiziere meist homosexuell sind. Ihre Burschen sind ihre Liebhaber. Aber Jesus interessiert so etwas nicht. Er fragte nicht einmal, was das denn für ein Bursche sei. Er heilte ihn – und dachte nicht daran, daß später einmal einer auf die Idee kommen könne, mit Berufung auf ihn zu lehren, man könne Homosexualität zulassen!«

»Bist du sicher, daß der Hauptmann homosexuell war?«

»Natürlich nicht. Aber jeder mußte doch diesen Verdacht haben. Unbekümmert um diesen Verdacht hat Jesus sich ihm zugewandt! Hier würde ich zu mehr Besonnenheit raten!«

»Gut, es war vielleicht unbesonnen. Aber war es verboten?«

»Nein, das könnte ich nicht sagen. Gott will, daß allen Menschen geholfen wird.«

»Auch Zöllnern und Prostituierten?«

»Auch ihnen!«

16 Vgl. Mt 8,5–13

»Aber warum wird Jesus dann kritisiert, wenn er mit ihnen zusammen speist?«

»Wenn es irgendjemand täte, würden wir nichts sagen. Aber dieser Jesus ist ein einflußreicher Mann. Er ist ein Lehrer. Er ist einer von uns. Nur deshalb kritisieren wir ihn, weil er uns nahesteht!«

»Und was ist daran zu kritisieren, daß jüdische Lehrer mit Zöllnern verkehren? Wir Kaufleute haben oft mit ihnen zu tun.«

»Denk an die Auswirkungen! Wir haben nichts gegen einzelne Zöllner. Es sind Menschen wie alle anderen. Aber sie vertreten die Römer in unserem Land. Was sie einnehmen, geht zu einem großen Teil an die Fremden. Wir dürfen nicht den Eindruck erwecken, daß jüdische Lehrer sich mit der Fremdherrschaft abgefunden hätten. Die Römer sollen von uns nicht den Heiligenschein göttlicher Legitimität erhalten!«

»Befürchtest du, Jesus könnte ihnen diesen Heiligenschein geben?«

»Nein! Aber die Menge, die ihm nachfolgt, könnte manches mißverstehen! Wer im Volk das Ansehen hat, Gottes Willen zu lehren, der sollte nicht fremden Soldaten demonstrativ helfen. Der sollte nicht vor aller Augen mit Zöllnern verkehren! Jesus weiß nicht, wie viel auf dem Spiel steht, wenn wir uns den Heiden nähern, wenn wir uns so wie sie verhalten. Ich kritisiere die Unbefangenheit, mit der er es tut! Er tut so, als stünde er zwischen den Fronten!«

Blitzartig durchfuhr es mich: Auch ich stand zwischen den Fronten. Auch ich mußte in den Augen Gamaliels eine problematische Gestalt sein! Würde Gamaliel mich je verstehen können? Ich fragte nach mir selbst, als ich weitere Fragen stellte.

»Wodurch rechtfertigt denn Jesus sein Verhalten?«

»Ich darf noch einmal betonen: Die Meinungen, die Jesus vertritt, können von uns Pharisäern und Schriftgelehrten vertreten werden. Wir sind gewohnt, viele Meinungen zu diskutieren. Aber Jesus entzieht sich unseren üblichen Diskussionsmethoden. Er äußert seine Meinung nicht als eine Meinung neben anderen. Er diskutiert sie nicht mit Gründen und Gegengründen. Er tut so, als spreche Gott selbst aus ihm! Diese Mißachtung unserer Formen – das ist das Anstößige an ihm.«

Wir unterhielten uns noch lange über Jesus. Ich merkte, wie mich diese Gestalt anzog. Auch ich pendelte zwischen den Fronten. War ich nicht einem Zöllner vergleichbar, nur daß ich nicht Geld sammelte, sondern Informationen, um sie an die Römer weiterzugeben. Müßte dieser Jesus nicht Verständnis für mich haben?

Ich kehrte mit Gamaliel in die Hütte des Mattathias zurück. Gamaliel brachte Früchte mit, um sie Mirjam zu schenken: »Am Sabbat soll Friede unter uns sein«, sagte er. Und Mattathias antwortete: »Schalom! Friede sei mit dir!«

Der gestrige Eklat war ausgeräumt.

Bald kamen auch die Jungen mit Hippokrates aus Tiberias. Er untersuchte Mirjam und meinte: »Das Schlimmste ist wohl vorbei!«

Da wurde es wieder hell in der kleinen Hütte, als finge das Leben noch einmal von vorne an.

Sehr geehrter Herr Kratzinger,

daß wir in der Beurteilung der Pharisäer übereinstimmen, freut mich. Mir ist bewußt, daß die Forschung noch im Fluß ist. Wir sind vorsichtiger geworden, spätere Texte über die Pharisäer für die Verhältnisse vor 70 n.Chr. auszuwerten. Unabhängig davon hat die Exegese den Pharisäern gegenüber eine Wiedergutmachungspflicht. Allzu oft hat sie gegen die elementarsten Prinzipien historischer Wissenschaft verstoßen, als sie Polemik gegen die Pharisäer historisch für bare Münze nahm. Die Entdeckung der Qumrantexte brachte erste Korrekturen: Verglichen mit den radikalen Essenern erscheinen die Pharisäer als eine auf Kompromisse und Mäßigung bedachte Strömung. Diese Pharisäer haben nach der Katastrophe des Jahres 70 n.Chr. das Judentum neu gegründet. Das neue Verständnis für das Judentum in der Gegenwart hat notwendigerweise auch das historische Urteil über sie verändert.

Die Theologie stand in der Neuzeit immer wieder vor der Aufgabe, überholte und gültige Aspekte der christlichen Religion zu unterscheiden. Was lag näher, als das pharisäisch geprägte Judentum für das verantwortlich zu machen, wovon man sich lösen wollte: Das jüdische Erbe im Christentum galt als das Überholte. Die Lösung von der Abhängigkeit vom »Gesetz« konnte als Vorwegnahme der Emanzipation des Menschen von äußeren Autoritäten in der Moderne verstanden werden.

Viele gebildete Theologieprofessoren entwickelten daher ihr modernes Selbstverständnis in Abhebung vom Judentum. Und sie fanden Resonanz beim christlichen Kleinbürgertum, das aus ganz anderen Gründen eine Abneigung gegen Juden hegte. Es fühlte sich durch die moderne Entwicklung wirtschaftlich bedroht und machte nun Juden für all das verantwortlich, was man beklagte: Liberalismus, Kapitalismus, Demokratie, Religionsverfall usw.

Es gab eine merkwürdige Koalition von liberalen Theologen, die modern sein wollten – und verunsicherten Kleinbürgern, die Angst vor dem Weg in die moderne Zeit hatten. In

der neutestamentlichen Polemik gegen Pharisäer (und Juden
überhaupt) fanden beide ihre Bedürfnisse erfüllt.

Vielleicht verstehen Sie, warum ich mich darüber freue,
daß auch Sie für eine Revision unseres Bildes vom pharisäi-
schen Judentum eintreten.

Herzlich
Ihr
Gerd Theißen

12. KAPITEL

Menschen an der Grenze

Wir zogen weiter von Kapernaum nach Bethsaida, um zwei Tage verspätet. Bethsaida ist ein kleines Städtchen am Nordufer des galiläischen Sees, jenseits der Landesgrenze. Es gehört zum Gebiet des Herodes Philippus. Vor nicht allzu langer Zeit hatte Philippus das jüdische Dorf zu einer kleinen hellenistischen Stadt ausbauen wollen. Zu Ehren der Julia, der Tochter des Kaisers Augustus, erhielt die Neugründung den Namen Julias Bethsaida.[1] Im Grunde war es noch immer ein großes Dorf.

Auf dem Weg nach Bethsaida mußten wir den Zoll passieren. Der Zöllner war uns gut bekannt: ein lebensfroher Mann, der sich nach dem üblichen Feilschen um Zolltarife und Bestechungsgelder gern zu einem Schluck Wein einladen ließ.

Aber diesmal wurden wir überrascht. Anstatt des Zöllners Levi trat uns ein unbekannter Mann entgegen. Er stellte sich vor:

»Mein Name ist Kostabar! Ich bin der neue Zollpächter[2] an dieser Station. Welche Waren bringt ihr mit?«

Der kommt aber direkt zur Sache, dachte ich. Ich fragte zurück:

»Und was ist mit Levi?«

»Levi ist nicht mehr Zöllner. Zukünftig habt ihr es mit mir zu tun.«

»Ist ihm was zugestoßen?«

Kostabar zuckte mit den Achseln: »Das kann man nicht sagen. Er wollte nicht mehr Zöllner sein. Er verschwand.«

Wieder einer, der plötzlich verschwunden war! Ich hakte noch einmal nach:

»Ist er unter die Räuber gegangen?«

1 Zur Gründung von Bethsaida Julias vgl. Josephus bell 2,1.8 = II,9,1; ant 18,28 = XVIII,2,1.

2 Die Zöllner in der antiken Welt waren keine Staatsbeamte, sondern Unternehmer, die vom Staat den Zoll pachteten, bestimmte Beträge an die Staatskasse abführten, ansonsten aber in die eigene Tasche wirtschafteten. Verständlicherweise waren sie sehr unbeliebt.

»Ich weiß nicht. Ich habe nichts mehr von ihm gehört. Jetzt bin ich Zollpächter. Noch einmal: Welche Waren sind zu verzollen?«

Wir zeigten ihm alles, was wir mitführten. Kostabar fragte mich:

»Ist das alles?«

Es war in der Tat wenig. Für einen Kaufmann wie mich unwahrscheinlich wenig. Ich erklärte:

»Wir haben für einen Teil unserer Ware in Galiläa überraschend Abnehmer gefunden. Das ist nur der Rest.«

Unsere »Abnehmer« waren die Zeloten gewesen, die einen großen Teil der Waren beschlagnahmt hatten als Anzahlung auf den jährlichen Tribut. Kostabar blieb mißtrauisch:

»Und wo habt ihr den Rest verborgen?«

Ich grinste. Jetzt kam mein Trick, mit dem ich mit Zöllnern ins Geschäft kam:

»Vielleicht habe ich etwas vergessen.«

Kostabar wühlte in unserem Gepäck. Da hatte er es gefunden. Er zog einen mittelgroßen Weinschlauch aus den übrigen Sachen hervor:

»Was ist das?«

»Das ist nicht für den Verkauf bestimmt!«

»Macht nichts. Es muß verzollt werden!«

»Ich werde nicht zahlen.«

»Natürlich wirst du zahlen. Sonst wird die Ware beschlagnahmt.«

»Verzollt werden nur Waren, die ins Land eingeführt werden. Also zahle ich nicht.«

»Willst du den Wein hier auf den Boden gießen?«

»Nicht auf den Boden!«

Kostabar schaute mich begriffsstutzig an. Dann sagte ich lachend:

»Dieser Wein ist dazu bestimmt, daß wir ihn zollfrei zusammen trinken. Früchte und Brot gibt es auch.«

Kostabar schüttelte den Kopf: »Bloß kein Trinkgelage im Zollhaus!«

Ich widersprach: »Ein Glas Wein ist noch kein Gelage!«

»Aber so fängt es an!«

»Was?«

»Diese ganze Schlamperei, die ich hier angetroffen habe.«
Ich schüttelte verständnislos den Kopf: »Du bist der erste Zöll-
ner, der mir erklärt, ein Schluck im Zollhaus sei Schlamperei.
Dein Vorgänger war da anders.«

»Eben deshalb!«

Kostabar blieb hartnäckig. Ich merkte, daß ich den Namen des
Vorgängers besser nicht erwähnen sollte. Da war irgend etwas ge-
schehen. Wie auch immer, ich brachte diesen Zöllner nicht zum
Trinken. Kostabar hatte einen penetranten Willen zur Nüchtern-
heit. Natürlich wußte er genauso wie ich, daß ein angetrunkener
Zöllner leichter übers Ohr zu hauen ist als ein stocknüchterner
Mensch. Wir wurden wieder geschäftlich. Kostabar verlangte
zehn Prozent Zoll.

Ich protestierte: »Bisher wurden hier immer nur sechs Prozent
verlangt.«

»Eben deshalb!«

»Verstehe ich nicht.«

»Warum hat mein Vorgänger denn wohl seinen Beruf aufgegeben? Weil er von lumpigen sechs Prozent nicht leben konnte.
Sechs Prozent sind zu wenig.«

»Aber es gibt feste Tarife.«

»Na und! Zugegeben, der Tarif liegt bei sechs Prozent. Davon
könnte ein Zöllner leben, wenn nicht ständig geschmuggelt würde. Ich rechne damit, daß mir vier Prozent Verdienst durch
Schmuggelei entgehen. Was bleibt mir übrig, als diese vier Prozent auf den Tarif zu schlagen – als Entschädigung für entgange-
nen Verdienst.«

»Das ist ungerecht gegenüber denen, die ihre Waren ordnungs-
gemäß verzollen!«

»Es ist vor allem ungerecht, erst uns Zollpächter zu betrügen –
und uns dann Vorwürfe zu machen, weil wir nüchtern unsere
Verluste mit einkalkulieren.«

Ich lenkte ein: »Wie wär's mit zwei Prozent Aufpreis – Sonder-
tarif für ehrliche Kaufleute wie mich. Und hinterher einen
Schluck Wein als Trost für das, was dem Zöllner Kostabar von anderen vorenthalten wird.«

Kostabar schien mit sich reden zu lassen. Wir wurden einig.

Nach abgeschlossenem Geschäft setzten wir uns in den Schatten vor die Zollstation, aßen Brot und Früchte und tranken dazu den von Kostabar entdeckten Wein. Wie wir so dasaßen, sah ich plötzlich eine merkwürdige Prozession sich auf das Zollhaus zubewegen. Voran schritt ein Kerl, dem man schon von weitem ansah, daß er auf der Grenze zwischen normal und verrückt angesiedelt war. Hinter ihm humpelte ein zahnloser Alter, der sich mit Krükken fortbewegte. Danach tappte eine zerlumpte Gestalt den Weg entlang. Offensichtlich ein Blinder. Ein paar in Lumpen gekleidete Bettelkinder umgaben das Trio.

»Um Gottes willen!« stöhnte Kostabar. »Da kommen sie wieder. Das kommt eben davon, wenn man im Zollhaus Wein trinkt.«

»Wieso?« fragte ich. »Ich habe schon oft in Zollhäusern Wein getrunken.«

»Die wollen mittrinken und mitessen«, sagte Kostabar verzweifelt. »Immer kommen sie, wenn sie ahnen, daß hier jemand da ist. Sie sind wie Kletten. Ich kriege sie nicht mehr los.«

»Seit wann kommen sie?«

»Seitdem ich da bin. Oder genauer, seitdem Levi diese neuen Sitten hier einführte.«

Inzwischen hörte man von fern die Stimmen der herannahenden Gruppe. Einer von ihnen schrie herüber:

»Ist Jesus wieder da?«

»Was hat das mit Jesus zu tun?« fragte ich Kostabar.

»Mein Vorgänger Levi war ein Jesusanhänger. Er hatte Jesus kennengelernt, weil er oft hier vorbeikommt. Jesus ist ein regelmäßiger Grenzgänger. Er wechselt immer wieder über die Landesgrenze.«

»Warum?«

»Ich vermute, er fühlt sich in Galiläa nicht sicher. Vielleicht ist Antipas hinter ihm her. Daher verschwindet er immer wieder über die Grenze. Oft in das Gebiet des Herodes Philippus. Entweder kommt er hier vorbei oder er fährt mit dem Boot über den See, manchmal nachts, damit es keiner merkt. Manchmal zieht er sich auch in die angrenzenden Stadtgebiete zurück, nach Tyros und Sidon, Hippos und Gadara. Nicht in die Städte selbst, wohl aber in das umliegende Land, wo viele Juden wohnen.«

»Ich komme aus Sepphoris. Keiner kann sich bei uns erinnern, daß Jesus jemals in Sepphoris war, obwohl er aus einem kleinen Ort in der Nähe stammt.«

»Das paßt zu ihm: Er meidet die Städte. Er bewegt sich auf den Dörfern unter kleinen Leuten.«[3]

»Aber was hat das alles mit dieser verrückten Prozession da zu tun?«

Ich zeigte auf die Gruppe, die sich langsam dem Zollhaus näherte.

»Levi hatte, wie gesagt, Jesus kennengelernt und sich von seinen Lehren beeindrucken lassen. Er veränderte unter seinem Einfluß sein ganzes Verhalten. Es begann damit, daß er regelmäßig Essen für die Armen veranstaltete. Das sprach sich bald herum. Von überall strömten sie zu ihm. Aber das war nur der Anfang. Einmal, als Jesus vorbeikam, entschloß er sich, ihm nachzufolgen. Aber vorher wollte er noch ein großes Abschiedsmahl veranstalten.[4] Es muß eine denkwürdige Sache gewesen sein. Die Armen schwärmen noch heute davon. Jesus wird seitdem in unserer Gegend ›Fresser und Weinsäufer, Freund von Zöllnern und Sündern‹ genannt.[5] In der Tat war es eine irre Gesellschaft. Auch diese drei menschlichen Wracks, die du dort siehst, waren dabei. Es war das große Ereignis in ihrem Leben. Jetzt warten sie darauf, daß Jesus wiederkommt. Sie wissen, daß er öfter an dieser Stelle die Landesgrenzen passiert. Und jedesmal hoffen sie darauf, daß es wieder so ein Festessen gibt – hier im Zollhaus. Jedesmal fragen sie mich, wann ich denn mein großes Gastmahl gebe. Als wäre ich Levi.«

Inzwischen war die Gruppe näher gekommen. Man hörte ihre Stimmen deutlicher. Sie riefen mir zu:

»Bist du Jesus?«

Ich antwortete: »Ich bin nicht Jesus.«

---

3 Auffällig ist, daß die beiden größten Städte in Galiläa, Sepphoris und Tiberias, in den synoptischen Evangelien nie erwähnt werden.

4 Zum Zöllnergastmahl des Levi vgl. Mk 2,13–17. Die jetzt vorliegende Geschichte faßt die Begegnung des Levi mit Jesus und seinen Entschluß zur Nachfolge als ein einmaliges Geschehen auf. Es ist durchaus möglich, daß dieser Entschluß langsam gereift ist. Die Erzählungen in den Evangelien drängen das Wichtigste auf kurzem Raum zusammen.

5 Das muß man Jesus schon zu Lebzeiten nachgesagt haben, wie Mt 11,19 zeigt.

»Gibst du uns zu essen und zu trinken?«

»Noch einmal: Ich bin nicht Jesus!«

»Jeder ist Jesus, der uns zu essen und zu trinken gibt!«

Ich merkte: Man konnte nicht normal mit ihnen reden. Sie hatten sich im Kreis um uns herum gestellt und schauten erwartungsvoll unserem Essen zu. Die zerlumpten Kinder spielten zwischen ihnen herum. Ich sagte:

»Könnt ihr uns nicht in Ruhe lassen?«

Aber die Kinder kicherten und riefen:

»Hast du uns etwas mitgebracht?«

Kostabar flüsterte mir zu:»Um Gottes willen! Gib ihnen nichts! Sie kommen sonst immer wieder. Dir kann das ja egal sein. Du ziehst weiter. Aber ich habe sie immer am Hals. Ich kann sie nicht mehr loswerden.«

»Sollen wir ins Zollhaus gehen?«, schlug ich vor. »Vielleicht verschwinden sie dann wieder.«

Wir taten so, als beendeten wir unser Essen, und zogen uns ins Innere der Hütte zurück. Timon und Malchos mußten draußen bleiben, um auf Esel und Waren aufzupassen. Drinnen setzten wir uns auf Matten. Es war angenehm kühl in der Hütte. Kostabar sagte:

»Glaub nicht, daß diese Leute verhungern. Wir haben in Bethsaida eine Armenkasse.[6] Auch ich zahle meinen Anteil, jedoch über einen anderen Mittelsmann. Davon ernähren wir diese Armen. Aber ihr großer Traum ist, daß dieser Jesus wieder vorbeikommt und ein großes Festessen hält. Fast jede Woche kommen sie und belagern mich.«

Wir hatten wieder zu essen und zu trinken begonnen. Mir war gar nicht wohl bei der Sache. Aber ich mußte zu Kostabar ein gutes Verhältnis gewinnen. Es war gewiß nicht das letzte Mal, daß ich bei ihm Waren verzollen mußte. Ich überlegte. Aber da wurden wir schon wieder gestört. Der zahnlose Alte hatte sich ans

---

6 Das jüdische Armenwesen war gut organisiert. Für die ortsansässigen Armen gab es wöchentliche Verteilung von Mitteln für je zwei Mahlzeiten am Tage. Für die ortsfremden Armen gab es täglich Austeilungen von zwei Mahlzeiten. Zöllner waren so verachtet, daß es verboten war, aus ihrer Kasse Spenden für die Armenkasse entgegenzunehmen. Auf anderem Wege durften sie spenden.

Fenster geschlichen. Er steckte seinen Kopf in die Hütte und fing
an zu krächzen:

>>Wenn du ein Essen gibst,
so lade nicht Freunde, Brüder, Verwandte und reiche Nachbarn ein,
damit sie dich wieder einladen werden,
so daß es sich für dich lohnt.
Sondern wenn du ein Essen gibst,
so lade Arme, Krüppel, Lahme und Blinde ein
und du wirst glücklich sein,
weil sie es dir nicht lohnen können.
Du erhältst deinen Lohn bei der Auferstehung der Gerechten!<<[7]

Nachdem er diese Botschaft in den kleinen Raum hineinge-
krächzt hatte, zog er wieder den Kopf ein, und Kostabar erklärte:
>>Das ist so ein Spruch Jesu, den sie mir regelmäßig vortragen.
Paß auf, die Fortsetzung folgt gleich!<<
Tatsächlich hörte man jetzt einen Chor von Stimmen. Sie
skandierten einen Vers wie eine Parole bei einer Demonstration:

>>Kommt her zu mir,
ihr Mühseligen und Beladenen!
Ich will euch Ruhe geben!
Kommt her zu mir,
ihr Mühseligen und Beladenen!
Ich will euch Ruhe geben!<<[8]

Das wiederholten sie immer wieder. Es war kaum zum Aushalten. Schließlich stand Kostabar auf und ging nach draußen. Er verlor die Geduld. Ich hörte, wie er brüllte:
>>Jetzt will ich euch Ruhe geben! Verschwindet sofort! Haut ab!
Wir möchten jetzt unsere Ruhe haben!<<
Der Chor verstummte. Nur eine Kinderstimme fragte: >>Lädst
du uns nun zum Essen ein?<< Dann hörte man wieder die kräch-
zende Stimme des Alten: >>Kostabar, kennst du nicht das Gleichnis Jesu[9]:

7 Lk 14,12–14
8 Mt 11,28
9 Lk 14,16–24

Ein Mann veranstaltete ein großes Gastmahl und lud viele ein. Und zur Stunde des Gastmahls sandte er seinen Knecht, um den Eingeladenen zu sagen: Kommt, denn es ist nun bereit. Und alle fingen gleichermaßen an, sich zu entschuldigen. Der erste sagte zu ihm: Ich habe einen Acker gekauft und muß notwendig hinausgehen und ihn besichtigen; ich bitte dich, sieh mich als entschuldigt an! Und ein anderer sagte: Ich habe fünf Joch Ochsen gekauft und gehe hin, um sie zu prüfen; ich bitte dich, sieh mich als entschuldigt an. Noch ein anderer sagte: Ich habe eine Frau geheiratet und kann deshalb nicht kommen. Und der Knecht kam und berichtete dies seinem Herrn. Da wurde der Hausherr zornig und sagte zu seinem Knecht: Geh schnell hinaus auf die Straßen und Gassen der Stadt und führe die Armen und Krüppel und Blinden und Lahmen hier herein! Und der Knecht sagte: Herr, es ist geschehen, was du befohlen hast. Und es ist noch Raum vorhanden. Da sagte der Herr zu dem Knecht: Geh hinaus auf die Landstraßen und an die Zäune und nötige sie, hereinzukommen, damit mein Haus voll werde! Denn ich sage euch: Keiner jener Männer, die eingeladen waren, wird mein Gastmahl zu kosten bekommen.«

Ich merkte, wie alle dem Alten zuhörten. Auch Kostabar schien ihm zu lauschen. Als er geendet hatte, fügte er hinzu:
»Du hast das Gleichnis nicht zu Ende erzählt! Es geht noch weiter:

Als aber der Gastgeber hineinging, um die Gäste zu betrachten, sah er dort einen Menschen ohne anständige Kleidung, in Lumpen. Und er sagte zu ihm: Freund, wie bist du denn zu meinem Essen hereingekommen ohne anständige Kleidung? Der verstummte. Da sprach er zu den Knechten: Bindet ihm Hände und Füße und werft ihn hinaus in die Finsternis. Dort wird Heulen und Zähneklappern sein.«[10]

Die Stimme Kostabars wurde scharf und kalt: »So, und jetzt verschwindet endlich, sonst laß ich Soldaten holen, die euch an Händen und Füßen fesseln und ins Gefängnis werfen!«

---

10 Dieser Zusatz zum Gleichnis findet sich nur in der Fassung im Matthäusevangelium (wo aus dem Hausherrn allerdings ein König geworden ist). Es handelt sich nach übereinstimmender Meinung der meisten Forscher um einen späteren Zusatz zum Jesusgleichnis (vgl. Mt 22,11–14).

Ein Kind protestierte: »Diesen Schluß hat Jesus nie erzählt.
Den hast du dazugedichtet. Er ist falsch! Er ist eine Lüge!«
Kostabar fing zu wettern an: »Das ist der echte Schluß. Ihr wer-
det ihn gleich erleben. Weg mit euch, ihr ungewaschenes Pack!
Schert euch zum Teufel!«
Ich saß im Inneren der Hütte wie auf Kohlen. Sollte ich hinaus-
laufen und die Lage entschärfen? Das Gleichnis hatte mich angesprochen. Das Kind hatte recht: Der von Kostabar hinzugesetzte
Schluß paßte nicht. Aber ich verstand auch Kostabar: Regelmäßig
von diesen Leuten heimgesucht zu werden, war eine Strafe!
Fürs erste hatte Kostabar Erfolg. Ich hörte, wie sich die Gruppe
entfernte. Er kam herein:
»Sie gehen! Diese Leute sind eine Landplage. Früher waren sie
froh, wenn man ihnen Brot zusteckte. Dann gingen sie. Aber seitdem Leute wie Jesus und Levi ihnen Hoffnungen machen, verhalten sie sich aufdringlich: Sie warten auf den großen Umschwung,
auf das Reich Gottes. Dann würden sie an reich gedeckten Ti-
schen mit Jesus sitzen, sie, die Humpelnden und Hinkenden, die
Hustenden und Verhunzten. Dann würden sie an die Reihe kommen, um das Stückchen Glück zu genießen, das Gott für sie vorgesehen hat und das ihnen von Menschen hier verweigert wird.
Mit solchen phantastischen Hoffnungen leben sie seitdem. Mit
Ansprüchen, die kein Dorf, kein Staat, kein Mensch erfüllen
kann. Mit Ansprüchen, die in eine andere Welt gehören, aber
nicht in unser Land!«
»Die Kinder tun einem leid«, sagte ich. »Was können sie dafür,
daß sie in Armut geboren sind.«
»Da hast du recht«, sagte Kostabar. »Meinst du, mir fällt es
leicht, sie wegzuscheuchen? Aber was soll ich tun? Wenn ich hier
einmal anfange, Essen für Bettler und Kinder zu geben, werden
sie aus der ganzen Gegend zu mir strömen. Levi hat es gemacht.
Er hat die Leute daran gewöhnt, daß es hier zu essen gibt. Manchmal denke ich, das ist der Grund, warum er verschwunden ist. Er
hat es nicht mehr aushalten können. Möglicherweise hat er sich
übernommen. Wie sollte er auf Dauer all diese Leute unterhalten? Vielleicht hatte er nur die Wahl: entweder bankrott zu gehen
oder das Zollgeschäft aufzugeben! Wie dem auch sei, er ist verschwunden. Er ist Jesus nachgefolgt. Verstehst du, daß ich nicht

in seine Situation kommen möchte. Ich möchte mich und meine Familie mit diesem Zollgeschäft ernähren. Ich kann nicht einfach verschwinden. Ich kann nicht wie Levi durch Wohltätigkeit mein Geschäft ruinieren. Ich kann nur meinen Anteil in die Armenkasse tun. Mehr ist nicht drin.«

Es war schon spät. Wir mußten aufbrechen, um rechtzeitig in Bethsaida anzukommen. Langsam trotteten wir auf unseren Eseln den Uferweg entlang. Der galiläische See glitzerte in der Sonne. Die Berge hoben sich wie blasse Schatten von ihm ab. Es war ein friedlicher Spätnachmittag.

Plötzlich tauchten die Bettelkinder auf, die wir am Zoll getroffen hatten. Sie hielten sich an ihren Händen und versperrten uns den Weg.

»Was macht ihr denn?« fragte ich.

»Wir spielen Zöllner.«

»Welche Grenze ist denn hier?«

»Hier beginnt das Königreich Gottes!«

Ich wollte schon ärgerlich aufbrausen. Doch ich bremste mich. Warum sollte ich diesen Kleinen nicht einen Gefallen tun? Ich spielte also mit.

»Was muß man denn tun, um in euer Reich hineinzukommen?«

Die Kinder lachten. Das Älteste sagte:

»Wenn ihr nicht wieder werdet wie Kinder,
werdet ihr nicht in die Gottesherrschaft kommen!«[11]

»Wer herrscht in eurem Reich?«

»Wir herrschen in diesem Reich. Die Kinder. Uns gehört die Königsherrschaft Gottes.«[12]

»Und was muß ich als Zoll bezahlen?«

»Gib uns etwas zu essen!«

»Ist das der ganze Zoll?«

»Es gibt kein Königreich, das du so leicht betreten kannst. Du

11 Mt 18,3
12 Vgl. Mk 10,14

mußt nur etwas von dem abgeben, was du besitzt. Dann gehörst
du zu ihm.«
Ich wußte nicht, ob das Ganze Spiel oder Ernst war. Ich sagte:
»Abgemacht! Hier ist der Zoll für euer Königreich.«
Und ich gab ihnen ein paar Fladen Brot zusammen mit Früchten. Ihre Augen strahlten. Sie machten den Weg frei. Wir durften
passieren. Auch diese Grenze hatten wir überschritten.

Lieber Herr Kratzinger,

daß Ihnen das letzte Kapitel gefallen hat, freut mich natürlich. Ihre strengen wissenschaftlichen Maßstäbe veranlassen
Sie aber zu der Frage, ob die Überlieferung vom Zöllnergastmahl (Mk 2,15–17) nicht Ausdruck von Gemeindeproblemen
ist: Man brauchte im Urchristentum eine Geschichte, in der
Jesus mit Zöllnern und Sündern zusammen ißt. So konnte
man das gemeinsame Essen von Heiden- und Judenchristen
in den Gemeinden auch dann rechtfertigen, wenn die Heiden jüdische Speisegebote nicht einhielten. Das Problem
wurde Ende der 40er Jahre in Antiochien akut (vgl. Gal 2,11ff).
Entstand die Geschichte, um dies Problem zu lösen?
    Die Geschichte setzt eine Zollstation am galiläischen See
(in Kapernaum) voraus. Das kann nur eine Grenzstation sein:
Zwischen Kapernaum und Bethsaida verlief zur Zeit Jesu eine Grenze, die im Laufe des 1. Jahrhunderts verschwand. Sie
existierte nicht von 39–44 n.Chr., als Agrippa I. die Landes-
teile östlich und westlich des Jordans vereinte. Sie entfiel unter seinem Sohn Agrippa II. von 54 n.Chr. an bis zum Ende
des Jahrhunderts. Die zehn Jahre zwischen 44 und 54 sind
schwer zu beurteilen. Wahrscheinlich waren beide Landes-
teile in einer römischen Provinz vereint. Das heißt: Die Geschichte vom Zöllnermahl setzt vermutlich Verhältnisse
voraus, die zur Zeit Jesu vorhanden waren, die aber nach 39
n.Chr. nicht mehr galten. Sie führt uns in die 30er Jahre zurück. Damit kommen wir in eine Zeit, in der das gemeinsame
Essen von Juden und Heiden in den urchristlichen Gemeinden noch kein Problem war. Zur Zeit des Apostelkonzils (in
den 40er Jahren) ist es auf jeden Fall noch nicht akut.
    Könnte es also sein, daß die Überlieferung vom Zöllner-
gastmahl eine historische Erinnerung bewahrt? Daß sie später gebraucht wurde, um Probleme beim gemeinsamen Mahl
in der Gemeinde zu lösen, sei unbestritten!

Ich bleibe
mit herzlichen Grüßen
Ihr Gerd Theißen

13. KAPITEL

Eine Frau protestiert

Obwohl wir überall nach Jesus fragten, sind wir ihm nirgendwo begegnet. Wir fanden ihn weder auf dem Weg nach Bethsaida noch auf dem Rückweg, als wir den galiläischen See entlang nach Tiberias zogen. Alle hatten wohl von ihm gehört, viele ihn gesehen. Fast schien es, als sei er überall gewesen. Wenn man den Gerüchten über seinen jeweiligen Aufenthaltsort glaubte, hätte man annehmen können, er bewege sich unglaublich schnell von Ort zu Ort. Kein Wunder, daß uns jemand erzählte, er könne über Wasser laufen.[1] Deswegen tauchte er an manchen Orten unvermutet auf und sei bald wieder verschwunden. Ein anderes Rätsel war, wie er so viele Leute ernähren konnte, die mit ihm durchs Land zogen. Das Volk raunte sich zu, er könne Brot vermehren. An einem Ort erzählte man von sieben Broten für 4000 Leute. An einem anderen Ort waren es fünf Brote für 5000.[2] Natürlich glaubte ich kein Wort davon. Bei diesem Jesus schien alles möglich. Das Volk meinte wohl: Wenn jemand Kranke gesund macht, dann ist ihm alles zuzutrauen. All diese Wundergeschichten konnten nur entstehen, weil er schon im Rufe eines Wundertäters stand.

Für eines dieser Wunder habe ich vielleicht eine Erklärung gefunden, bin mir aber nicht sicher. Als wir nach Tiberias kamen, brachten wir unser Gepäck in unsere dortige Filiale. Timon und Malchos blieben zurück. Ich begab mich zum Hause des Chusa. Es war ein modernes Haus im griechisch-römischen Stil: Mehrere Zimmer umgaben ein Atrium mit Säulen. In einem zweiten Stockwerk lag ein Aufenthaltsraum, der einen herrlichen Blick über den galiläischen See freigab. Dort saß ich mit Johanna und

---

1 Vgl. Mk 6,45–52
2 Vgl. die beiden Fassungen der »wunderbaren Brotspeisung«. Mk 8,1–9 spricht von 7 Broten für 4000, Mk 6,35–44 von 5 Broten für 5000 Menschen. Hier kann man das Wachsen des Wunderbaren mit den Händen greifen.

wartete auf Chusa, der jeden Moment von den Landgütern des
Antipas zurückkehren mußte.

Ich lenkte das Gespräch bald auf Jesus. Johanna hatte mir ja als
erste von ihm erzählt. Ich traute meinen Ohren nicht, als ich hörte, sie würde Jesus unterstützen. Unbefangen erzählte sie:
»Ich schicke ihm Geld und Lebensmittel.[3] Mein Mann weiß es
nicht. Du darfst ihm nichts verraten. Wenn es möglich ist, suche
ich Jesus auf, um seine Worte zu hören.«

Alle Anhänger Jesu, die ich bisher getroffen hatte, waren kleine
Leute. Johanna aber gehörte zur Oberschicht. Ich fragte:
»Gibt es noch andere wohlhabende Leute, die ihn unterstüt-
zen?«

»Einige wenige. Er erhält von überall Unterstützung.«

»Aber dann stimmt ja nicht, was die Leute erzählen: Er würde
mit magischen Fähigkeiten seine Anhänger ernähren! Ich habe
ganz unwahrscheinliche Geschichten gehört. Er soll sogar Brot
vermehrt haben!«

»Die Leute erzählen viel. Ich kann dir nur sagen, was ich weiß:
Wenn ich oder andere ihm Lebensmittel schicken, Brote, Fische
und Früchte, und meine Leute holen sie plötzlich heraus, dann
erscheint es der Menge wie ein Wunder, daß so viel zu essen vorhanden ist. Diese armen Leute haben oft noch nie so viel Lebensmittel auf einmal gesehen. Wenn man so will, geschieht auch tatsächlich ein Wunder.«

»Wieso?«

»Wenn die Leute erst einmal glauben, daß genügend Brot für alle da ist, verlieren sie die Angst vor dem Hunger. Dann holen sie
die Brotreserven heraus, die sie versteckt hielten, um nicht mit
anderen teilen zu müssen. Sie geben von ihrem Brot ab. Sie haben
keine Angst mehr, zu kurz zu kommen.«

»Meinst du, die Geschichte von der wunderbaren Brotvermeh-
rung läßt sich so erklären?«

»Nicht direkt. Man kann nicht sagen: Hier oder dort ist sie geschehen. Die Leute erleben immer wieder bei Jesus, daß er in

---

3 Nach Lk 8,3 gehört »Johanna, die Frau des Chusa, eines Verwaltungsbeamten
des Herodes Antipas« zu den Frauen, die Jesus aus ihrem Vermögen unterstützten.

überraschender Weise Unterstützung findet, ohne zu arbeiten, zu betteln oder zu organisieren!«

»Aber könnte dann nicht einer auf den Gedanken kommen, man müsse überall im Land das Brot gleichmäßig verteilen?«

»Natürlich! Die Leute hoffen darauf. Einige erwarten sehnsüchtig, daß Jesus als Messias hervortritt. Daß er Gerechtigkeit herstellt. Daß er für Fruchtbarkeit sorgt. Daß er alles zum Guten wendet und die Römer vertreibt.«[4]

»Aber dann ist er ja gefährlich!«

Ich konnte nicht ausreden. Wir hörten Chusa kommen. Wir begrüßten uns herzlich. Nachdem er sich gesetzt hatte, kam ich direkt zur Sache:

»Alle Leute in Galiläa reden von Jesus. Er ist das große Gespräch. Was hältst du von ihm? Ist er ein Unruhestifter? Ein Rebell?«

Chusa antwortete: »Herodes Antipas macht sich Sorgen. Er hat ein schlechtes Gewissen wegen der Hinrichtung des Täufers. Keines seiner Probleme ist geringer geworden. Einmal äußerte er die unsinnige Vermutung, Jesus sei der Täufer, der von den Toten auferstanden sei; daher wirkten Wunderkräfte in ihm.[5] Er hat Angst. Er wird fast abergläubisch und glaubt sogar an die Auferstehung der Toten!«

»Aber daran glauben auch die Pharisäer und viele andere.«

»Wir aber nicht. Antipas und ich sympathisieren mit der sadduzäischen Glaubensrichtung.[6] Wir Sadduzäer glauben, daß die Seelen zusammen mit dem Körper zugrunde gehen. Wir lehnen die Erwartung einer neuen und besseren Welt ab. Unsere Lehre hat nur wenige Anhänger, meist Leute in hohen Positionen. Die

---

4 Der sogenannte Psalm Salomo 17 (aus dem ersten Jahrhundert v.Chr.) gibt uns einen Einblick in die Messiaserwartung zur Zeit Jesu. Der Messias soll die Feinde vertreiben (PsSal 17,25), das Volk sammeln und heiligen. »Und kein Fremder und Ausländer wird ferner unter ihnen wohnen« (PsSal 17,28).

5 Vgl. Mk 6,14. Wenn Jesus für den auferstandenen Täufer gehalten wird, so setzt das voraus, daß er vorher ganz unbekannt war. Daher ist diese Notiz von der Angst des Herodes Antipas wohl Echo einer sehr alten Reaktion auf Jesu Auftreten noch zu seinen Lebzeiten.

6 Zu den Lehren der Sadduzäer vgl. Josephus ant 18,16–17 = XVIII,1,4, an den sich die folgenden Formulierungen anlehnen.

Pharisäer haben dagegen ihre Anhänger in der Unterschicht. Sie glauben an die Unsterblichkeit der Seele und an Lohn und Strafe im Jenseits je nach Lebensführung. Dieser Jesus und seine Leute stehen den Pharisäern näher als uns.«

»Aber die Pharisäer sind politisch keine Gefahr. Sie sind im Synhedrium vertreten.[7] Sie arbeiten zusammen mit den Behörden. Es gibt wohl ein paar Extremisten unter ihnen, die sich den Zeloten angeschlossen haben. Aber das sind Ausnahmen. Glaubst du, daß Jesus zu diesen Extremisten gehört?«

»Nein, ich halte Jesus für einen harmlosen Spinner. Man könnte ihn vergessen, wenn es nicht so viele Leute gäbe, die in ihm einen Propheten oder gar den Messias sehen. Diese Leute sind unser Problem – nicht Jesus. Besonders diejenigen, die ihn unterstützen. Gäbe es nicht immer wieder einige verschrobene Leute, die ihm Geld und Lebensmittel schickten, so wäre diese Bewegung von Edel-Landstreichern schon lange in sich zusammengebrochen. So aber verkaufen sie ihre Ideen erfolgreich und können sogar davon leben!«

Johanna war rot geworden. Sie schluckte, war aber sichtlich bemüht, sich nichts anmerken zu lassen. Ihre Stimme klang heiser: »Aber vielleicht sind die Ideen gar nicht so schlecht?« Chusa kam nun erst recht in Schwung. Er wurde laut:

»Gute Ideen? Was predigt denn dieser Weltuntergangsprophet? Die Gottesherrschaft! Alles soll anders werden. Das ewige Leben soll bald beginnen! Hast du schon einmal darüber nachgedacht, warum diese Ideen beim einfachen Volk so beliebt sind? Warum wir Sadduzäer nur in der Oberschicht Anhänger finden mit unserer Lehre: ›Es geht dem Menschen wie dem Tier: Wie es stirbt, so stirbt er auch‹?[8] Nur wir machen uns keine Illusionen über den Menschen und den Tod. Nur wir geben den einzig realistischen Rat fürs Leben: ›Geh hin und iß dein Brot mit Freuden, trink dei-

---

7 Das Synhedrium ist der jüdische Staatsrat, in dem die (sadduzäisch gesonnenen) Hohenpriester und Vertreter des Laienadels saßen. Seit der Königin Salome Alexandra (77–67 v.Chr.) waren auch die Pharisäer in ihm vertreten. Das hat wahrscheinlich sehr dazu beigetragen, aus den Pharisäern, einer ursprünglichen Oppositionspartei, eine Richtung zu machen, welche die bestehende Ordnung wenigstens vorläufig akzeptierte.

8 Pred 3,19

nen Wein mit gutem Mut. So gefällst du Gott!‹[9] Wir sind fast die
einzigen, die nicht an die Auferstehung oder die Unsterblichkeit
glauben.«

Johanna warf ein: »Aber selbst Herodes Antipas kann nicht so
recht glauben, daß Johannes der Täufer endgültig tot ist!«

»Das ist ja gerade der Skandal! Wie kann er sich solchem Aberglauben hingeben!« warf Chusa ein. »Die kleinen Leute klam-
mern sich an diesen Aberglauben. Sie haben nichts, was sie genießen können. Sie haben nur Arbeit, Sorge und Plackerei. Darum
trösten sie sich mit der Hoffnung auf ein besseres Jenseits, in dem
alle zu essen haben. Diese Hoffnungen sind kranke Hoffnungen.
Sie stammen aus einem kranken Leben. Jesus spinnt diese kranken Gedanken weiter. Er gibt den Leuten ihre Träume. Er ruft ihnen zu:

> *Kommt her zu mir,*
> *ihr Mühseligen und Beladenen!*
> *Ich gebe euch Ruhe!*[10]

Lassen wir ihn bei den Mühseligen und Beladenen. Mag er dort
seine verrückten Ideen verbreiten. In unserem Leben haben sie
nichts zu suchen.«

Johanna war aufgesprungen. Ihr Gesicht glühte vor Erregung:
»Hör auf, Chusa! Ich kann das nicht mit anhören! Vielleicht haben wir Frauen mehr Verständnis für die Träume und Hoffnungen kleiner Leute als ihr Männer. Was du sagst, stimmt nicht!«

Chusa wurde trotzig: »Stimmt es nicht, daß er die Leute auf die
Gottesherrschaft vertröstet? Wie so viele andere vor ihm?«

Johanna erwiderte: »Viele haben die Gottesherrschaft ersehnt.
Jesus aber sagt: Jetzt beginnt sie. Man muß nicht bis auf einen fernen Tag warten. Einer fragte ihn einmal, wann die Gottesherrschaft kommt. Da sagte er:

> *Die Gottesherrschaft kommt nicht so,*
> *daß man sie aufgrund äußerer Zeichen voraussagen kann.*
> *Auch wird man nicht sagen können:*

9 Pred 9,7
10 Mt 11,28

›Sie ist hier!‹ oder ›Sie ist dort!‹
Sieh doch, die Gottesherrschaft ist in euch.[11]

Jemand zweifelte daran, ob sie denn schon da sein könne, obwohl man sie nicht sieht. Da antwortete er:

Wenn ich mit dem Geist Gottes die Dämonen austreibe,
dann ist die Gottesherrschaft schon bei euch angekommen!«[12]

Chusa ließ nicht locker: »Genau das meine ich! Womit macht er Hoffnung? Mit Wundern! Mit Magie! Die kleinen Leute mißtrauen ihren eigenen Kräften. Daher sehnen sie sich nach den großen Wundertätern. Die sollen vollbringen, was sie sich nicht zutrauen. Deswegen erdichten sie lauter Geschichten über Jesus – Geschichten, die er nie getan hat. Vor kurzem erzählte mir jemand eine Wundergeschichte von ihm, die ich schon vorher von einem Syrer gehört habe:[13]

Du kennst doch diesen Syrer, der Leute beiseite nimmt, die vor dem Mond niederfallen, die Augen verdrehen und den Mund voll Schaum haben. Er richtet sie auf und schickt sie gesund weg, nachdem er sich einen großen Lohn hat zahlen lassen. Das Ganze geht so: Wenn er vor dem am Boden Liegenden steht und fragt, woher der Dämon in den Leib gefahren ist, schweigt der Kranke. Für ihn antwortet aber der Dämon in Griechisch oder einer anderen ausländischen Sprache, je nach dem Land, woher er kam, bevor er in den Menschen gefahren war. Der Syrer aber führt Beschwörungen aus. Wenn der Dämon nicht gehorcht, so bedroht er ihn kräftig und treibt ihn so aus.« Und dann fügte mein Ge-

---

11 Lk 17,21. Die Übersetzung »Die Gottesherrschaft ist in euch« ist umstritten. Viele übersetzen mit »in eurer Mitte«. In dem im folgenden zitierten Jesuswort behauptet Jesus: Die Gottesherrschaft löst die Dämonenherrschaft ab. Wenn Dämonen aus dem Innern des Menschen ausfahren, dann beginnt die Gottesherrschaft. Diese Gottesherrschaft beginnt also hier eindeutig im Innern des Menschen – auch wenn sie nichts Innerliches ist: Sie ist mit einer wunderbaren Verwandlung der ganzen Welt verbunden.

12 Mt 12,28

13 Diese Wundergeschichte wurde von dem antiken Satiriker Lukian von Samosata (ca. 120–180 n.Chr.) in seinem Dialog »Der Lügenfreund« Kap. 16 überliefert.

sprächspartner augenzwinkernd hinzu: »Ich sah selbst einen ausfahren von schwarzer und rauchiger Farbe!«
Ich mußte lachen. Auch Johanna schmunzelte. Dann aber
wurde sie ernst:
»Hast du dir die Geschichten von Jesus angehört? Sie klingen
ähnlich. Aber Jesus verlangt keinen Lohn für seine Heilungen.
Und was noch wichtiger ist: Er weiß, daß die Leute einen übertrie-
benen Wunderglauben haben, weil sie ihren Kräften mißtrauen.
Darum betont er oft: ›Dein Glaube hat dich geheilt!‹[14] Er sagt ausdrücklich: Nicht ich habe das Wunder getan; in dir selbst steckt
die Kraft, gesund zu werden. Er will diese kleinen Leute von ihrem abergläubischen Mißtrauen gegen sich heilen!«
Chusa antwortete: »Aber redet er ihnen nicht ein: Dies Leben
hier sei wertlos? Das gute Leben beginne erst später?«
Wieder protestierte Johanna: »Jesus sagt das Gegenteil. Jetzt sei
die erfüllte Zeit. Jetzt sei eine Zeit der Freude. Darum sei es jetzt
so unmöglich zu fasten wie bei einem Hochzeitsmahl.[15] So glücklich könne man jetzt sein. Einmal rief er den Leuten zu:

Glücklich sind eure Augen,
weil sie sehen, was ihr seht.
Ich sage euch:
Viele Propheten und Könige wollten sehen,
was ihr seht, und sahen es nicht,
und wollten hören, was ihr hört,
und hörten es nicht.[16]

Was sagt er denn anders als: Euer Leben ist mehr wert als das von
Königen und Propheten. Ihr seid glücklicher als sie. Glücklicher
als die Königin von Saba, die von weit her gereist kam, um Salomos Weisheit zu hören.«[17]
Chusa war noch immer nicht überzeugt: »Du stellst die Dinge
auf den Kopf. Dieser Jesus gibt den Leuten ein illusionäres Selbst-

14 Vgl. Mk 5,34; 10,52; Lk 7,50; 17,19; Mt 9,29
15 Vgl. Mk 2,18–19. Jesus unterschied sich darin von Johannes dem Täufer. Dieser fastete. Jesus lehnte (zumindest außergewöhnliche) Fastenübungen ab.
16 Lk 10,23–24
17 Vgl. Mt 12,42

bewußtsein. Sie sind arme Schlucker, aber bilden sich ein, mehr wert zu sein als Könige. In ihrem alltäglichen Leben müssen sie sich dennoch weiter ducken. Lehrt dieser Jesus nicht, man dürfe sich nicht wehren? Lehrt er nicht eine typische Kleine-Leute-Moral? Eine Moral von Menschen, die alles einstecken müssen?«

Johanna gab nicht auf. Sie wurde noch leidenschaftlicher:
»Was euch an diesem Jesus irritiert, ist genau das Gegenteil einer beschränkten Kleine-Leute-Moral: Er bringt den kleinen Leuten Haltungen bei, die bisher euer Privileg waren!

Ist es nicht das Privileg der Oberschicht, ohne Sorgen leben zu können? Jesus aber sagt: Dies Privileg ist für alle da, auch für die, die nichts haben:

> Sorget nicht für euer Leben,
> was ihr essen oder was ihr trinken sollt,
> noch für euren Leib, was ihr anziehen sollt.
> Ist nicht das Leben mehr wert als die Speise
> und der Leib mehr wert als die Kleidung?
> Schaut die Vögel unter dem Himmel,
> sie säen nicht, sie ernten nicht,
> sie sammeln nicht in Scheunen.
> Und euer Vater im Himmel ernährt sie doch.
> Um wieviel unterscheidet ihr euch von ihnen![18]

Ist das Kleine-Leute-Moral? Jesus selbst vergleicht diese sorglosen Leute mit Salomo: Wenn die Lilien auf dem Feld schon prächtiger als König Salomo gekleidet sind, um wieviel mehr die Menschen!

Und ist es nicht ein Privileg der Mächtigen, daß sie ihre Feinde nicht fürchten müssen? Die Mächtigen dürfen großzügig sein. Denn sie wissen: Ihre Feinde können ihnen nicht schaden, sondern müssen sich mit ihnen arrangieren. Jesus aber sagt zu allen, nicht nur zu den Mächtigen:

> Liebet eure Feinde
> und betet für eure Verfolger,
> damit ihr Söhne eures Vaters im Himmel werdet![19]

18 Mt 6,25–26
19 Mt 5,44–45

Alle sollen Söhne Gottes sein. Früher nannte man nur die Könige Israels Söhne Gottes. Jesus aber nennt jeden so, der großzügig gegenüber seinen Feinden ist. Jeder ist dann ein König. Und ist es nicht ein Privileg der Mächtigen, Gesetze geben zu können und alte außer Kraft zu setzen? Was tut Jesus? Er definiert neue Gesetze. Er sagt:

> *Ihr habt gehört, daß zu den Alten gesagt wurde:*
> *Du sollst nicht töten!*
> *Wer aber tötet, ist des Gerichts schuldig!*
> *Ich aber sage euch:*
> *Jeder, der seinem Bruder zürnt,*
> *ist des Gerichts schuldig!*[20]

Chusa war blaß geworden. Mühsam stieß er hervor: »Aber warum vertritt er seine Lehre nur im einfachen Volk? Warum kommt er nicht nach Tiberias? Warum belehrt er nicht Antipas? Ich weiß nur eine Antwort: Er träumt die Träume kleiner Leute.«

Johanna stimmte ihm zu: »Natürlich träumt er die Träume kleiner Leute. Er wendet sich nicht an die Reichen und Mächtigen. Aber was will er denn? Diese kleinen Leute sind geduckte Menschen. Er will, daß sie aufrecht gehen. Sie sind von Sorgen zermürbte Menschen. Er will, daß sie von Sorgen frei sind. Sie sind Menschen, die ihr Leben nicht als etwas Bedeutendes erleben. Er gibt ihnen das Bewußtsein, ihr Leben sei etwas wert. Und davor habt ihr alle Angst. Ihr alle und Herodes Antipas, ihr habt Angst davor, die kleinen Leute könnten auf den Gedanken kommen, daß sie keine kleinen Leute sind. Darum habt ihr das Gerücht ausstreuen lassen, ihr wolltet Jesus töten. Damit er über die Grenze verschwindet. Damit er euch in Ruhe läßt. Damit die kleinen Leute nicht auf rebellische Gedanken kommen und euch gefährlich werden!«

Chusa versuchte abzubiegen: Er lehnte sich lächelnd zu mir herüber:

»Du hast mich eben gefragt, ob dieser Jesus ein Unruhestifter

20 Mt 5,21–22

und Rebell ist. Eins steht fest: Meine Frau hat er schon rebellisch gemacht!«

Johanna zögerte etwas und dann sagte sie leise: »Nein, du hast mich rebellisch gemacht!«

»Ich?« fragte Chusa erstaunt.

»Als du am Anfang über Jesus und seine Ideen herzogst, hast du mich verletzt!«

»Ich konnte nicht wissen, wie wichtig dir diese Ideen sind!«

»Chusa, ich hatte Angst, du könntest mich verachten!«

»Wieso?« Chusa verstand seine Frau noch immer nicht.

»Verachtest du nicht verschrobene Frauen?«

»Aber ich habe dich nie für verschroben gehalten! Nicht im Traum!« beteuerte Chusa.

»Aber du machst dich über verschrobene Leute lustig, die Jesus Geld und Lebensmittel schicken!«

Chusa blieb der Mund offen stehen: »Willst du damit sagen, daß . . .«

Johanna nickte: »Ich will damit sagen, daß ich Jesus unterstütze.«

»Wie konnte ich das ahnen!«

Es entstand eine Pause. Dann sagte Johanna leise: »Ich habe es heimlich getan. Ich wagte nicht, dir davon zu erzählen. Ich wollte nicht, daß du mich verachtest.«

Chusa schaute sie betroffen an: »Das darfst du von mir nicht denken! Wenn du ihn schätzt – eher würde ich mein Urteil über Jesus ändern als dich verachten!«

»Aber wenn man dich über ihn spotten hört . . .«

Ich atmete auf. Ich hatte die Auseinandersetzung in Gang gesetzt, aber dann mit dem unbehaglichen Gefühl dessen verfolgt, der eigentlich abwesend sein sollte. Ich verabschiedete mich und ließ die beiden allein. Überall, wohin ich kam, gab es Streit um Jesus. Überall gab es eine Krise zwischen Eltern und Kindern, Mann und Frau, Freunden und Nachbarn, ja selbst zwischen Zöllnern und Geschäftsleuten. Dieser Wanderprediger brachte alles durcheinander.

Ich ging noch ein wenig am Ufer des Sees spazieren. Kein Wind bewegte seine Oberfläche. Alles spiegelte sich klar in ihm wider:

die Golanberge in der Ferne, von oben still stehende Wolkenstreifen, die abendliche Färbung des Himmels. Ich sah meinen Schatten im See. Aber ansonsten spiegelte sich nichts von mir in dieser Ruhe. Fremd stand ich ihr gegenüber. Meine Gedanken schweiften unruhig hin und her. Ich schaute in die Richtung, wo Kapernaum lag. Irgendwo dort mußte Jesus jetzt sein!

Als ich zu meiner Unterkunft zurückging, kam ich noch einmal an Chusas Haus vorbei. Von ferne hörte ich seine Stimme. Er sang eines seiner Lieblingslieder, ein Lied Salomos. Leise summte ich Text und Melodie mit:[21]

»Leg mich an dein Herz
wie das Siegel eines Ringes!
Nimm mich an deinen Arm
wie einen Spangenreif!
Denn stark wie der Tod ist die Liebe,
Leidenschaft ist unerbittlich
wie die Unterwelt.
Ihre Glut
ist eine geheimnisvolle Glut
ihre Flammen sind wie Flammen des lebendigen Gottes.
Kein Wasser kann sie löschen,
auch keine Ströme.
Käme einer, und wollte sie kaufen
und gäbe alle Reichtümer hin –
man würde ihn verachten!«

Wie schön war dieses Lied! Wollte Chusa mit ihm Johanna versöhnen? Oder sang er nur seinen Schmerz in den Abend? Fest stand nur: Es war eine Botschaft an Johanna. Und ich war sicher, sie würde antworten.

Es war dunkel geworden. Die Luft blieb so warm wie am Tag. Es wurde stiller. Aber in mir blieb alles unruhig. Ich legte mich auf mein Bett, doch konnte ich keinen Schlaf finden. Es war nicht die Hitze, die mich wach hielt. Es war der Streit um Jesus. Viele Stimmen schwirrten durch mein Inneres. Ich hörte die Stimme Johannas und Chusas, die Stimme des Zöllners, der Bettler, der Kinder,

21 Vgl. Hld 8,6–7

die Stimme Barabbas'. Fremde Stimmen nahmen meine Träume und Gedanken in Beschlag. Ich versuchte, sie wegzudrängen und in den Tiefen des beginnenden Schlafes untergehen zu lassen. Aber es gelang nicht. Denn es waren keine fremden Stimmen mehr. Es waren die Stimmen meines Inneren, meine eigenen Gedanken und Gefühle, meine Ängste und Hoffnungen. Der Streit um Jesus war ein Streit in mir selbst, die Auseinandersetzung um ihn eine Auseinandersetzung mit mir selbst. In mir war etwas, das von ihm abgestoßen und angezogen wurde. In mir war etwas, das seine Ideen verspottete und von ihnen fasziniert war. Ich fürchtete die von ihm ausgehende Unruhe und sehnte mich nach ihr, als läge Hoffnung darin. So schwankte sein Bild hin und her.

Gegen Morgen schlief ich unruhig ein. Als ich aufwachte, hatte ich das unbestimmte Gefühl, als hätte sich in meinem Leben etwas verändert.

Lieber Herr Kratzinger,

gerne denke ich an unsere Gespräche auf der jüngsten Neu-
testamentlertagung zurück. Mir ist klar geworden, daß Sie
keine radikale Skepsis vertreten, sondern Jesusüberlieferung
als historisch anerkennen, sofern sie weder aus Judentum
noch Urchristentum ableitbar ist und sofern sie zusammen
mit den so erkannten historischen Überlieferungen ein wi-
derspruchsfreies Bild ergibt. Sie berufen sich auf das in der Jesusforschung übliche Differenz- und Kohärenzkriterium.
    Sie erkennen, daß das letzte Kapitel ein kohärentes Bild
der Verkündigung Jesu entwirft. Immer wieder zeigt Johanna, daß Jesus Einstellungen und Verhaltensweisen der Oberschicht für kleine Leute beansprucht, z.B. materielle Sorgen-
freiheit für Besitzlose, Weisheit für Ungebildete. Er vollzieht
eine »Wertrevolution«, eine Aneignung von Oberschichtwer-
ten durch die Unterschicht.
    Sie wenden mit Recht ein, daß die innere Kohärenz eines
Jesusbildes nicht seine Geschichtlichkeit garantiere. Man
müsse zuerst einen festen Ausgangspunkt von historischen
Eckdaten haben, ehe man fragen kann: Was paßt zu ihnen?
    Als solche Eckdaten würde ich nicht nur die aus Judentum
und Urchristentum unableitbaren Überlieferungen nehmen.
Zwei Eckdaten stehen in jedem Fall fest: Jesus begann als Anhänger Johannes des Täufers, der später hingerichtet wurde.
Und Jesus endete selbst am Kreuz. Zwischen diesen Eckdaten muß seine Verkündigung Platz finden.
    Und nun frage ich Sie: Paßt das im letzten Kapitel skizzier-
te Bild von Jesus nicht ausgezeichnet zu diesen Eckdaten?
Der Täufer steht in Opposition zur Aristokratie. Sein Schüler
will in einer »Wertrevolution« für das Volk zugänglich machen, was sonst nur »oben« zu finden ist. Er endet wie so
mancher Revolutionär am Kreuz.
    Beruht die innere Stimmigkeit dieses Jesusbildes darauf,
daß ich aufgrund meiner Wertungen aus den Überlieferungen ausgewählt habe, was mir paßt? Hat ein Jesusbild historischen Wert, das unerklärt läßt, warum der Täufer und Jesus
durch die herrschende Schicht hingerichtet wurde? Sie ha-

ben richtig erkannt, daß auch ich für einen Ausgleich zwischen den Schichten plädiere. Aber es ist offen, ob Jesus mich
dabei als seinen Bundesgenossen vereinnahmt hat oder ich
ihn.

Mit herzlichen Grüßen
bin ich
Ihr
Gerd Theißen

14. KAPITEL

Bericht über Jesus
oder: Jesus wird getarnt

Nie bin ich Jesus auf meinen Reisen durch Galiläa begegnet. Überall fand ich nur Spuren von ihm: Anekdoten und Erzählungen, Überlieferungen und Gerüchte. Er selbst blieb ungreifbar. Aber alles, was ich von ihm hörte, paßte zusammen. Selbst absolut übertriebene Geschichten von ihm hatten eine charakteristische Prägung. Über keinen anderen hätte man sie in dieser Weise erzählt.

Mein Auftrag war herauszufinden, ob Jesus ein Sicherheitsrisiko war. Hier gab es keinen Zweifel: Er war ein Risiko. Jeder, der eher seinem Gewissen folgt als Vorschriften und Gesetzen, jeder, der die bestehende Verteilung von Macht und Besitz nicht für endgültig hält, jeder, der kleinen Leuten das Selbstbewußtsein von Fürsten verleiht, ist ein Sicherheitsrisiko.

Von all dem würde ich den Römern nichts erzählen. Ich fühlte mich nicht verpflichtet, ihren Auftrag auszuführen. Wenn es schon in unserer Hand lag zu entscheiden, ob man das Gebot Gottes zur Sabbatruhe einhalten solle oder nicht – um wie viel mehr mußte das für Aufträge der Römer gelten!

Doch wie sollte ich Jesus tarnen? Wie sollte ich aus einem Rebellen einen harmlosen Wanderprediger machen? Was ich erzählte, mußte ja zutreffen. Metilius würde gewiß auch aus anderen Quellen Informationen über Jesus bekommen. Vielleicht würde er ihm einmal begegnen. Ich mußte die Wahrheit erzählen – aber es durfte nur die halbe Wahrheit sein, nur gerade so viel, um die ganze Wahrheit zu verhüllen. Lange grübelte ich über dies Problem nach.

Endlich kam mir eine Idee. Ich mußte Jesus so darstellen, daß er für die Römer eine vertraute Gestalt wurde, jemand, der in ihre Vorstellungen paßte. Wenn wir die religiösen Strömungen in unserem Land für Ausländer verständlich machen, vergleichen wir sie gerne mit Philosophenschulen: die Pharisäer mit Stoikern, die

Essener mit Pythagoräern, die Sadduzäer mit Epikuräern.[1] Warum sollte ich Jesus nicht als Wanderphilosophen der kynischen Schule darstellen?[2] War er nicht tatsächlich ein Wanderphilosoph?

Überhaupt mußte ich seine Lehren so darstellen, daß sie an möglichst vielen Punkten mit Aussagen griechischer und römischer Schriftsteller übereinstimmten. So etwas mußte beruhigend wirken! Vielleicht konnte man ihn auch als Dichter »verkaufen«? Erzählte er nicht viele Gleichnisse und Parabeln? Mir wurde klar: Ich mußte möglichst viele Analogien zu seinen Aussprüchen finden.

Eine große Fleißarbeit lag vor mir. Ich kehrte nach Sepphoris zurück, übergab die Geschäfte an Baruch und las statt dessen alle Bücher, die ich nur auftreiben konnte. Überall suchte ich nach Aussagen, die mit den Lehren Jesu vergleichbar waren. Als ich genug Material beisammen hatte, begann ich, einen kleinen Bericht für Metilius zu schreiben.

ÜBER JESUS ALS PHILOSOPHEN

Jesus ist ein Philosoph vergleichbar den kynischen Wanderphilosophen. Er lehrt wie sie äußerste Bedürfnislosigkeit, zieht ohne festen Wohnsitz durch das Land, lebt ohne Familie, ohne Beruf und Besitz. Von seinen Schülern verlangt er, daß sie ohne Geld, ohne Schuhe, ohne Rucksack und mit einem Hemd auskommen.[3]

Er lehrt, daß Liebe zu Gott und zu den Mitmenschen die wichtigsten Gebote sind und alle Forderungen an den Menschen zusammenfassen. Das entspricht griechischer Tradition: Frömmigkeit gegenüber Gott

---

1 Josephus vergleicht die Pharisäer mit Stoikern (vita 12), Essener mit Pythagoräern (ant 15,371 = XV, 10,4): Auch die Pythagoräer bildeten eine Art »Geheimbund« und hatten das Ideal der Gütergemeinschaft.

2 Die Kyniker (so genannt nach dem Spitznamen des Diogenes in der Tonne »Kyon« = Hund) lehrten Bedürfnis- und Schamlosigkeit, d.h. das demonstrative Abweichen von den üblichen Sitten. Im 1. Jahrhundert n.Chr. gab es viele kynische Bettelphilosophen, die mit struppigem langem Bart, schmutzigem Mantel, Ranzen und Knotenstock das Römische Reich durchwanderten.

3 Mt 10,10. Wenn Jesus lehrt, daß die Jünger ohne Rucksack und Stock wandern sollen, unterscheidet er seine Jünger vielleicht bewußt von kynischen Wanderphilosophen, mit denen sie schnell verwechselt werden konnten.

und Gerechtigkeit gegenüber den Menschen gelten in ihr als die wichtigsten Tugenden.[4]

Für das Verhältnis zu anderen Menschen ist ihm die »Goldene Regel« Richtschnur: Handelt gegenüber anderen so, wie ihr von ihnen behandelt werden wollt. Diese Regel ist in der ganzen Welt verbreitet. Viele Weise vertreten sie.[5]

Erleidet man Unrecht durch andere Menschen, so sagt er: Wenn dich jemand auf die Backe schlägt, halte ihm auch die andere hin.[6] Er ist also der Meinung des Sokrates, man solle lieber Unrecht leiden als Unrecht tun.[7]

Er lehrt ferner: Seine Feinde solle man lieben. Denn auch Gott lasse seine Sonne über Gute und Böse scheinen. Ähnlich schreibt Seneca: Wenn du die Götter nachahmen willst, erweise auch Undankbaren Wohltaten, denn auch für Verbrecher geht die Sonne auf und für Piraten stehen die Meere offen![8]

Wenn man andere Unrecht tun sieht, solle man nicht vorschnell verurteilen. Niemand sei vollkommen. Jeder stehe in der Gefahr, den Splitter im Auge des Bruders zu sehen, den Balken im eigenen Auge aber zu leugnen.[9]

Über den Besitz lehrt er, daß wir nicht nur bereit sein sollen, uns äußerlich von ihm zu trennen. Wir sollen auch innerlich frei von ihm wer-

---

4 Vgl. Mk 12,28–34. Jüdische Schriftgelehrte und Jesus sind sich in dieser Lehre einig, wie die Geschichte zeigt. Ähnliche Zusammenfassungen finden sich z.B. Testament Issaschar 5,2: »Liebet den Herrn und den Nächsten«. Daß Frömmigkeit gegen die Götter und Gerechtigkeit gegen Menschen die wichtigsten Tugenden waren, zeigen Xenophon Memorabilien IV, 8,11; Philo spec. leg. II, 63.

5 Die »Goldene Regel« ist in der ganzen Antike fast sprichwortartig verbreitet. Wir finden sie schon vor Jesus in jüdischen Schriften; vgl. Tobit 4,15; Aristeasbrief 207.

6 Mt 5,39

7 Zur Lehre des Sokrates vgl. Platon, Kriton 49Aff. Von Sokrates wird folgende Anekdote überliefert: »Sokrates aber, als ihn Aristokrates getreten hatte, vergalt ihm oder tadelte ihn mit nichts anderem, als daß er zu den Vorübergehenden sagte: Dieser Mann ist krank an der Krankheit der Maultiere« (Themistios: Über die Tugend 46). Der Philosoph Epiktet lehrte, daß der kynische Wanderphilosoph »sich treten lassen müsse wie ein Hund und unter den Tritten eben die, die ihn treten, auch noch lieben müsse wie ein Vater aller, wie ein Bruder« (Epiktet, Gespräche III, 22,54).

8 Seneca, beneficiis IV, 26,1. Seneca schränkt im folgenden allerdings ein: Gott kann dem Würdigen manche Gaben nicht zuteil kommen lassen, ohne sie nicht auch automatisch den Unwürdigen mitzuteilen (beneficiis IV, 28,1).

9 Mt 7,3–5

den, indem wir die Sorgen überwinden, mit denen er uns an sich fesselt.[10] Seine Lehre erinnert an Diogenes in der Tonne, der allen Besitz verachtete.

Über aggressive Handlungen lehrt er, daß nicht nur schuldig ist, wer jemanden tötet, sondern auch wer einen anderen haßt. Das erinnert an die Lehre des Philosophen Kleanthes. Schon wer die Absicht habe zu rauben und zu töten, sei ein Räuber. Das Böse beginne mit der Absicht.[11]

Über den Ehebruch lehrt er, daß man nicht erst die Ehe bricht, wenn man mit einer anderen Frau schläft, sondern schon, wenn man mit ihr schlafen möchte. Auch das erinnert an Kleanthes: Wer eine Begierde in sich zulasse, werde bei passender Gelegenheit auch die Tat tun.[12]

Über die Aufrichtigkeit lehrt er, jedes unserer Worte müsse so wahr sein, als hätten wir einen Eid geschworen. Den Eid lehnt er ab. Ähnlich lehrt Epiktet: Den Eid solle man, wenn möglich, ganz vermeiden![13]

Über die Reinheit sagt er, daß es keine reinen und unreinen Gegenstände gibt, sondern nur innere Haltungen, die etwas rein oder unrein machen.[14] Dazu sei an einen dem Phokylides zugeschriebenen Ausspruch erinnert: Nicht Reinigungen machen den Körper rein, sondern die Seele.[15]

Über das Gebet lehrt er, daß viele Worte überflüssig sind. Denn Gott weiß im voraus, was die Menschen brauchen.[16]

Über Spenden lehrt er, man solle nicht geben, um Ansehen bei den Menschen zu erlangen, sondern so, als wüßte die linke Hand nicht, was die rechte tut.[17]

Über religiöse Fastenbräuche lehrt er, man solle sie nicht einhalten, weil die anderen Menschen sie erwarten, sondern im Verborgenen, wo nur Gott hinsieht.[18]

10 Mt 6,25ff
11 Vgl. Mt 5,21f. Kleanthes lehrte: »Ein Räuber ist, schon ehe er seine Hand mit Blut befleckt, wer sich zum Morden wappnet und die Absicht zu rauben und zu töten hat. Durchgeführt und offenbar gemacht wird die Schlechtigkeit durch die Tat, aber nicht begonnen« (zit. n. M. Pohlenz: Stoa und Stoiker, Zürich 1950, S. 128).
12 Mt 5,27ff. Vgl. Kleanthes, Fragment Nr. 573.
13 Epiktet, Handbüchlein der Moral 33,5
14 Mk 7,15
15 Im 1. Jh. v.Chr. dichtete ein hellenistischer Jude unter dem Namen des Phokylides Sprüche; Nr. 228 lautet: »Die Reinigungen machen nicht den Körper rein, sondern allein die Seele.«
16 Vgl. Mt 6,5ff
17 Vgl. Mt 6,1ff
18 Vgl. Mt 6,16ff

Über den Sabbat lehrt er, man dürfe ihn brechen, wenn man helfen kann oder wenn ein dringender Grund vorliegt.[19] Soweit klang alles harmlos. Manches mußte den Römern sympathisch sein. Etwa die Bereitschaft, sich nicht streng an die Sabbatregeln zu halten. Zu vielen Punkten gab es ähnliche Ansichten bei Griechen und Römern. Jesus war gut getarnt. Zu gut! Das Bild von ihm war zu harmlos. Metilius würde fragen: Und warum regt man sich über diesen sanften Wanderphilosophen auf? Warum erregt er solchen Widerspruch? Ich mußte, um glaubhaft zu erscheinen, auch über provokative Züge seiner Verkündigung berichten.

Damit betrat ich ein schwieriges Feld: Provokativ war die Forderung Jesu, Verhalten und Einstellung radikal zu ändern, weil mit der Gottesherrschaft alles anders werde. Wie konnte ich das einem Römer klar machen, für den nicht die Herrschaft Gottes, sondern die Herrschaft Roms das Ziel der Weltgeschichte war? Natürlich glaubten auch die Römer an die Herrschaft der Götter. Wo Römer herrschten, herrschten römische Götter. Aber daß einmal die Herrschaft eines fremden Gottes kommen solle, um alle anderen Herrschaften abzulösen – das war für sie ein fremder Gedanke. Das war Aufruhr und Rebellion. Ich nahm mir daher vor, mich über die Gottesherrschaft ganz vage auszudrücken und fuhr fort zu schreiben:

Jesus lehrt seine Gebote, um die Menschen der Herrschaft Gottes zu unterstellen. Er meint, daß die Gottesherrschaft im Verborgenen vorhanden ist. Sie breitet sich in den Herzen der Menschen aus. Sie führt zu einer neuen Beurteilung der Mitmenschen, die von den üblichen Urteilen abweicht.

Die gängige Meinung ist: Kinder sind weniger wert als Erwachsene. Jesus aber sagt: »Laßt die Kinder zu mir kommen, denn ihnen gehört die Gottesherrschaft.« Nach ihm kommen Erwachsene nur in sie hinein, wenn sie wieder wie Kinder werden.[20]

Die gängige Meinung ist, daß man Zöllner und Prostituierte verachten muß. Jesus aber sagt: »Zöllner und Prostituierte werden vor anderen in die Gottesherrschaft kommen.«[21]

19 Vgl. Mk 3,1ff; 2,23ff; Lk 13,10ff; 14,1ff
20 Vgl. Mk 10,13–16; Mt 18,3
21 Mt 21,31

Die gängige Meinung ist, daß Ausländer und Ungläubige schlechte Menschen und von der Gottesherrschaft ausgeschlossen sind. Jesus aber sagt: Viele Fremde werden mit Abraham, Isaak und Jakob in der Gottesherrschaft zu Tisch liegen.[22]

Die gängige Meinung verachtet sexuell impotente und kastrierte Menschen. Jesus aber sagt: Es gibt Kastrierte von Geburt, durch menschlichen Eingriff und um der Gottesherrschaft willen. Er verachtet sie nicht.[23]

Die gängige Meinung ist, daß Menschen ohne Durchsetzungsvermögen nichts gelten, weil sie immer zu kurz kommen. Jesus aber sagt: Glücklich sind die Sanftmütigen, denn sie werden das Land besitzen.[24]

Ich glaube, ich hatte genug provozierende Aussagen gesammelt, um manche Aufregung um Jesus verständlich zu machen. Zugegeben, es waren Provokationen, die den Römern nicht weh taten. Um die Harmlosigkeit Jesu zu betonen, fügte ich abschließend hinzu:

Viele Sprüche Jesu erinnern an die Lehren bekannter Philosophen. So wenig die griechischen und römischen Philosophen für den Staat eine Gefahr darstellen, so wenig stellt Jesus eine Gefahr für ihn dar.

Ich las meinen Bericht noch einmal durch. War er zutreffend? Zweifellos! Alles was ich niedergeschrieben hatte, basierte auf Informationen über Jesus. Aber klang mein Bericht auch harmlos genug, um keinen unnötigen Verdacht gegen Jesus zu wecken?

Angenommen, jemand wollte Jesus bei den Römern denunzieren, so hätte er leichtes Spiel. Er mußte nur all das berichten, was ich verschwieg.

Ich verschwieg Jesu negative Äußerungen über die Familie: Daß er die Pflicht zum Begräbnis des eigenen Vaters verächtlich machte mit Worten wie »Laß die Toten ihre Toten begraben!«[25] Bei meinen ganzen Studien hatte ich nirgendwo eine Analogie zu diesem harten Wort gefunden!

Ich verschwieg, daß Jesus staatliche Herrschaft als Unterdrük-

22 Vgl. Mt 8,11f
23 Vgl. Mt 19,10–12
24 Vgl. Mt 5,5
25 Vgl. Mt 8,21–22

kung und Ausbeutung anprangerte: »Die Herrscher unterdrük-
ken ihre Völker und mißbrauchen ihre Gewalt über sie. So aber
soll es nicht unter euch sein!« War es nicht aufschlußreich, daß
ich auch zu solchen Aussagen keine Analogien fand? Nirgendwo
ein Wort, das sagte: Wer der Erste sein will, soll der Letzte und
Sklave aller sein![26] Nirgendwo eine Aussage, die in ähnlicher Weise die Grundlage des Staates in Frage stellte!

Ich verschwieg Jesu Kritik an unseren religiösen Institutionen:
Jesus hatte geweissagt, daß der jetzige Tempel verschwinden werde. Ein neuer, von Gott geschaffener Tempel würde an seine Stelle treten![27] Deutlicher konnte man nicht sagen, daß die jetzigen
Priester und Tempelbeamten Gott gegen sich hatten! Diese Angriffe gegen den Tempel waren Angriffe gegen die wichtigsten Institutionen unserer Religion!

Reichte all das nicht aus, um Jesus verhaften zu lassen? Er war
kein harmloser Wanderphilosoph! Er machte nicht direkt Rebellion. Aber er war ein Prophet, der davon durchdrungen war, daß
Gott bald eine große Rebellion gegen die Herren dieser Welt machen würde. Reichte das nicht für Verhaftung und Todesurteil?

Zweifellos: Jesus war gefährdet. Um so mehr spürte ich das Bedürfnis, ihn zu schützen. Er lehnte Gewalt ab. Er predigte keinen
Haß gegen die Römer. Die Zeloten hielten Distanz zu ihm. Zwar
war er ein Rebell. Aber er rebellierte wie Johanna, nicht wie Barabbas. Gewiß kamen scharfe Worte aus seinem Mund. Aber noch
einprägsamer waren seine Geschichten: kleine Dichtungen voll
Güte und Menschlichkeit. Über sie könnte ich für Metilius noch
etwas aufschreiben. Der interessierte sich ja für Bücher und Literatur. Also setzte ich mich noch einmal hin und begann auf einem neuen Papyrusblatt mit der Überschrift:

ÜBER JESUS ALS DICHTER

Jesus ist ein Bauerndichter, der die jüdische Literatur um wunderbare
kleine Geschichten bereichert hat. Diese Geschichten setzen beim Hörer keine städtische Bildung voraus. Sie erzählen von Saat und Ernte, Suchen und Finden, Vätern und Söhnen, Herren und Sklaven, Gastgebern

26 Vgl. Mk 10,42–43
27 Vgl. Mk 14,58

und Gästen. Obwohl sie aus dem gewöhnlichen Leben stammen, wollen sie etwas Ungewöhnliches sagen: Daß Gott ganz anders ist, als wir uns ihn vorstellen. Seine Geschichten sind Gleichnisse für das Verhältnis von Gott und Mensch.

Daß Jesus seine Lehre in Erzählungen kleidet, hängt mit der Überzeugung unseres Volkes zusammen, daß man sich von Gott kein Bild machen kann. Man kann ihn nur mit etwas anderem vergleichen. Und auch das ist oft unangemessen. Denn kein einzelnes Ding, kein Mensch, kein Wesen kann als Gleichnis Gottes dienen – nur ein Geschehen kann etwas von ihm anschaulich machen. Nur Geschichten können Gleichnisse von ihm sein.

Das hängt mit einer zweiten Überzeugung zusammen. Wir glauben, daß wir Gott nur finden können, wenn wir unsere Einstellungen verändern. Gleichnisse von Gott sind daher Geschichten, in denen sich etwas verändert; oder genauer: Gleichnisse sind Geschichten, in die der Hörer so verwickelt wird, daß er sich ändert. Nur dann wird er etwas von Gott spüren.

Andere Völker erzählen von ihren Göttern Mythen, die in eine andere Welt hineinführen. Wir aber erzählen unsere eigene Geschichte. Wir erzählen von Geschehnissen in dieser Welt. Auch Jesus erzählt vom alltäglichen Leben der Menschen. Er meint, daß Gott in diesem alltäglichen Leben nahe ist. Er will für ihn die Augen öffnen.

Wollte man Jesus in die allgemeine Literaturgeschichte einordnen, so wäre er in der Nähe der Fabeldichter zu suchen. Auch sie erzählen kurze Geschichten, die für jedermann verständlich sind. Auch ihre Erzählungen sind bildlich gemeint. Manchmal hat Jesus Fabeln neu gestaltet. Ich nenne ein Beispiel: die Fabel vom unfruchtbaren Baum. Ein Vater tadelt seinen Sohn, weil er nichts taugt, und erzählt ihm folgende Fabel:

»Mein Sohn, du bist wie ein Baum, der keine Früchte brachte, obwohl er beim Wasser stand, und sein Herr war genötigt, ihn abzuhauen. Er aber sagte zu ihm: Verpflanze mich, und wenn ich auch dann keine Frucht bringe, so haue mich ab. Sein Herr sagte jedoch zu ihm: Als du am Wasser standest, brachtest du keine Frucht, wie willst du Frucht bringen, wenn du an anderer Stelle stehst?«[28]

Bei Jesus wird daraus folgende Geschichte:

»Ein Mann hatte in seinem Weinberg einen Feigenbaum; aber als er Früchte suchte, fand er nie etwas daran. Schließlich sagte er zum Gärtner: ›Sieh her, drei Jahre warte ich nun schon darauf, daß dieser Feigenbaum Früchte trägt, aber ich finde keine. Hau ihn um, was soll er

28 Diese Fabel findet sich im sog. Achikar-Roman, der schon in vorchristlicher Zeit in vielen Fassungen verbreitet war.

für nichts und wieder nichts den Boden aussaugen?‹ Aber der Gärtner meinte: ›Herr, laß ihn doch noch ein Jahr stehen. Ich will den Boden ringsherum gut auflockern und düngen. Vielleicht trägt er nächstes Jahr Früchte. Wenn nicht, dann laß ihn umhauen.‹«[29] Anders als in den Fabeln sprechen in den Gleichnissen Jesu keine Pflanzen und Tiere. Nur Menschen sprechen. Ein weiterer Unterschied ist: Viele Fabeln versuchen, die Menschen auf die Härte des Lebens einzustimmen. Sie sagen: Wenn man nicht aufpaßt, geht man zugrunde, wird gefressen oder übers Ohr gehauen. In den Gleichnissen Jesu haben die Menschen eine Chance, auch dann, wenn andere schon über sie das Todesurteil gesprochen haben.

Ein andermal hat Jesus das Motiv vom Vater und den zwei Söhnen zu einer neuen Erzählung gestaltet. Zunächst eine Variante des Motivs bei unserem Philosophen Philo:

»Ein Vater hatte zwei Söhne, einen guten und einen bösen. Der Vater aber wollte den bösen segnen, nicht weil er den bösen dem guten vorzog, sondern weil er wußte, daß der gute schon durch sich selbst eines Segens würdig war. Der Böse aber hatte als einzige Hoffnung auf ein gelungenes Leben die Weissagung des Vaters. Ohne sie mußte er zum unglücklichsten aller Menschen werden.«[30]

Es kursieren noch andere Fassungen dieses Motivs. Immer zieht der Vater den schlechteren dem besseren Bruder vor. Jesus hat aus solchem Stoff eine seiner schönsten Dichtungen geschaffen:

Ein Mann hatte zwei Söhne. Und der jüngere von ihnen sagte zum Vater: Vater, gib mir den Teil des Vermögens, der mir zukommt! Da verteilte er seinen Besitz unter sie. Bald danach nahm der jüngere Sohn alles mit sich und zog in ein fernes Land. Dort vergeudete er sein Vermögen durch ein zügelloses Leben. Nachdem er alles durchgebracht hatte, kam eine schreckliche Hungersnot über das Land, und er fing an, Mangel zu leiden. Und er ging hin und machte sich von einem der Bürger jenes Landes abhängig; der schickte ihn auf seine Felder, Schweine zu hüten. Vor Hunger hätte er gerne seinen Bauch mit den Schoten gefüllt, die die Schweine fraßen; aber niemand gab sie ihm. Da ging er in sich und sprach: Wieviele Tagelöhner meines Vaters haben Brot im Überfluß, ich aber komme hier vor Hunger um! Ich will mich aufmachen und zu meinem Vater gehen und zu ihm sagen: Vater, ich habe gesündigt gegen den Himmel und vor dir; ich bin nicht mehr wert, dein Sohn zu heißen; stelle mich als einen deiner Tagelöhner ein! Und er machte sich auf und ging zu seinem Vater. Als er aber

29 Vgl. Lk 13,6–9
30 Philo, quaest. in Gen. IV, 198

noch fern war, sah ihn sein Vater und fühlte Erbarmen, lief hin, fiel
ihm um den Hals und küßte ihn. Der Sohn aber sprach zu ihm: Vater,
ich habe gesündigt gegen den Himmel und vor dir; ich bin nicht mehr
wert, dein Sohn zu heißen. Doch der Vater sagte zu seinen Knechten:
Bringet schnell das beste Kleid heraus und zieht es ihm an und gebt
ihm einen Ring an die Hand und Schuhe an die Füße, und holt das gemästete Kalb, schlachtet es und lasset uns essen und fröhlich sein!
Denn dieser mein Sohn war tot und ist wieder lebendig geworden, er
war verloren und ist wiedergefunden worden. Und sie fingen an, fröhlich zu sein. Sein älterer Sohn aber war auf dem Felde; und als er kam
und sich dem Haus näherte, hörte er Musik und Reigentanz. Und er
rief einen der Knechte herbei und erkundigte sich, was das sei. Der
aber sagte ihm: Dein Bruder ist gekommen, und dein Vater hat das gemästete Kalb geschlachtet, weil er ihn gesund wieder hat. Da wurde er
zornig und wollte nicht hineingehen. Doch sein Vater kam heraus
und redete ihm gut zu. Er aber erwiderte dem Vater: So viele Jahre die-
ne ich dir und habe nie ein Gebot von dir übertreten; und mir hast du
nie einen Bock gegeben, damit ich mit meinen Freunden fröhlich wäre. Nun aber dieser dein Sohn gekommen ist, der deine Habe mit Prostituierten aufgezehrt hat, hast du ihm das gemästete Kalb geschlachtet. Da sagte er zu ihm: Kind, du bist alle Zeit bei mir, und alles, was
mein ist, ist dein. Du solltest aber fröhlich sein und dich freuen; denn
dieser dein Bruder war tot und ist lebendig geworden, und war verloren und ist wiedergefunden worden.«[31]
Jesus hat in dieser Art viele Gleichnisse von Gott und den Menschen erzählt. Sie lehren, daß Gott anders ist, als wir ihn uns vorstellen, und daß
sich der Mensch deshalb ganz anders verhalten darf, wenn er in Übereinstimmung mit Gott handeln will. Aus all diesen Gleichnissen geht hervor, daß Jesus ein Dichter ist, der zu Liebe und Toleranz ermahnt. Seine
Gleichnisse und Sprüche werden noch lange gelesen und geliebt werden.

Alles, was ich über Jesus geschrieben hatte, stimmte. Er war ein
Wanderphilosoph und Dichter. Aber mir war klar: Er war mehr. Er
war ein Prophet. Und das war schwer, Ausländern klarzumachen.
Sie stellten sich unter einem Propheten jemanden vor, der Voraussagen über die Zukunft macht. Solche Propheten hatten auch
andere Völker. Aber unsere Propheten waren etwas Einzigartiges.
In welchem Volk gab es Propheten, die dem eigenen Volk den Un-

31 Lk 15,11–32

tergang androhten? Welches Volk glaubte an einen Gott, neben dem es keinen anderen gab? Die Einzigartigkeit unserer Propheten hing mit der Einzigkeit unseres Gottes zusammen! Darüber mußte ich immer wieder nachdenken! Hier lag vielleicht der Schlüssel zum Verständnis Jesu!

Nur unser Gott verlangte gleichzeitig mit seiner Verehrung Abwendung von allen anderen Göttern. Nur unser Gott verlangte mit seiner Anerkennung eine radikale Veränderung unseres Verhaltens.

Überall in der Welt setzen sich die Starken durch. Unser Gott aber hat Schwache erwählt: Er hat flüchtenden Sklaven aus Ägypten geholfen und sie zu seinem Volk gemacht. Er hat den in Babylon deportierten Kriegsgefangenen beigestanden. Hinwendung zu diesem Gott bedeutet: Hinwendung zu den Armen und Schwachen. Und deswegen fühlen sich die Starken und die Herrscher von unserem Gott bedroht und hassen uns.

Selbst wenn es mir gelänge, Metilius klarzumachen, daß Jesus ein Prophet dieses Gottes war, – mußte er Jesus nicht erst recht ablehnen? Mußte er nicht aus unseren Schriften gelernt haben, daß Propheten immer in die Politik eingegriffen haben? Mußte er nicht merken: Wenn Jesus ein Prophet war, dann war er für Politiker gefährlich!

Was haben denn die Propheten getan? Sie haben unser Volk dazu getrieben, den einen und einzigen Gott anzuerkennen und unser Verhalten zu ändern. Sie taten es, wie man Kinder erzieht: durch Androhung von Strafen und durch Verheißungen. Sie waren dabei schroff und unerbittlich.

Auch Jesus drohte mit einem Strafgericht über diese Welt. Ein geheimnisvoller »Mensch« werde alle Menschen richten. Dies Gericht würde plötzlich und unvorhersehbar über diese Welt hereinbrechen – nicht nur über die Bösewichter und Schurken, sondern über die normal dahinlebende Welt:

Wie in den Tagen Noahs, so wird es sein in den
Tagen des Menschen:
Sie aßen, sie tranken, sie heirateten und
ließen sich heiraten,
bis zu dem Tag, an dem Noah in die Arche stieg

und die Flut kam und alle vernichtete.
Ebenso wie in den Tagen Lots:
Sie aßen, sie tranken, sie kauften und verkauften,
pflanzten und bauten.
An dem Tag aber, an dem Lot aus Sodom ging,
regnete es Feuer und Schwefel vom Himmel
und vernichtete alle.[32]

Dieses Gericht sollte jeden einzelnen treffen, nicht bestimmte Gruppen oder Völker. Es würde Menschen trennen, die eng zusammen lebten.

In jener Nacht werden zwei auf einem Bett liegen,
der eine wird mitgenommen,
der andere wird liegengelassen.
Zwei werden an einer Mühle arbeiten,
die eine wird mitgenommen,
die andere wird zurückgelassen![33]

Dies Gericht mußte tief beunruhigen. Jeder einzelne mußte sich fragen: Was soll ich tun? Wie kann ich bestehen? Nach Jesus gab es nur einen Maßstab im Gericht: ob man anderen Menschen geholfen hatte oder nicht. Am Ende würde der »Mensch« alle Völker richten – und er würde nicht fragen, welche Religion oder Philosophie oder Hautfarbe man hat. Er würde zu denen, die im Gericht bestehen, sagen:

Kommt her, ihr Gesegneten meines Vaters
und erbt die Herrschaft!
Denn ich war hungrig und ihr habt mir
zu essen gegeben.
Ich war durstig, und ihr habt mir
zu trinken gegeben.
Ich war fremd, und ihr habt mich beherbergt.
Ich war nackt, und ihr habt mich bekleidet.
Ich war krank, und ihr habt mich gepflegt.
Ich war im Gefängnis, und ihr habt mich besucht.[34]

32 Lk 17,26–30. Der »Mensch« ist eine himmlische Gestalt, sie löst nach Dan 7 die Reiche der »Tiere« ab.
33 Lk 17,34–35
34 Die folgenden Zitate aus Mt 25,31–46

Zweifellos: Jesus drohte wie alle Propheten. Aber er tat es auf eine eigentümliche Weise. Er drohte nicht mit dem Gericht Gottes, sondern mit dem Gericht eines geheimnisvollen »Menschen«. Keiner war sicher, vor ihm zu bestehen. Aber jeder hatte eine Chance. Denn der Richter legte als einzigen Maßstab an, ob man anderen Menschen geholfen hatte, nicht um im Gericht belohnt zu werden, nicht, weil man diesem geheimnisvollen »Menschen« dienen wollte, sondern nur, um zu helfen. Die Gerechten würden nämlich erstaunt im Gericht antworten:

Herr, wann haben wir dich hungrig gesehen und gespeist?
Wann haben wir dich durstig gesehen und getränkt?
Wann sahen wir dich als Fremden und haben dich beherbergt?
Wann sahen wir dich nackt und haben dich gekleidet?
Wann sahen wir dich krank oder im Gefängnis
und haben dich besucht?
Und der König würde antworten und sagen:
Wahrlich ich sage euch:
Was ihr einem meiner geringsten Brüder getan habt,
das habt ihr mir getan.

Konnte man das einem Römer klarmachen? Konnte man ihm verständlich machen, was selbst viele in unserem Volk nicht verstanden? Würden sich die Römer nicht tief beunruhigt fühlen, wenn sie hörten: Ein »Mensch« werde über alle Menschen richten – auch über die Römer! Ein »Mensch« werde jede Verletzung, jede Erniedrigung und Unterdrückung der Menschen so richten, als wäre sie ihm widerfahren? Es war klar: Diese Gerichtspredigt Jesu mußte vor den Römern verheimlicht werden.

Und wie war es mit den Verheißungen? Wie die meisten Propheten versprach Jesus eine Wende zum Besseren und machte Hoffnung. Viele glaubten damals, Ungerechtigkeit und Elend zeigten, daß Gott seine Herrschaft über die Welt an den Satan abgetreten habe. Das Böse herrschte in der Welt. Es stecke hinter den vielen Besessenen, die kein menschenwürdiges Leben führen könnten. Es stecke hinter der Unterdrückung durch fremde Soldaten. Es stecke hinter allem, was dem Menschen Schaden zufügt. Jesus aber machte Hoffnung, daß die Herrschaft des Bösen überwunden wird. Er sagte:

Ich sah den Satan wie einen Blitz vom Himmel fallen.
Und siehe: Ich gebe euch Macht,
auf Schlangen und Skorpione zu treten
und jede Macht des Bösen –
und nichts kann euch Schaden zufügen.[35]

Die meisten Menschen waren wie gebannt vom Bösen. Sie sagten: Ist nicht die Welt voll Kampf und Krieg? Zeigen die Kriege nicht, daß das Böse herrscht? Jesus aber gab eine andere Deutung. In der Welt kämpfe das Böse mit dem Bösen. Eben das sei ein Zeichen, daß das Böse zugrunde gehe.

Wenn ein Reich in sich gespalten ist,
wie kann jenes Reich sich behaupten?
Und wenn ein Haus in sich gespalten ist,
wie kann jenes Haus bestehen?
Und wenn sich der Böse gegen den Bösen auflehnt
und mit sich entzweit ist,
so kann er nicht bestehen
und es hat ein Ende mit ihm![36]

An die Stelle der Herrschaft des Bösen werde die Gottesherrschaft treten: Sie verwirkliche sich, wo das Böse seine Macht über Menschen verliert, wo Dämonen ausgetrieben und Kranke gesund, wo Hungernde satt und Verzweifelte getröstet werden. Sie beginne, wo Menschen alles liegenlassen, um sich auf diese große Wende einzustellen.

Denn die Gottesherrschaft ist wie ein verborgener
Schatz im Acker, den ein Mensch findet,
und er verbirgt ihn. Voll Freude geht er hin
und verkauft alles, was er hat, und kauft jenen Acker.
Es verhält sich mit ihm wie mit einem Kaufmann,
der gute Perlen sucht. Als er eine überaus
kostbare Perle findet, geht er hin und verkauft
alles, was er hat, und kauft sie.[37]

35 Lk 10,18f
36 Mk 3,24–26
37 Mt 13,44–46

Jesus war mehr als ein Wanderphilosoph und Dichter. Jesus war ein Prophet, ein einzigartiger Prophet. Die meisten drohen mit dem Gericht Gottes, weil geltende Maßstäbe verletzt werden. Bei Jesus war das anders. Bei ihm sollten Menschen zur Herrschaft kommen, die nach geltenden Maßstäben nichts wert waren: Kinder, Fremde, Arme, Sanfte und Kastrierte. Hier sollte nur ein Maßstab gelten: Wie man sich gegenüber diesen Menschen verhalten hat, ja gegenüber allen, die auf Hilfe angewiesen sind. Jesus war ein einzigartiger Prophet.

Oder war Jesus mehr als ein Prophet? Hatte sich Jesus nicht mit dem Propheten Jona und dem Weisheitslehrer Salomo verglichen und gesagt: Hier ist mehr als Jona! Hier ist mehr als Salomo![38] Hatte er nicht glücklich die gepriesen, die erlebten, was Propheten und Könige ersehnt hatten?[39] Mußte das, was sie ersehnt hatten, nicht alle Propheten und Könige übertreffen? Stimmte also das Wort Jesu: Gesetz und Propheten gelten bis Johannes. Von da an wird die Gottesherrschaft erobert?[40] Begann mit Jesus etwas Neues, das selbst die Propheten übertraf?

Das Volk raunte sich zu: Er ist der Messias! Konnte er der Messias sein? Nichts deutete darauf hin, daß er die Römer mit Gewalt vertreiben wollte! Aber strebte er nicht nach der Herrschaft? Nur weniges war durchgesickert. Er muß seinen Jüngern tatsächlich versprochen haben, daß sie auf zwölf Thronen sitzend mit ihm zusammen Israel regieren würden![41] Gerüchtweise hatte ich auch gehört, es habe ein Gerangel im Jüngerkreis darüber gegeben, wer die Ehrenplätze zu seiner Rechten und Linken einnehmen durfte.[42] Aber Jesus habe solche Überlegungen schroff zurückgewiesen. In der neuen Herrschaft Gottes gebe es keine Hierarchie. Wer der erste dort sein wolle, sei der Sklave aller! Wohl aber gebe es ein wiederhergestelltes Volk: Die zwölf Stämme Isra-

38 Mt 12,41–42
39 Vgl. Lk 10,23–24
40 Vgl. Mt 11,12–13 / Lk 16,16
41 Vgl. Mt 19,28 und Lk 22,29f. Diese Verheißung an die »Zwölf Jünger« hat kaum nach Ostern entstehen können: Nach dem Verrat des Judas ist schwer vorstellbar, daß man eine Verheißung erfindet, die auch ihm als einem der Zwölf die Herrschaft über Israel zuspricht.
42 Mk 10,35–45

els würden wieder gesammelt. Sie würden – zusammen mit den
Heiden – von allen vier Windrichtungen nach Palästina strömen.
Ein neuer Tempel würde im Mittelpunkt des Reiches stehen. Es
würde ein großes Freudenmahl geben. Die Armen würden reich,
die Hungernden satt, die Trauernden voll Freude sein.
Dies und ähnliches raunte man sich zu. Aber es blieb geheim-
nisvoll. Klar war nur: Jesus würde bei der großen Wende mit seinen Jüngern eine entscheidende Rolle spielen. Vielleicht würde
er jener Menschensohn sein, von dem er hin und wieder sprach.
Jetzt zog er mit seiner Schar durch das Land wie die Partisanen-
truppe eines anderen Reiches. Einmal nannte er seine Jünger sogar Räuber, die mit Gewalt die Gottesherrschaft an sich rissen.[43]
Kein Wunder: Für das Volk war er in die Rolle des Messias getreten!

Ich aber wollte ihn nur als Wanderphilosophen und Dichter
den Römern vorstellen! Ich wollte den Propheten verbergen, ganz
zu schweigen von jener Gestalt, die Jesus in den Sehnsüchten
und Hoffnungen des Volkes geworden war! Aber wenn er nun als
Prophet auftrat? Wenn die Römer ihn anders kennenlernen sollten, als ich ihn dargestellt hatte?

Welche Rolle spielte er wirklich? Es blieb ein Geheimnis. Wüßte ich wenigstens, welche Rolle er in meinem Leben einnahm?
Schon lange war er nicht mehr nur das Untersuchungsobjekt
meiner Nachforschungen. Sonst wäre mir der Gedanke nicht so
unerträglich, er könne durch meine Nachforschungen in die
Hände der Römer fallen – genauso unerträglich wie die Vorstellung, ich könnte durch meine Tätigkeit Barabbas gefährden. Mit
beiden hätte ich ein Stück meiner selbst verraten und ausgeliefert!

Was suchte ich eigentlich bei Jesus? Bei meiner Lektüre griechischer und römischer Literatur war mir der Gedanke gekommen: Vielleicht suche ich tatsächlich eine Lehre für alle Menschen, für Juden und Heiden. Bot Jesus nicht solch eine Lehre?
War nicht auch Griechen verständlich, was er als Wanderphilosoph verkündigte? Und verstanden nicht auch die Römer, was er
als Dichter erzählte? Lag vielleicht eine Absicht dahinter, wenn

43 Mt 11,12

Jesus die Gebote relativierte, die uns von anderen Völkern trennen: die Sabbat- und Reinheitsgebote? Und wenn er gleichzeitig
Gebote verschärfte, die uns mit allen verbinden: das Verbot des
Tötens, der Untreue, des Meineids? Dieser Prophet war verständlich für alle, aber er war tief in unserem Volk verwurzelt. Alles was
er sagte und tat, geschah im Namen Gottes, der die Schwachen
und Ausgestoßenen erwählt hatte und mächtiger als Pharaonen
und Herrscher war!

Konnte Jesus meine Probleme lösen? Probleme, die alle aus
Vorurteilen und Spannungen zwischen Juden und Heiden entstanden! Lebte ich nicht auf der Grenze zwischen den Fronten? Irgendwo zwischen Pilatus und Barabbas? Zwischen Heiden und
Juden? In diesem Grenzgebiet war ich in demütigende Abhängigkeit von den Römern geraten. Begegnete mir Jesus nicht gerade in
diesem Grenzgebiet – als ein freier Mensch, der sich selbst und
seinem Volk treu blieb?

Oder gab es auch bei ihm die Gefahr, daß sich einmal Leute auf
ihn berufen würden, die nur den Wanderphilosophen und Dichter sahen? Die nur sahen, was leicht über die Grenze unseres Volkes hinaus wirken konnte? Die Jesus gegen unser Volk ausspielen
würden? Die nicht mehr sehen wollten, daß er der Prophet eines
unterdrückten Volkes war!

Zum Glück mußte ich all diese Fragen nicht auf einmal klären.
Jetzt ging es nur darum, einen realistischen, aber harmlosen Bericht über Jesus an die Römer zu schicken. Da mir bewußt war,
daß ich nur die halbe Wahrheit sagte, fügte ich ein kurzes Schreiben an Metilius zu meinen Berichten, in dem ich beiläufig erklärte, mein Bericht sei ein Zwischenergebnis. Man könne noch
mehr über Jesus sagen. Dann versiegelte ich Berichte und Briefe.
Es traf sich gut, daß Baruch den Wunsch geäußert hatte, das Passafest in Jerusalem zu besuchen. Ihm konnte ich die Briefe an Metilius mitgeben. Er mochte glauben, es handle sich um Geschäfts-
briefe, in denen über die nächsten Kornlieferungen an die römischen Kohorten verhandelt würde.

Baruch bat um einen längeren Urlaub. Er hatte ein paar Wochen meine Arbeit getan, als ich mich durch Lektüre vieler Bücher gebildet hatte. Er war effektiv gewesen. Aber ich merkte, daß
seine Gedanken woanders waren.

»Wenn man als Essener einmal gelernt hat, den Reichtum zu verachten, fällt es schwer, Reichtum zu vermehren«, seufzte er. Ich merkte in meinen Gesprächen mit ihm, wie sehr er seine Gemeinschaft vermißte. Er wußte, daß sie ihn jetzt nie mehr aufnehmen würden. Er war ausgeschlossen. Aber er hatte noch keine neue Heimat gefunden. Auch nicht in unserer Familie.

Lieber Herr Kratzinger,

Sie machen mich auf einen interessanten Punkt aufmerksam: Andreas muß aus taktischen Gründen die »Einzigartigkeit« Jesu herunterspielen. Nun ist diese nach dem »Differenzkriterium« ausschlaggebend für die Unterscheidung von echter und unechter Jesusüberlieferung. Hätte ich Jesu Unvergleichlichkeit nicht von Anfang an stärker herausarbeiten müssen, anstatt seine Verkündigung durch viele Analogien zu relativieren?

Ich zweifle, daß das Differenzkriterium praktikabel ist. Wenn wir bei einem Jesuswort keine Abhängigkeit von jüdischen Traditionen erkennen können, folgt daraus nicht, daß es sie nicht gegeben hat. Jesus könnte von mündlichen Traditionen beeinflußt sein. Oder von Traditionen, die in verschollenen Schriften enthalten sind.

Das Differenzkriterium vernachlässigt zudem alles, was Jesus mit dem Judentum gemeinsam hat, als sei er – im Unterschied zu anderen Menschen – nicht aus seinem geschichtlichen Umfeld heraus zu verstehen. Das »Unableitbarkeitskriterium« (wie man das Differenzkriterium auch genannt hat) ist verkappte Dogmatik: Jesus scheint direkt aus dem Himmel ableitbar zu sein. Und diese Dogmatik hat antijüdischen Akzent: Unableitbar ist, was Jesus in Gegensatz zum Judentum bringt.

Lassen Sie mich daher das Differenzkriterium umformulieren: Anspruch auf Echtheit haben Jesustraditionen, wenn sie im Rahmen des damaligen Judentums historisch möglich sind, aber zugleich einen besonderen Akzent haben, der verständlich macht, daß sich später das Urchristentum aus dem Judentum heraus entwickelt hat. Nicht nur Jesus, das ganze Urchristentum ist aus dem Judentum »ableitbar«.

Im übrigen haben Sie recht, wenn Sie vermuten, daß die »Tarnung« Jesu als harmloser Wanderphilosoph und Bauerndichter auch »harmlose« moderne Jesusbilder kritisieren soll.

Ihr Echo war sehr erhellend. Ich freue mich auf Ihren nächsten Brief.

Herzlich Ihr
Gerd Theißen

15. KAPITEL

Tempel- und Sozialreform

Ein paar Tage, nachdem Baruch mit dem Bericht für Metilius aufgebrochen war, erreichte mich eine Nachricht, die alles veränderte. Ich mußte selbst so schnell wie möglich nach Jerusalem. Barabbas war zusammen mit zwei Zeloten inhaftiert worden. Bei der Festnahme hatten sie sich gewehrt. Ein römischer Soldat war schwer verwundet worden und seinen Verletzungen erlegen. Ich mußte sofort nach Jerusalem. Vielleicht konnte ich etwas für Barabbas tun, wenn ich bei Metilius Bericht erstattete. Ich mußte ihm helfen, ich verdankte ihm mein Leben.

Mit Timon und Malchos zog ich durch Samarien nach Judäa, ohne den Umweg über Peräa, den Baruch genommen hatte.[1] Ich wollte möglichst schnell vorwärts kommen, um noch vor dem Passa in Jerusalem zu sein.

Während der Reise grübelte ich, wie ich Barabbas helfen könnte. Sollte ich ihn als einen der Besonnenen unter den Zeloten hinstellen, den man schonen müsse? Sollte ich berichten, wie er für mich eingetreten war? Oder war es besser, von all dem zu schweigen? War es besser, sich für alle drei gefangenen Zeloten einzusetzen und meine Beziehungen zu Barabbas im Dunkeln zu lassen? Aber würden die Römer nicht in jedem Fall zur Vergeltung für den gestorbenen römischen Soldaten die Täter hinrichten? Hatten meine Bemühungen überhaupt Aussicht auf Erfolg? Diese Gedanken bewegten mich drei Tage lang auf dem Weg von Galiläa nach Jerusalem. Schließlich hatte ich eine Idee.

---

1 Nach Josephus gelangt man auf diesem Weg in drei Tagen von Galiläa nach Jerusalem (vita 269). Samarien wurde oft vermieden wegen der Spannungen zwischen Juden und Samaritanern. Auch Jesus zieht nach dem Markus- und Matthäusevangelium nicht durch Samarien nach Jerusalem (vgl. Mk 10,1; Mt 19,1). Nach dem Lukas- und Johannesevangelium reist er dagegen durch Samarien (vgl. Lk 9,51ff; Joh 4,1ff).

Sobald wir in Jerusalem angekommen waren, ließ ich mich bei Metilius anmelden. Er empfing mich in seinem Amtszimmer im Prätorium. Bei den Römern herrschte Alarmstimmung. Metilius machte einen gespannten Eindruck. Aber er begrüßte mich wie einen alten Bekannten.

»Du kommst gerade richtig. Wir müssen uns dringend mit diesem Jesus von Nazareth beschäftigen. Ich habe alles gelesen, was du geschrieben hast. Aber jetzt ist wieder etwas Neues geschehen, ein Zwischenfall im Tempelvorhof. Hast du schon gehört?«

»Ich bin gerade in Jerusalem eingetroffen!«

»Gestern hat Jesus den Tempelbetrieb gestört.«

Metilius ging unruhig auf und ab.

»Unsere Soldaten im Tempelvorhof berichten: Jesus sei mit einigen Anhängern in den Tempelhof gekommen, der Juden und Heiden zugänglich ist. Dort habe er für Aufregung gesorgt, indem er Opfertierverkäufer wegjagte, Tische umstieß und Handwerker daran hinderte, Geräte durch den Tempel zu tragen. Es war nur ein kleiner Zwischenfall. Unsere Soldaten haben seit der Geschichte mit dem Aquaedukt die Weisung, sich zurückzuhalten und jede Provokation zu vermeiden. Die jüdischen Tempelbehörden scheinen die Sache einigermaßen im Griff zu haben. Wenigstens kam es nach dem Zwischenfall noch zu Diskussionen zwischen ihnen und Jesus.«[2]

Ich überlegte fieberhaft, wie ich diesen Zwischenfall als ruppiges Auftreten eines Wanderphilosophen »verkaufen« könnte. Schon um meiner Glaubwürdigkeit willen mußte ich es versuchen:

»Wahrscheinlich hatten die provokativen Handlungen vor allem den Zweck, Diskussionen mit den Tempelbehörden zu ermöglichen. Wanderphilosophen greifen manchmal zu spektakulären Mitteln, um die Aufmerksamkeit auf sich zu ziehen!«

»Möglich! Aber ich muß der Sache nachgehen. Denn es ist nicht der einzige Zwischenfall in letzter Zeit. Vor kurzem haben wir ein paar Zeloten erwischt, die ganz gewiß nicht harmlos waren.«

Bestimmt meinte er die Inhaftierung des Barabbas und seiner

2 Vgl. Mk 11,15-19; 27-33

beiden Genossen. Hier konnte ich ihm wahrheitsgemäß versichern, daß kein Zusammenhang mit dem Vorfall im Tempel vorlag. Aber zunächst fragte ich:

»Gibt es Erkenntnisse über einen Zusammenhang zwischen Jesus und diesen Zeloten?«

»Eben darüber möchte ich mich mit dir unterhalten. Was meinst du?«

Ich überlegte einen Moment, dann sagte ich:»Die Aktivität der Zeloten richtet sich gegen die Römer, der Zwischenfall im Tempel wendet sich gegen jüdische Instanzen.«

»Dennoch könnte ein Zusammenhang bestehen: Die Zeloten kämpfen ja auch gegen die mit dem Tempel verbundene Aristokratie. Kritik am Tempel ist Kritik an der Tempel-Aristokratie! Zumindest kann es diesen Terroristen nur recht sein, wenn die Hohenpriester Schwierigkeiten bekommen!«

»Und welchen Sinn soll diese Aktion im Tempel gehabt haben?«

Metilius blieb stehen, zuckte die Achseln und sagte:»Ich habe nur Vermutungen.

Erstens: Jesus hindert Handwerker daran, Arbeitsgeräte durch den Tempel zu tragen. Das ist ein Protest gegen den Weiterbau am Tempel. An ihm wird jetzt ein halbes Jahrhundert gebaut. Und noch immer ist er nicht fertig. Vielleicht lehnt Jesus den Bau dieses Tempels ab.

Zweitens: Jesus stürzt Tische um. Will er sagen: Ebenso soll der Tempel ›umstürzen‹ und ›zusammenbrechen‹? Kündigt er eine Zerstörung des Tempels an? Auf jeden Fall spüre ich in dieser Handlung eine starke Aggression gegen den Tempel.

Drittens: Er hindert Geldwechsler und Opfertierverkäufer an ihrem Geschäft. Mit dem eingetauschten Geld kauft man sich Opfertiere. Ohne diese Geschäfte gäbe es keinen Opferkult. Ist Jesus also gegen blutige Opfer? Ist er grundsätzlich gegen den Tempel? Denn wozu ist er noch da, wenn man nicht in ihm opfern kann?

Wie gesagt: Das alles sind Vermutungen.«

Wie immer war Metilius scharfsinnig. Hatte er nicht recht? Und das, obwohl er die Weissagung Jesu nicht kannte, daß der bestehende Tempel zerstört werden wird, um einem neuen, nicht

von Händen gemachten Tempel zu weichen.[3] Der Zwischenfall
im Tempel mußte mit dieser Prophetie in Verbindung stehen:
Diese Tempelreinigung war wahrscheinlich eine jener symboli-
schen Handlungen, mit denen unsere Propheten ihre Weissagungen veranschaulichen. Um so mehr lag mir daran, dem Ganzen
eine harmlosere Deutung zu geben. Und so sagte ich:
»Ich bezweifle, daß Jesus den Tempelkult abschaffen will.
Wahrscheinlich will er nur einige Mißstände beseitigen: Vor allem die Verquickung von Tempel und Geschäft. Daher sein Vorgehen gegen Verkäufer und Handwerker! Gegen alle, die am Tempel verdienen! Er will, daß der Tempel ohne Geld zugänglich ist.
Das entspricht seinem Eintreten für arme Leute!«
Metilius schüttelte den Kopf. Er war nicht ganz überzeugt: »Ich
muß dir noch erzählen, was ich über die Diskussion im Anschluß
an diesen Zwischenfall erfahren konnte. Jesus wurde zur Rede gestellt. Er solle sagen, mit welchem Recht er den Tempelbetrieb
störe. Er antwortete mit einer Gegenfrage: Die Vertreter des Tempels sollten antworten, ob hinter der Taufe des Johannes Gott
stünde oder nicht.«
»Und welche Antwort bekam er?«
»Keine. Seine Gegner schwiegen. Darauf erklärte er: Wenn ihr
nicht sagt, ob hinter dem Täufer Gott steht oder nicht – sage ich
euch auch nicht, mit welcher Berechtigung ich den Tempelbetrieb störe!«[4]
»Vielleicht wollte er sich so einer unangenehmen Frage entziehen?«
»Ich habe eine andere Ansicht. Du hast mir einmal erklärt, welche Bedeutung der Tempel für euer Volk und die ganze Gesellschaft hat: Er beseitigt die Sünden des Volkes durch Opfer. Der
Täufer bietet Sündenvergebung durch seine Taufe an. Angenommen die Tempelbeamten hätten eingeräumt, die Taufe stamme
von Gott, so hätten sie sich die Frage gefallen lassen müssen: Warum vollzieht ihr dann noch Opfer zur Vergebung der Sünden?
Warum laßt ihr Tiere sterben? Warum geht ihr nicht zum Jordan

3 Vgl. Mk 14,58
4 Vgl. Mk 11,27–33

und bringt euch gewissermaßen selbst zum Opfer: durch Unter-
tauchen ins Wasser! Kurz: Ich glaube, Jesus will im Grunde den
Tempel in seiner jetzigen Bedeutung abschaffen! Wer die Meinung vertritt, daß Sündenvergebung auch unabhängig vom Tempel erlangt werden kann, hat dessen Stellung untergraben!«

»Möglicherweise hast du recht. Eine Reihe von Wanderphilosophen, besonders aus der Schule der Pythagoräer, verwerfen die
blutigen Opfer!«

»Wenn meine Deutung richtig ist, wäre Jesus nur eine Bedrohung für den Tempel: für die mit ihm verbundenen Hohenpriester und für das Jerusalemer Volk – aber nicht für die Römer. Aus
innerreligiösen Streitfragen wollen wir uns heraushalten. Aber
ich muß der Frage nachgehen, ob es Verbindungen zu den Zeloten gibt. Warum werden etwa gleichzeitig Zeloten in Jerusalem
aktiv? Hast du etwas herausbekommen über Beziehungen zwischen Jesus und den Zeloten?«

Auf diese Frage war ich gefaßt. Auf dem Hinweg hatte ich mir
genau überlegt, was ich zu sagen hatte: »Nach meinen Informationen«, so begann ich, »befänden sich unter den Leuten, die mit
Jesus von Ort zu Ort zögen, ein Zelot, möglicherweise sogar zwei
weitere. Bei einem Anhänger namens Simon dem Zeloten sei das
aufgrund des Beinamens sicher, bei einem anderen, Judas Iskarioth, möglich. Denn Iskarioth könne Entsprechung zu sicarius
sein.[5] Schließlich sei auch ein Simon Barjona verdächtig. Manche
nennen nämlich die Zeloten Barjonim, d.h. Leute, die sich in wü-
sten Gebieten herumtreiben. Jedoch ließen die Beinamen des Judas und Simon auch andere Deutungen zu.«[6]

Metilius fühlte sich bestätigt.

5 »Sicarier« wurden alle Räuber und Widerstandskämpfer im Römischen Reich
genannt. Josephus benutzt diese Bezeichnung für eine besondere Gruppe des jüdischen Widerstands gegen Rom. Er schildert, wie sie mit kleinen Dolchen auf
dem Marktplatz ihre Opfer niederstachen, um unmittelbar darauf in der entsetz-
ten Menge das Verbrechen lauthals zu beklagen. Eines ihrer ersten Opfer ist ein
Hoherpriester. Sie traten nach Josephus jedoch erst unter dem Prokurator Felix
(ca. 52–60) an die Öffentlichkeit. Vgl. zu ihnen bell 2,254 = II,13,3.
6 »Iskariot« könnte aramäisch einfach »Mann aus Kariot« bedeuten: Barjona –
so wird Petrus Mt 16,17 genannt – ist am wahrscheinlichsten mit »Sohn des Jona«
zu übersetzen.

»Es gibt also Verbindungen zwischen Jesus und den Zeloten.«
Mit dieser Reaktion hatte ich gerechnet und antwortete: »Ich
bin der Sache nachgegangen und zu einem überraschenden Ergebnis gekommen. Zunächst wurde ich stutzig, weil sich unter
den unmittelbaren Anhängern Jesu auch ein Zöllner namens Levi befindet, also einer jener verhaßten Zollpächter und Steuerein-
treiber, die von den Zeloten bekämpft werden. Zweitens überlegte ich: Wenn unter den Anhängern Jesu einer den Beinamen ›Zelot‹ trägt, kann man mit Sicherheit erschließen, daß nicht alle Zeloten sind – sonst wäre es sinnlos, einen durch diesen Beinamen
von anderen zu unterscheiden.«
»Aber das widerlegt nicht meinen Verdacht!« meinte Metilius.
»Genau das war auch meine Ansicht. Ich bin der Sache auf den
Grund gegangen. Es gelang mir, Kontakt mit einigen Zeloten zu
bekommen. Ich erfuhr von ihnen, daß Simon der Zelot zu ihnen
gehört hatte, jetzt aber als Verräter galt, weil er sich Jesus angeschlossen hatte. Dieser Jesus wird nämlich von den Zeloten als
Bedrohung empfunden: Er tritt für Gewaltlosigkeit ein. Er lehnt
die Methoden der Zeloten ab. Gewinnt er noch mehr Anhänger
unter ihnen und in der Bevölkerung, so würde das für die Widerstandsbewegung einen herben Verlust bedeuten.«
»Wenn ich dich recht verstehe, gibt es also zwei Arten von Unruhestiftern, die um dieselben Anhänger und Sympathisanten
konkurrieren: auf der einen Seite die Zeloten, auf der anderen Seite Jesus?«
»Ich würde es so ausdrücken: Die Zeloten weisen auf das Problem in unserem Land. Jesus könnte die Lösung für dieses Problem sein oder genauer: Er hat mich auf eine Lösung gebracht.«
»Das mußt du mir genauer erklären.«
Metilius sah mich interessiert an. Offenbar war er ratlos, wie
sich die römische Verwaltung in dieser Situation verhalten sollte.
Er schien dankbar für jede Idee.
Ich holte tief Luft. Das war die Chance, auf die ich gewartet hatte. Vielleicht die einzige Chance, um Barabbas retten zu können.
Alles hing jetzt davon ab, ob ich Metilius überzeugen konnte.
»Ich habe in den Dörfern Galiläas nach den Ursachen ge-
forscht, deretwegen die jungen Leute Haus und Hof verlassen,
um sich in den Bergen den Zeloten anzuschließen. Schuld daran

ist die bedrängende wirtschaftliche Lage der kleinen Leute: Wenn sie sich aufgrund von Mißernten oder anderen Schicksalsschlägen verschulden müssen, können sie keine Steuern zahlen und ziehen die Flucht zu den Zeloten der Sklaverei und dem Schuldgefängnis vor. All diese jungen Leute sind nicht als Terroristen geboren, sie werden es aufgrund der Verhältnisse. Würde man ihnen eine Alternative zu ihrem terroristischen Leben anbieten, eine realistische Aussicht, wieder in ein normales Leben zurückzukehren, so würden viele sich von ihrem Banditenleben abwenden.

Ich mache daher folgenden Vorschlag, der drei Punkte umfaßt.«

Metilius war aufs äußerste gespannt. Er stützte sich mit gespreizten Händen auf dem Tisch ab und beugte sich vor, als wollte er sicher gehen, keines meiner Worte zu überhören. Ich fuhr fort:

»Erstens: Der römische Präfekt von Judäa und Samaria verkündet eine allgemeine Amnestie für Straftaten, die jemand als Mitglied einer zelotischen Bande verübt hat; die Amnestie gilt für alle, die bereit sind, ins normale Leben zurückzukehren.«

Metilius entspannte sich. Er richtete sich auf und begann wieder, unruhig auf und ab zu gehen. Aus einem kurzen Blick, den er mir zuwarf, sprach tiefe Enttäuschung. Ich wußte, daß ich verloren hatte. Trotzdem sprach ich weiter:

»Zweitens: Durch einen allgemeinen Schulderlaß wird dafür gesorgt, daß kleine Leute, die zu den Zeloten fliehen könnten, eine neue Chance erhalten.[7]

Drittens: Der Staat siedelt in Grenzgebieten Leute an, die ohne Land sind – vor allem ehemalige Zeloten. Diese Leute sind im Kampf geübt und können Schutzfunktionen gegen äußere Feinde übernehmen.

Nur wenn wir die eigentliche Ursache des Übels bekämpfen, können wir dem Land einen dauerhaften Frieden verschaffen.«

---

7 Eine der ersten Handlungen der aufständischen Zeloten im Jüdischen Krieg ist die Verbrennung der Schuldarchive. Dadurch hofften sie, alle Verschuldeten und Armen für den Aufstand gegen die Römer zu gewinnen (vgl. Josephus bell 2,427 = II,17,6).

Nach einer Pause sagte Metilius: »Und was hat Jesus mit dieser Lösung zu tun?«

Ich antwortete: »Seine Bewegung ist ein Beweis dafür, daß eine Menge Zeloten tatsächlich bereit wären, ihr bisheriges Leben aufzugeben, wenn sie nur eine Möglichkeit dazu hätten. Der Rückweg ins normale Leben ist ihnen versperrt, sei es, weil sie etwas verbrochen haben, sei es, weil ihr kleiner Besitz inzwischen verkauft ist. Das ungebundene Wanderleben Jesu bietet ihnen eine Möglichkeit, ihr Banditenleben zu verlassen. Das Leben mit Jesus ist hart: Es setzt äußerste Bedürfnislosigkeit voraus. Wenn ehemalige Zeloten es dem Zelotendasein vorziehen, um wieviel mehr werden sie die Rückkehr in ein normales Leben begrüßen!«

»Aber sichert ihnen dieser Jesus Amnestie und Schulderlaß zu?«

»Er kann nicht für den Staat und für die Gläubiger der Leute sprechen. Aber er sichert allen Gottes Amnestie zu. Gott erläßt alle Schuld, wenn ein Mensch umkehrt und ein neues Leben beginnt! Und er verpflichtet uns, daß wir untereinander unsere Schulden erlassen!«[8]

»Wanderphilosophen haben oft schöne Ideen. Aber die politische Wirklichkeit ist rauher als diese Ideen!«

»Wäre eine Amnestie nicht auch politisch geboten? Die Lage ist gespannt. Noch ist die Bevölkerung unruhig über die Todesfälle bei der Demonstration im letzten Jahr, noch hat sie sich mit der Tötung unschuldiger galiläischer Pilger nicht abgefunden, noch kann sie die Hinrichtung des Täufers nicht verwinden. Um die Lage zu entspannen, wäre ein deutliches Zeichen des guten Willens angebracht. Die Römer müssen zeigen, daß sie einen Schlußstrich unter die Konflikte der Vergangenheit ziehen wollen. Sonst eskaliert die Gewalt, und jene Kräfte im Volk erhalten Auftrieb, die meinen, Gewalt lasse sich nur durch Gegengewalt eindämmen. Bald ist Passa. Ein Fest wäre die beste Gelegenheit zur Verkündigung einer allgemeinen Amnestie für zelotische Straftaten.«

---

8 Vgl. das Vaterunser Mt 6,12. Wenn Jesus lehrt, man solle Gott um Vergebung bitten und selbst bereit sein, seinen Schuldnern zu vergeben, so denkt er gewiß auch an Geldschulden!

Metilius schüttelte resigniert den Kopf.

»Aber ist ein allgemeiner Schuldenerlaß nicht ganz unrealistisch? Wie soll der Staat alle Gläubiger im Lande dazu bewegen, auf die Eintreibung ihrer Schulden zu verzichten?«

»In unserem Land wäre es möglich. Wir haben ein altes Gesetz, das sagt: Alle sieben Jahre sollen alle Schulden erlassen werden.[9] Dies Gesetz wird selten praktiziert, aber es existiert. Man muß es nur wieder in Kraft setzen. Darüber könnte man mit dem Hohenpriester und dem Synhedrium verhandeln. Das Synhedrium ist an einer Entspannung der Lage interessiert.«

Metilius schaute mich irritiert an: »Dein Vorschlag ist so radikal, daß ich nicht weiß, was ich sagen soll.«

»Eine Amnestie erschiene mir das Dringlichste. Sie müßte bald ausgesprochen werden, ehe neue Unruhen entstehen.«

»Nur der Präfekt selbst kann darüber entscheiden! Und auch er hat nur begrenzte Befugnisse.«

»Man sollte ihm meinen Vorschlag zumindest vorlegen.«

Metilius zögerte: »Stammen diese Ideen von Jesus?«

Ich verneinte: »Es sind meine Ideen!«

»Ich sehe eine Nähe zwischen deinen Vorschlägen und den Absichten dieses Jesus. Du willst die Gesellschaft reformieren, Jesus will den Tempel – vielleicht eure ganze Religion – reformieren. Jesus sagt: Der Tempel funktioniert nicht mehr als zentraler Ort der Sündenvergebung. Auch außerhalb des Tempels wird sie angeboten: durch Taufe oder Anschluß an ihn. Du sagst: Die Gesellschaft funktioniert nicht mehr bei einer unerträglichen Verteilung der Lasten. Wir müssen neue Wege des Schuldenerlasses suchen. Jesus bietet eine Amnestie Gottes an. Du verlangst eine Amnestie des Staates. Solche Gedanken hängen doch irgendwie zusammen.«

Da sagte ich: »Darf ich mit einem Gleichnis antworten?« Ich erzählte ein Gleichnis Jesu, ließ aber jeden Hinweis auf die kommende Gottesherrschaft weg:

»Gott ist wie ein Herr, der mit den Verwaltern seiner Güter abrechnen wollte. Gleich zu Beginn brachte man ihm einen Mann, der ihm einen Millionenbetrag schuldete. Da er nicht zahlen

9 5Mos 15,1ff

konnte, befahl der Herr, ihn selbst mit Frau und Kindern und seinem ganzen Besitz zu verkaufen und den Erlös für die Tilgung der Schulden zu verwenden. Aber der Schuldner warf sich vor ihm nieder und bat: ›Hab doch Geduld mit mir! Ich will dir ja alles zurückzahlen.‹ Da bekam der Herr Mitleid; er gab ihn frei, und auch die Schuld erließ er ihm.

Kaum draußen, traf dieser Mann auf einen Mitverwalter, der ihm einen geringen Betrag schuldete. Den packte er an der Kehle, würgte ihn und sagte: ›Gib zurück, was du mir schuldest!‹ Der Schuldner fiel auf die Knie und bettelte: ›Hab Geduld mit mir! Ich will es dir ja zurückgeben!‹ Aber darauf wollte sein Gläubiger nicht eingehen, sondern ließ ihn sofort ins Gefängnis werfen, bis er die Schuld beglichen hätte.

Als das die anderen sahen, waren sie bestürzt. Sie liefen zu ihrem Herrn und erzählten ihm, was geschehen war. Er ließ den Mann kommen und sagte: ›Was bist du für ein böser Mensch! Ich habe dir deine ganze Schuld erlassen, weil du mich darum gebeten hast. Hättest du nicht auch Erbarmen mit deinem Mitverwalter haben können, so wie ich es mit dir gehabt habe?‹

Dann übergab er ihn voller Zorn den Folterknechten zur Bestrafung, bis die ganze Schuld zurückgezahlt wäre.«[10]

Metilius hatte aufmerksam zugehört. Etwas skeptisch fragte er: »Das ist ein Gleichnis. Fordert es wirklich dazu auf, Geldschulden zu vergeben?«

»Na ja«, sagte ich. »Aber die kleinen, verschuldeten Leute, denen Jesus seine Gleichnisse erzählt, werden unwillkürlich an ihre Geldschulden denken müssen.«

Er rollte die Papyrusblätter mit meinen Berichten zusammen und verstaute sie sorgsam in einer Lederhülle. Metilius betrachtete den offiziellen Teil meines Besuches offenbar als beendet. Aber er entließ mich noch nicht. Vielmehr ließ er sich Zeit, die Lederhülle mit meinen Berichten in die Fächer eines kleinen Schranks zu schieben und durchs Fenster einen kurzen Blick auf die Straße zu werfen, in der sich wie jedes Jahr vor dem Passafest die Pilger drängten. Jetzt kam er zu mir herüber, legte seine Hand

10 Mt 18,23–35

auf meine Schulter und stellte eine Frage, die ich in diesem Moment nicht erwartet hatte:

»Andreas, warum befreit ihr eure großartige Philosophie von Gott nicht von allem unwichtigen Beiwerk?«

Ich war sprachlos. Hatte Metilius jetzt nichts Wichtigeres zu tun, als mit mir über religiöse Fragen zu diskutieren? Er fuhr fort: »Du hast mir einen radikalen Reformvorschlag vorgelegt, der auf eine Veränderung unserer Politik hinausliefe. Darf ich dir jetzt aus meiner Sicht sagen, was ihr in eurer Religion ändern könntet?«

Metilius setzte sich auf den Stuhl mir gegenüber. Er konzentrierte sich.

»Ich traf seit unserem letzten Gespräch einen Juden aus Alexandrien, mit dem ich mich lange über eure Religion unterhalten habe. Nach seiner Meinung sind die Gesetze symbolisch zu verstehen. Das Gebot zur Sabbatruhe soll sagen, daß der Mensch sich nur in innerer Ruhe Gott zuwenden kann. Die Beschneidung sei ein Symbol für die Beherrschung von Leidenschaft und Trieben. Weder Sabbat noch Beschneidung müsse man im wörtlichen Sinne praktizieren.[11] Wenn sich solche Gedanken durchsetzen, könnte das Judentum eine einflußreiche Philosophie werden. Viele würden ihr anhängen, die einen Gott verehren wollen, der uns zur Güte gegenüber den Schwachen verpflichtet, die aber durch Beschneidung und Sabbatregeln jetzt abgehalten werden.«

»Dieser alexandrinische Jude spricht für eine verschwindend kleine Gruppe im Judentum«, sagte ich vorsichtig.

Metilius machte eine wegwerfende Handbewegung.

»Was auch immer ein paar Juden in Alexandrien meinen – mich interessiert: Was meinst du?«

Ich schaute ihm fest in die Augen. War das ein Verhör? Metilius schien meine Gedanken zu raten.

»Mich interessiert das nicht als römischer Beamter. Mich interessiert es persönlich. Ich möchte Klarheit über eure Philosophie haben.«

---

11 Philo von Alexandrien kritisiert in seiner Schrift »Über Abrahams Wanderung« Juden, die die Gesetze symbolisch auslegen. Als Beispiel nennt er die oben skizzierte Auffassung von Sabbat und Beschneidung (de migr. 89–93).

»Das Problem ist«, begann ich zögernd, »daß der jüdische Glaube keine Philosophie ist. Nicht etwas, wovon man nur in seinem
Herzen überzeugt ist, sondern etwas, was man sichtbar tut. Er ist
eine Lebensform. Wir freuen uns darüber, Gott in vielen kleinen
und großen Handlungen verehren zu dürfen. Auch durch Einhaltung von Speisegeboten und die Beachtung vieler kleiner Riten,
die wir überliefert bekommen haben. Es ist nicht genug, die Gebote Gottes zu hören und ihren tieferen Sinn zu verstehen, man
muß sie auch tun!«[12]
 »Aber all diese Gebote enthalten viel, was den Verkehr zwischen Juden und Nicht-Juden erschwert. Warum unterscheidet
ihr nicht zwischen zwei Gruppen von Geboten: den moralischen
Geboten, die für das Zusammenleben von Menschen unbedingt
erforderlich sind – und den rituellen Geboten, die auf Tradition
beruhen, aber nicht notwendig mit dem Glauben an den einen
und einzigen Gott verbunden sind? Zielt nicht die Verkündigung
Jesu in diese Richtung?«
 »Jesus sagt nirgendwo, daß man die Kinder nicht beschneiden
soll! Nirgendwo stellt er den Sabbat grundsätzlich in Frage!«
 »Aber könnte man nicht durch ihn auf solche Gedanken kommen?«
 »Leute wie dieser alexandrinische Jude könnten schon auf solche Gedanken kommen. Sie würden sich aber bei uns nicht
durchsetzen können. Du unterschätzt, wie wichtig uns die vielen
tradierten Gebote sind – auch diejenigen, die wir nur tun, weil sie
in unserer Tradition enthalten sind. Wir versichern uns durch ihre Erfüllung gegenseitig, öffentlich und sichtbar, daß wir unserem
Glauben treu sind.«
 »Aber könnte man das nicht auf andere Weise tun? Als ich einen eurer großen Lehrer fragte, worauf es denn ankäme, sagte er
mir: ›Was dir unliebsam ist, das tu auch deinem Nächsten nicht.

12 Als der König Izates von Adiabene (1. Hälfte des 1. Jhs. n.Chr.) zum Judentum
konvertierte, versicherte ihm zunächst ein jüdischer Kaufmann, die Beschneidung sei nicht unbedingt notwendig, wenn er dem jüdischen Glauben anhängen
wolle. Dann aber kam ein Eleazar aus Galiläa und vertrat die Meinung, es sei
nicht genug, die Gesetze zu lesen, entscheidend sei, »das von ihnen Gebotene zu
tun«. Daraufhin ließ sich der König beschneiden (Jos. ant 20,38–48 = XX,1,4).

Dies ist die ganze Thora, das andre ist ihre Auslegung; geh hin und lerne das!›[13] Wozu dann noch die vielen anderen Gebote? Warum Beschneidung und Speisegebote?«
Ich mußte nachdenken. War Metilius wirklich an unserer Religion interessiert? Oder suchte er nur nach neuen Strömungen in ihr, die ein konfliktloseres Verhältnis von Juden und Heiden ermöglichten? Wollten die Römer solche Strömungen aus politischen Gründen fördern? Endlich sagte ich:
»Was geschähe, wenn wir erlaubten, daß Juden Frauen heiraten, die unseren Glauben nicht teilen? Oder daß unbeschnittene Heiden jüdische Frauen heiraten könnten?[14] Der heidnische Ehepartner würde weiter seine alten Götter verehren. Er würde die Kinder in seinem Glauben erziehen. Unser Gott würde zu einem Gott neben anderen, selbst wenn er als höchster Gott anerkannt würde. Der Glaube an den einen und einzigen Gott kann sich nur zusammen mit einer Lebenspraxis erhalten, die jeder übernehmen muß, der in eine jüdische Familie heiratet. Solange unser Glaube so radikal von unserer Umgebung abweicht, müssen wir auch in unserer Lebensweise abweichen.«
»Aber sollen nicht einst alle Völker den lebendigen Gott anerkennen?«
»Darauf hoffen wir.«
Metilius erhob sich und wies mit der Hand durchs Fenster nach draußen:
»Und diese Pilger aus allen Ländern werden dann nicht nur Juden sein, sondern Menschen aus allen Völkern? Alle hätten Zugang zum Tempel?«[15]
»Schon heute ist der Tempel für jeden offen, der sich zu Gott bekehrt.«
Metilius dankte für das Gespräch. Er versprach, meine Idee ei-

13 Dieser Ausspruch wird Rabbi Hillel (um 20 v.Chr.) zugeschrieben (b Schab 31a). Ob er ihn wirklich getan hat, ist eine andere Frage: Aber daß man die Goldene Regel den berühmtesten Lehrern in den Mund legte, zeigt, wie hoch man sie schätzte.
14 Selbst das herodäische Fürstenhaus verlangte von Schwiegersöhnen, daß sie sich beschneiden ließen (vgl. Jos. ant 20,139 = XX, 7,1).
15 In der messianischen Zeit erwartete man im Judentum eine »Völkerwallfahrt« zum Zion vgl. Jes 2,2f; Mich 4,2; Jes 56,7; 60,3; Tob 13,13.

ner Amnestie Pilatus vorzutragen. Wenn nötig, werde Pilatus mich selbst anhören. Dann verabschiedete er mich. Wenn alle Römer so wären wie Metilius! Unverkennbar war: Er hatte seit unserer ersten Begegnung immer mehr Verständnis für unsere Religion gewonnen. War auch er ein Mensch, der zwischen den Fronten stand?

Lieber Herr Kratzinger,

über Ihren freundlichen Brief habe ich zunächst schmunzeln
müssen: Sie haben tatsächlich meine biographischen Daten
nachgeschlagen und entdeckt, daß ich 1968 im rebellionsfähigen Alter war. Ja, ich bin durch diese rebellische Zeit geprägt. Ich habe das nie geleugnet. Und möchte es auch nicht
deswegen leugnen, weil mir die damaligen Taktlosigkeiten
gegenüber der älteren Generation zuwider waren.
Der Inhalt Ihres Briefes hat mich nachdenklich gemacht.
Mir war beim Schreiben nicht bewußt – was Ihnen beim Lesen aufgegangen ist –, daß ich die Erfahrungen meiner Generation verarbeite: die überschwenglichen Hoffnungen auf
Reformen, das Scheitern an vorgegebenen Machtstrukturen
und an eigenen Illusionen, die große Ernüchterung bei den
einen, das Abgleiten in Gewalt und Terror bei den andern. Ist
mein Jesusbild eine Projektion meiner Generation? Es ist
taktvoll, daß Sie mich eine Konsequenz selbst ziehen lassen:
Es könnte veraltet sein!
Eins ist mir freilich wichtig: Die Erfahrungen meiner Generation schlagen sich in der Rahmenhandlung nieder. Das
Jesusbild wird davon weniger berührt. Es ist offen für verschiedene Deutungen. Es gewinnt erst aus der Perspektive
des Andreas Eindeutigkeit. Die Struktur der Erzählung ist bewußt so angelegt, daß keiner auf den Gedanken kommen
kann, hier würde ein Bild von »Jesus an sich« wiedergegeben.
Es ist »Jesus« aus der Perspektive bestimmter sozialer Erfahrungen.
Ist diese Perspektive willkürlich? Die Rahmenhandlung
spielt in einer Welt, die aus Josephus historisch rekonstruiert
wurde: So konnte man Jesus damals erleben. Die Frage ist sogar, ob man ihn nicht so erleben muß, wenn man ihn im Lich-
te der biblischen Traditionen von Exodus und Exil deutet?
Und ob man ihn nicht so sehen muß, wenn man unseren Exodus aus selbstverschuldeter Unmündigkeit bejaht: die »Auf-
klärung«? Würde nicht etwas Unersetzliches verlorengehen,
wenn sich Religion wieder auf das Gespräch zwischen Gott
und der Seele zurückzöge?

Im übrigen nehme ich an, daß auch Sie einmal im rebellionsfähigen Alter waren. Wie war das denn bei Ihnen? Natürlich brauchen Sie auf diese indiskrete Frage nicht zu antworten.

Ich bleibe
mit Dank und herzlichen Grüßen
Ihr
Gerd Theißen

16. KAPITEL

Die Angst des Pilatus

Der nächste Tag war der Tag vor dem Passafest. Zu meiner Überraschung wurde ich in aller Frühe zu Pilatus bestellt. Es sei dringend, hatte der Bote gesagt. Ich eilte ins Prätorium. Wollte Pilatus eine Amnestie aussprechen? Waren meine Beziehungen zu Barabbas bekannt geworden? Ich schwankte zwischen Hoffnungen und dunklen Vorahnungen. Es wurde ein schlimmer Tag. Ich wollte, ich hätte ihn nie erlebt.

Pilatus sah ernst aus. Er begrüßte mich freundlich und führte mich in einen kleinen Raum mit nur einem Fenster. Seine Leibgarde schickte er hinaus. Sie sollte vor der Tür warten, bis er sie rief. Offenbar wollte Pilatus etwas besprechen, das nicht für jedermanns Ohr bestimmt war. Als wir allein waren, begann er:

»Ich habe deinen Vorschlag einer Amnestie und eines Schuldenerlasses mit Interesse zur Kenntnis genommen. Er erinnert mich an Ideen, denen ich in meiner Jugend angehangen habe – an Solons Schuldenerlaß für die Athener Bürger und an den Kampf unserer beiden Gracchen um Verminderung sozialer Gegensätze.[1] Du siehst, daß ich deine Ideen nicht einfach ablehne. Aber zur Sache: Eine allgemeine Amnestie überschreitet meine Kompetenz. Sie wäre politisch von so großer Bedeutung, daß sie nur der Kaiser selbst aussprechen könnte.«

Ich konnte meine Enttäuschung nicht verbergen. Pilatus fuhr fort:

»Was aber in meiner Macht steht, ist eine Amnestie für Einzelfälle. Zu den drei vor kurzem inhaftierten Zeloten ist ein weiterer Fall gekommen. In der Nacht geschah eine vierte Festnahme. Der

---

1 Solon führte 594/63 umfassende Sozialreformen in Athen durch: Er schaffte u.a. die Schuldknechtschaft ab: Kein Gläubiger konnte mehr seine zahlungsunfähigen Schuldner als Sklaven verkaufen oder als Teilpächter an Grund und Boden binden. Die beiden Gracchen hatten sich 133 bzw. 123/2 v.Chr. um eine gerechtere Landverteilung in Rom bemüht.

Fall soll heute noch verhandelt werden. Du bist mit ihm vertraut.
Es handelt sich um Jesus von Nazareth. Er wird verdächtigt, messianische Bewegungen hervorzurufen. Der Hohepriester meint,
es sei das beste, den Fall vor dem Passa zu erledigen, damit er
nicht viel Aufsehen hervorruft.«
Ich war zutiefst erschrocken. Sie hatten Jesus inhaftiert! Mein
Herz klopfte. Mein Körper zitterte. Alles hatte sich bedrohlich zu-
gespitzt.
Pilatus fuhr fort: »Ich habe deine Aufzeichnungen über Jesus
gelesen. Danach würde ich ihn als harmlos einstufen. Philosophen und Dichter sollen in diesem Lande leben dürfen. Aber
wenn er ein Messiasanwärter ist, dann ist er für den Staat eine Gefahr!«
Es kam jetzt auf jedes Wort an. Wie gut, daß ich in Gedanken
immer wieder alle Argumente durchgespielt hatte, mit denen ich
Jesus verteidigen könnte. Ich begann gleich mit dem Hauptargu-
ment:
»Eine zentrale Lehre Jesu ist, nicht dem Bösen zu widerstehen.
Vielmehr soll man die linke Backe hinhalten, wenn man auf die
rechte geschlagen wird. So jemand ist ungefährlich!«
Pilatus blieb unbeeindruckt: »So ein Verhalten gefährdet den
Staat nicht im üblichen Sinne. Aber es kann ihn in tiefe Verlegenheit stürzen, ja, es kann ihn hilfloser machen als ganze Kohorten
von aufständischen Zeloten.«
»Aber wenn jeder im Lande sich wie Jesus verhielte, dann
könnte es keine Widerstandskämpfer mehr geben!« warf ich ein.
»Ich habe aus Erfahrung gelernt. Was du sagst, erinnert an eine
folgenschwere Begebenheit am Anfang meiner Regierungszeit.[2]
Als ich von Tiberius nach Judäa gesandt worden war, ließ ich Kaiserbilder, die als Feldzeichen dienten, nachts heimlich nach Jerusalem hineinbringen. Am folgenden Tag rief das bei den Juden
große Unruhe hervor. Sie waren überzeugt, ihr Gesetz würde mit
Füßen getreten; es verbietet, daß in der Stadt ein Bildnis aufge-
stellt wird. Nicht nur die Stadtbewohner empörten sich, auch die
Landbevölkerung strömte in großen Scharen zusammen. Sie

2 Die folgende Geschichte nach Josephus bell 2, 169–174 = II,9,2f (umgesetzt
in die Ich-Form). In ant 18,55 = XVIII,3,1 spricht Josephus sachlich zutreffender
von »Bildern des Kaisers, die sich an den Feldzeichen befanden.«

machten sich auf den Weg zu mir nach Cäsarea und flehten mich
an, die Zeichen aus Jerusalem zu entfernen und ihre väterlichen
Gesetze unangetastet zu lassen. Ich weigerte mich. Darauf warfen sie sich rings um meinen Palast auf ihr Angesicht und verharr-
ten fünf Tage und ebenso viele Nächte in dieser Haltung, ohne
von der Stelle zu weichen. Tags darauf setzte ich mich in der großen Rennbahn auf meinen Richterstuhl und ließ das Volk herbei-
rufen, als wolle ich ihm dort eine Antwort geben. Dann gab ich
meinen Soldaten verabredungsgemäß ein Zeichen, die Juden zu
umzingeln. Der unerwartete Anblick der dreifachen Schlachtrei-
he, die sie umstellte, machte die Juden starr vor Entsetzen. Ich
drohte, sie zusammenhauen zu lassen, wenn sie die Kaiserbilder
nicht dulden wollten und gab den Soldaten schon einen Wink,
die Schwerter blank zu ziehen. Die Juden jedoch warfen sich wie
auf Verabredung hin dichtgedrängt auf den Boden, boten ihren
Nacken dar und schrien, sie seien eher bereit zu sterben, als daß
sie die väterlichen Gesetze überträten. Zutiefst erstaunt über die
Glut ihres Glaubens gab ich den Befehl, die Feldzeichen aus Jerusalem zu entfernen.

Andreas, ich begann meine Amtszeit mit einer Niederlage –
nicht gegen ein bewaffnetes Heer oder gefährliche Widerstandskämpfer, sondern gegen eine Schar wehrloser Menschen. Sie boten mir nicht nur die Backe dar, sondern den Nacken. Sie forder-
ten mich nicht nur auf, sie zu schlagen, sondern sie zu töten. Dieser unglückliche Anfang meiner Regierungszeit hat mir viele Probleme geschaffen. Ich mußte immer besorgt sein, meine Autori-
tät aufrechtzuerhalten. Glaub mir: Ein Staat kann gegenüber Leuten, die sich demonstrativ wehrlos verhalten, hilfloser sein als gegenüber Legionen von Soldaten.«

»Aber hat dieser Jesus von Nazareth nicht gesagt: Widersteht
nicht dem Bösen!«

»So, hat er das? Aber er hält sich selbst nicht an seine Lehre. Vor
ein paar Tagen ist er als Unruhestifter im Tempelhof aufgefallen.
Er hat Händler aus ihm vertrieben, Geldwechslern und Tauben-
verkäufern die Tische umgestürzt. Das war Gewalt gegen Perso-
nen und Sachen![3] Ist er nicht doch ein Zelot?«

3 Vgl. Mk 11,15–17

»Aber er hat sich eindeutig von den Zeloten distanziert. Er hat erklärt: Man soll dem Kaiser geben, was des Kaisers ist, und Gottes, was Gottes ist.«[4]

»Ja, ja, ich habe deinen Bericht gelesen«, sagte Pilatus ein wenig verärgert, »aber ist das ein Gegenargument? Paßt diese Geschichte mit der Münze nicht ausgezeichnet zu jenem Vorfall im Tempelvorhof? Dort fiel er über die Geldwechsler her! Die sitzen dort im Tempel, um Geld aller Währungen in jene tyrischen Münzen einzutauschen, die allein im Tempel zugelassen sind. Tyrische Münzen zeigen zwar nicht den Kaiser, schlimmer noch: sie zeigen den tyrischen Gott Melkart, den wir Herakles nennen. Wenn man dem Kaiser die Silbermünzen zurückgeben soll, weil das Bild des Kaisers auf ihnen steht, dann wäre es nur logisch, wenn man fordert: Gebt dem Götzen Melkart seine Münzen zurück. Konkret: Gebt sie auf keinen Fall unserem Gott, jenem Gott im Jerusalemer Tempel, der keinen anderen neben sich duldet!«

»Aber könnte man nicht auch schließen: Dieser Jesus würde nichts dagegen haben, wenn man das heilige Geld des Tempels für so profane Zwecke wie Wasserleitungen benutzt?«

Pilatus lachte: »Unter diesem Aspekt könnte man seiner Lehre sogar etwas abgewinnen.«

Ich ließ nicht locker: »Und auch unter anderem Aspekt wirkt er im Sinne der Römer: Er lehnt die Steuerverweigerungskampagne der Zeloten ab.«

Pilatus zuckte die Achseln. »Was heißt das schon? Daß er Kaisermünzen dem Kaiser zurückgeben will, sagt nicht viel. Nach eurer Auffassung hat der Kaiser ja das Gebot eures Gottes übertreten. Er hat sich abbilden lassen. Die Bereitschaft, ihm seine frevelhaften Münzen zurückzugeben, beweist noch keine loyale Haltung zum Staat. Man könnte ebensogut Verachtung daraus lesen: Gebt diesem gotteslästernden Kaiser doch seine gotteslästerlichen Münzen zurück! Gott ist mehr als der Kaiser! So etwas spüre ich hinter dem Ausspruch Jesu.«

Ich mußte noch einmal von neuem ansetzen: »Und doch zeigt dieser Jesus den einzigen Weg aus der Krise unseres Landes.«

»Den einzigen Weg? Ich kann dir den einzig sicheren Weg ge-

4 Vgl. Mk 12,13–17

nau sagen. Man müßte hier anstatt 3500 Soldaten zwei Legionen stationieren. Dann kämen die Leute zur Vernunft, und das Land hätte Frieden.«

»Aber es geht auch ohne Legionen!«

»Im Römischen Reich geht nichts ohne Legionen!«

»Aber bei uns ginge es. Ursache für die Unruhe im Land ist die Feindschaft zwischen den Einheimischen und den Fremden: den Griechen und Syrern in den benachbarten Stadtrepubliken und den Römern. Die einheimischen Juden fühlen sich unterdrückt und hassen die Fremden. Weil es ihnen wirtschaftlich schlecht geht, während die Städte der Fremden aufblühen, wird dieser Haß immer wieder neu genährt. Erst wenn er verschwunden ist, wird es keine Terroranschläge, keine gewaltsamen Demonstrationen und keine Unruhen mehr geben. Die Fremden sagen wiederum: Alles würde besser, wenn wir Juden ihre Götter anerkennen. Wenn wir einsähen, daß unser Gott in die große Familie der Götter gehört, dann würden auch wir in die große Familie der Völker aufgenommen werden, in der sich alle verwandt fühlen. Aber das ist kein Weg für uns. Unsere Religion verpflichtet uns dazu, an diesem einen Gott festzuhalten – auch wenn wir dadurch unter den Völkern isoliert werden. Nichts kann uns von unserem Glauben abbringen. Zumal auch eure besten Philosophen wissen, daß es nur einen einzigen Gott gibt.«

»Und wodurch will dieser Gott unsere Legionen ersetzen?«

»Jesus lehrt: Dieser Gott will, daß wir nicht nur die Einheimischen lieben, sondern auch die Fremden. Er sagt: Liebet eure Feinde! Dieser Gott läßt seine Sonne über alle scheinen: über Römer und Griechen, Syrer und Juden. Wir ahmen ihn nach, wenn wir die Grenzen zwischen den Völkern abbauen.«

»Unmöglich: Seine Feinde lieben! Bei uns weiß jedes Kind: Ein tüchtiger Mann tut für seine Freunde Gutes und fügt seinen Feinden Schaden zu!«[5]

»Jesus lehrt eine neue Lehre. Ist sie unmöglich, weil sie neu ist? Für uns Juden wäre sie ein Weg, an unserem Glauben festzuhal-

---

5 Als Beispiel sei angeführt Xenophon, Erinnerungen an Sokrates, II, 6,35: Seine Freunde müsse man darin übertreffen, ihnen Gutes zuzufügen, seine Feinde aber darin, Böses zuzufügen.

ten und uns für alle Völker zu öffnen, wie alte Verheißungen vorausgesagt haben.[6] Bei uns hat diese Lehre eine Chance!«
»Bei euch! Ihr braucht euer Land nicht zu verteidigen! Das besorgen wir Römer. Das besorgt unsere Armee! Ich habe lang genug in ihr gedient, um zu wissen: Nur wenn wir uns den Feinden tatkräftig entgegenstellen, können wir den Frieden wahren. Solche Lehren, wie sie Jesus lehrt, passen für ein unterworfenes Volk. Für uns sind sie nichts. Sie würden unsere Soldaten demoralisieren. Darum ist dieser Jesus ein Wirrkopf! Ein gefährlicher Wirrkopf, denn die Leute raunen, er sei der neue König!«
Ich widersprach: »Alles, was ich über Jesus erforscht habe, weist darauf hin, daß er kein König oder Messias sein will!«
»Aber andere hoffen, er werde der neue König sein! Darin liegt das Problem. Von mir aus kann sich jeder Schwachsinnige für einen König halten. Ich habe nichts dagegen. Gefährlich wird er erst, wenn andere an ihn glauben. Gefährlich wird er auch dann, wenn er persönlich nicht an seine Königswürde glaubt. Schon die Erwartung an ihn schafft Unruhe. Denn alle denken, jetzt kommt der große Umsturz. Auch harmlose Wirrköpfe werden dann zum Sicherheitsrisiko.«
»Gut, er ist vielleicht ein Wirrkopf. Aber deswegen sollte man ihn laufen lassen, nicht klammheimlich, sondern im Rahmen einer Amnestie. Selbst wenn die Leute von ihm erwarten, er würde der neue König werden – wie könnte er gefährlich werden, wenn er Lehren vertritt, die auf Soldaten demoralisierend wirken? Woher soll er seine Truppen nehmen? Und was taugen Truppen, die ihre Feinde lieben? Die sich nicht widersetzen?«
Pilatus hörte mir gar nicht zu. Er war aufgestanden und ans Fenster gegangen. Ich merkte, wie es in ihm arbeitete. Seine Augen blickten in meine Richtung – und schauten an mir vorbei. Seine Hände bewegten sich, als formulierte er. Aber kein Laut kam über seine Lippen. Schließlich ließ er sich seufzend auf seinen Stuhl nieder. Leise sagte er:
»Ich habe Angst . . .«

6 Vgl. z.B. Jes 2,2–5: Dies prophetische Orakel verheißt, daß einmal alle Völker nach Jerusalem wallfahren werden.

Erstaunt blickte ich ihn an. Noch einmal setzte er an:
»Ich habe Angst, daß mir diese Sache entgleitet. Nein, ich kann
nicht!«

Sagte er das zu mir oder zu sich selbst? Pilatus versank ins Grü-
beln. Fast hatte ich den Eindruck, er hätte mich vergessen. Ich
räusperte mich. Er schaute auf. Sein Blick war wieder klar. Seine
Stimme klang fest und bestimmt:

»Ich hatte mir ernsthaft überlegt, ob ich diese drei Banditen,
von denen ich anfangs sprach, zum Passafest freilassen sollte. Ja,
ich war entschlossen, es zu tun. Dann aber erfuhr ich von dieser
neuen messianischen Bewegung um Jesus. Das Fest kommt näher. Die Massen strömen nach Jerusalem. Die Lage kann kritisch
werden. Das Risiko ist zu hoch.«

»Aber kann man die Hinrichtung der drei Banditen nicht ver-
schieben? Wenn das Fest ruhig verliefe, sähe vielleicht manches
anders aus!« Ich merkte schon während meiner Worte, wie aussichtslos mein Vorstoß war. Pilatus schüttelte den Kopf.

»Das Risiko ist zu hoch. Ich kann nicht alle freigeben. Das
könnte mißverstanden werden – ja, es könnte einige Phantasten
auf die Idee bringen, wir seien schwach. Dieser Eindruck darf
nicht entstehen – gerade jetzt nicht, wo es im Volk gärt. Trotzdem
will ich deinen Vorschlag aufgreifen. Nicht den ganzen Vorschlag.
Aber einen Teil: Einer soll freigelassen werden. Einer – das ist ein
begrenztes Risiko. Ich kann sehen, ob Milde sich auszahlt.«

Noch einmal wagte ich einen Vorstoß: »Könnte man nicht zwei
freigeben? Einen Zeloten und Jesus? Das wäre ein Entgegenkom-
men gegenüber verschiedenen Bevölkerungsteilen.«

»Nein, einer ist genug! Ich werde dem Volk überlassen, wen es
wählt. Ich werde Jesus und einen Zeloten zur Wahl stellen. Dann
kann ich sehen, wer mehr Anhänger im Volk hat. Dann wird sich
erweisen, ob dieser Jesus mit seinen Ideen hier eine Chance hat.
Oder ob ich auch weiterhin mit gewaltsamem Widerstand im
Volk rechnen muß.«

Ich erschrak. Pilatus machte aus meiner Idee einer Amnestie
zur Versöhnung des Volkes ein Experiment, um seine Macht-
chancen besser kalkulieren zu können. Ich spürte, wie sich mein
Magen verkrampfte. Meine Kehle war wie zugeschnürt. Ein kalter Schauer jagte über meinen Rücken. Wieder fühlte ich mich in

den Klauen des Tieres gefangen. Ich versuchte, mir nichts anmerken zu lassen. Pilatus blickte mich an und sagte:
»Es wäre nur gerecht, wenn ich sie alle hinrichten ließe. Aber während unseres Gespräches ist mir aufgegangen, daß es zwei verschiedene Arten von Unruhestiftern gibt. Ich glaube, sie sind beide gefährlich. Ich werde testen, wer die Stimmung im Volk hinter sich hat. Du siehst, ich gebe deinen Ideen eine Chance.«
»Und wer soll neben Jesus zur Wahl gestellt werden?«
»Ein gewisser Barabbas.«
Ohnmächtig mußte ich zuschauen, wie die Dinge auf eine Katastrophe zuliefen. Ich konnte mein Entsetzen nicht länger verbergen. Ich zitterte am ganzen Körper. Pilatus schaute mich erstaunt an:
»Du kannst wirklich zufrieden sein. Du hast mich auf die Idee mit der Amnestie gebracht. Du hast mich überzeugt, daß hier verschiedene Bewegungen vorliegen. Zwischen ihnen muß man wählen. Diese Alternative ist deine Idee! Eine gute Idee!«
Ich beherrschte mich, so gut ich konnte, nahm meine ganze Kraft zusammen und dankte Pilatus dafür, daß er meinen Gedanken einer Amnestie aufgegriffen habe – während ich gleichzeitig diesen Gedanken verwünschte, der mich in einen ausweglosen Konflikt gebracht hatte. Pilatus fand noch anerkennende Worte für meine Arbeit. Es sei gut, daß er mich hatte sprechen können, bevor er über den Fall »Jesus« das Urteil sprechen müsse.

Ich weiß nicht, wie ich vom Prätorium nach Hause gekommen bin. In mir tobte ein Chaos. Wie immer es weiterging, es würde schrecklich sein. Und doch begehrte alles in mir gegen dies Ende auf! Ein Ende, an dem ich auf eine unheimliche Weise mitbeteiligt war. Ein Ende, das ich nicht gewollt hatte. Und trotzdem hatte Pilatus gesagt: »Es ist deine Idee! Eine gute Idee!« Ich hörte seine Stimme in mir und zuckte zusammen, als wäre jedes Wort ein Peitschenschlag.
Die Häuser wankten vor meinen Augen. Ihre dunklen Türen starrten mich feindlich an. Überall hörte ich Menschen zischeln, deren Stimmen aus meinem Innern aufbrachen: Da läuft er, der Verräter, der sich zutraute, die Römer zu überlisten! Jetzt sitzt er in der Falle. Jetzt hat ihn seine List erreicht. Nichts hat er erreicht!

Wie immer die Entscheidung ausfiel, ich fühlte mich mitschuldig
am Tode dessen, den das Los treffen sollte. Obwohl ich mir immer wieder sagte: Du hast sie nicht verraten. Du hast sie nicht in-
haftieren lassen. Du hast dich für alle eingesetzt. Du wolltest, daß
alle amnestiert werden. Du bist unschuldig.

War ich wirklich unschuldig? Hatte Pilatus vielleicht am Anfang unseres Gesprächs beide freilassen wollen, Jesus und Barabbas? War ihm nicht erst während unseres Gesprächs aufgegangen,
daß hier eine Alternative vorliegt?

Zweifellos: Ich war daran beteiligt, daß es zu dieser Entscheidung zwischen Jesus und Barabbas kommen sollte. War ich auch
schuld daran? Nein, schrie ich auf, nein! Alles in mir rebellierte.
Ich bin unschuldig. Ich bin unschuldig! Immer wieder sagte ich es
zu mir. Ich bin unschuldig! Aber sobald meine eigene Stimme ver-
klang, tauchten andere Stimmen in meinem Innern auf und zischelten: Du bist schuld! Ich konnte sie nicht ersticken. Es war
ein qualvoller Heimweg.

Zu Hause angekommen, schickte ich Malchos, um mir über
den weiteren Verlauf der Dinge berichten zu lassen. Er solle sich
in der Nähe des Prätoriums aufhalten und mir mitteilen, wie die
Entscheidung ausfiel. Ich fühlte mich zu schwach, um alles mit-
zuerleben.

Es vergingen bange Stunden. Endlich kam Malchos mit der
Nachricht: Barabbas wurde auf Verlangen des Volkes freigelassen
und ist sofort untergetaucht. Den Jesus haben sie vor der Stadt gekreuzigt. Zusammen mit zwei anderen Zeloten.

Die Entscheidung war gefallen. Ich wurde etwas ruhiger. Ich
fühlte mich stark genug, um zum Stadtrand zu gehen. Ich wollte
Jesus wenigstens von ferne sehen. Immer war ich in Galiläa auf
seinen Spuren gewesen. Nie hatte ich ihn getroffen. Jetzt erst sollte ich ihm begegnen: einem als Verbrecher hingerichteten Menschen. Timon und Malchos begleiteten mich auf dem Weg.

Von der zweiten Stadtmauer aus konnten wir den Hinrich-
tungsort sehen. Drei Kreuze standen da. Drei gefolterte und ge-
schundene Menschen hingen an ihnen – in Todesangst und To-
desschmerzen. Die Leute flüsterten sich zu: Der eine ist schon
tot. Die Römer haben ihn hingerichtet, weil sie fürchteten, er
könne der Messias sein.

Ich schaute von fern auf das Kreuz, an dem Jesus hing. Es war das Kreuz in der Mitte. Links und rechts von ihm hingen die beiden verurteilten Zeloten. Vielleicht waren es zwei der jungen Leute, die wir in den Höhlen von Arbela getroffen hatten? Vielleicht jene zwei, die uns aus der Höhle hinausgeführt hatten. Wer weiß? Über ihnen stand die sinkende Sonne. Sie breitete ihren Glanz über das Kreuz Jesu und das der Zeloten, über den Toten und die beiden Sterbenden. Sie warf ihr Licht über die römischen Soldaten und die Zuschauer, die teils neugierig, teils entsetzt die Ereignisse verfolgten.

Wir standen im Schatten des Galiläers. Wir spürten: Diese Menschen waren keine Verbrecher. Wir hatten die Zeloten kennengelernt. Wir hatten von Jesus gehört. Malchos sagte: Wenn die Sonne sehen und fühlen könnte wie wir, sie müßte vor Trauer dunkel werden. Wenn die Erde empfinden könnte, sie müßte vor Zorn beben.

Aber die Sonne verdunkelte sich nicht. Die Erde blieb ruhig. Es war ein normaler Tag. Nur in mir war es dunkel. Nur in mir bebten die Fundamente des Lebens. Nur in mir zischelten die Stimmen: Du bist schuld! Du bist schuld! Die Stimmen wurden immer lauter. Immer drängender. Ich verlor die Kraft, ihnen zu widerstehen. Sie schrien jede Gegenstimme nieder. Mir wurde schwindlig. Dann verlor ich das Bewußtsein.

Timon und Malchos trugen mich nach Hause. Später erzählten sie mir, ich hätte im Fieber drei Tage und Nächte lang vor mich hingedämmert. Manchmal hätte ich von einem Tier phantasiert, das mich bedrohte. Ich hätte geschrien und mich unruhig hin und her gewälzt.

Selbst hatte ich nur verworrene Erinnerungen an meinen Zustand. Immer wieder gingen quälende Szenen durch meinen Kopf. Immer wieder sah ich die drei Gekreuzigten vor mir. Ihre Schmerzen waren meine Angst. Als ich ruhiger geworden war, formulierten sich in mir zusammenhanglose Sätze zu Gebeten. Ich klagte:[7]

---

7 Nach Motiven von Ps 22. Die Passionsgeschichte der Evangelien bringt Zitate und Anspielungen aus diesem Psalm.

Mein Gott, mein Gott,
warum hast du mich verlassen?
Warum bist du so stumm?
Warum so fern?
Tag und Nacht rufe ich um Hilfe!
Doch du bist unerbittlich.
Ich weiß, unsere Vorfahren wurden errettet.
Aber auch das ist wie tote Erinnerung in mir.
Ich bin kaum ein Mensch noch.
Ein Tier bin ich, ein Wurm, ein Nichts.
Alles macht sich über mich lustig!
Alles triumphiert über meine Niederlage.
Viele Feinde umzingeln mich.
Kreisen mich ein.
Tiermäuler drohen mich an.
Ich bin in ihrer Gewalt.
Ich löse mich auf.
Meine Knochen fallen auseinander.
Mein Herz schmerzt,
meine Kehle ist ausgedörrt,
die Zunge klebt am Gaumen.
Ich liege im Staub,
als wäre ich tot.
Von allen Seiten umstellt,
seh ich keinen Ausweg.
Doch du gabst mir den Auftrag zum Leben.
Ohne dich kann ich keinen Atemzug tun.
Sei nah,
denn niemand hilft mir!

Drei Tage lang schwebte ich zwischen Leben und Tod. Aber nach drei Tagen und Nächten wurde ich ruhiger. Die Entscheidung war für das Leben gefallen. Sie war ohne mein Zutun gefallen. Es brauchte noch lange, bis ich sie akzeptieren konnte. Noch lange zerrissen mich die Bilder der letzten Ereignisse. Immer wieder quälte sich meine Phantasie durch alles hindurch. Ein Schatten lag auf meinem Leben. Nachts schrie ich noch oft auf, wenn Angstträume von einem unheimlichen Tier durch meine verstörte Seele jagten.

Lieber Herr Kratzinger,

Ihre Stellungnahme zum letzten Kapitel haben Sie mit persönlichen Worten verbunden, die mich sehr bewegt haben. Auch Sie haben einmal rebelliert, als in den 50er Jahren die Wiederbewaffnung unseres Landes diskutiert wurde. Damals haben Sie mit der Bergpredigt in der Hand politische Entscheidungen begründet. Heute sind Sie gegenüber solchen Versuchen skeptisch. Sie teilen die Skepsis des Pilatus gegenüber den Argumenten des Andreas. Auch Sie haben erlebt, wie Ihre Hoffnungen gekreuzigt wurden.

Natürlich haben Sie recht: Kein Verteidigungsminister kann einem Angreifer zusichern, er werde nicht zurückschlagen. Der Finanzminister darf nicht nur Schätze im Himmel sammeln. Der Wirtschaftsminister sollte sich Lilien und Vögel nicht zum Vorbild nehmen. Kein Justizminister kann die Gerichte abschaffen. Sind die Forderungen der Bergpredigt also nur für den persönlichen Bereich? Sollen wir im Spiegel ihrer radikalen Forderungen gar nur unsere Unvollkommenheit erkennen?

Ich bin zu dem Ergebnis gekommen, daß sie indirekt unser politisches Handeln bestimmen sollten: Eine Gesellschaft soll so eingerichtet werden, daß in ihr das Experiment radikaler Nachfolge möglich ist. Eine Gesellschaft ist erst dann human, wenn auch der, der auf Anklagen und Prozesse verzichtet, nicht verloren ist. Sie ist erst human, wenn sie demonstrative Liebe zu Feinden erlaubt. Sie ist human, wenn sie sorglos existierende Außenseiter erhält. Politisches Handeln kann sich die Bergpredigt nicht direkt zur Richtschnur nehmen, aber sie kann für Verhältnisse sorgen, in denen sich einzelne und Gruppen nach dieser Richtschnur orientieren können.

Um einem Mißverständnis vorzubeugen: Ich meine nicht, daß irgendwo in der Gesellschaft auch eine entlegene Nische für die Bergpredigt reserviert werden sollte als »ethischer Naturschutzpark«. Vielmehr sollte die Struktur der ganzen Gesellschaft so beschaffen sein, daß das Experiment radikaler Nachfolge möglich wird. Dann können Nachfolgegruppen

Auswirkungen auf die Gesamtgesellschaft haben und »Licht der Welt«, »Salz der Erde« sein.

Vielleicht verwerfen Sie den Traum Ihrer rebellischen Zeit nicht ganz.

Herzlich
Ihr
Gerd Theißen

PS: Bisher waren die fiktive Rahmenhandlung und die Geschichte Jesu getrennt. In den letzten beiden Kapiteln greifen sie ineinander über. Daher sei betont: Was über die Motive des Pilatus zur Freilassung von Barabbas oder Jesus gesagt wird, gehört zur Dichtung, nicht zur historischen Realität.

17. KAPITEL

Wer war schuld?

Ich blieb noch drei Tage lang in Jerusalem. Und da weder Metilius noch Pilatus nach mir schickten, betrachtete ich meinen Auftrag als erledigt. Ich hütete mich, von mir aus noch einmal das Prätorium zu betreten. Vielleicht konnte ich mich unbemerkt aus der Affäre ziehen. Ich war froh, wieder normalen Geschäften nachgehen zu können. So reiste ich als Getreide- und Olivenhändler durchs Land und fand Ablenkung bei meinen täglichen Verhandlungen, Käufen und Verkäufen. Befreiung von meinen inneren Spannungen fand ich nicht. Es lag ein lähmender Druck auf meinem Leben. Ich füllte die Stunden mit ermüdender Betriebsamkeit.

Als ich wieder einmal in Cäsarea war, besuchte ich dort den Synagogengottesdienst – und traf zu meiner Bestürzung Metilius. Ich wollte mich verbergen. Aber er hatte mich schon gesehen. Zu meinem Erstaunen schien er das Sch^cma mitzusprechen. Wenigstens bewegten sich seine Lippen, als wir das Glaubensbekenntnis aller Juden zum einen und einzigen Gott sprachen.[1]

»Höre, Israel, der Herr unser Gott ist ein Gott. Und du sollst dem Herrn, deinem Gott, dienen von ganzem Herzen, von ganzer Seele und mit all deiner Kraft.«

Metilius hörte andächtig zu, als im zweiten Teil des Gottesdienstes die Thora vorgelesen wurde, ein Abschnitt aus den fünf Büchern Mose, denen eine Vorlesung aus den Propheten folgte. Und ebenso aufmerksam folgte er der kurzen Ansprache des Predigers. War Metilius ein Gottesfürchtiger? Oder gar Proselyt?[2]

---

1 Das Sch^cma heißt so nach dem ersten Wort des jüdischen Glaubensbekenntnisses: »Höre Israel« = Sch^cma Jisrael. Es wird dreimal am Tag gesprochen und hat seinen festen Ort im Synagogengottesdienst.
2 Gerade Leute aus etwas gehobenen Schichten, die mit dem Judentum sympathisierten, blieben Gottesfürchtige, ohne voll zum Judentum überzutreten, d.h. sie ließen sich nicht beschneiden. Ein solcher mit dem Judentum sympathisierender Gottesfürchtiger ist z.B. der Hauptmann Cornelius in Cäsarea (Apg 10,1ff).

Oder war er als Spion hier? Wollte er nur Kontakte zu Juden bekommen? Mir war unheimlich, daß der Leiter der römischen Spionage in einer jüdischen Synagoge am Gottesdienst teilnahm. Nach dem Gottesdienst begrüßte er mich freundlich. Er lud mich in sein Haus ein – privat, wie er sagte. Er habe vor kurzem erfahren, daß er zur Legio VI Ferrata, der »geharnischten Legion«, nach Antiochien versetzt worden sei und freue sich, von mir Abschied nehmen zu können.

Ich war noch immer mißtrauisch: All das konnte ein Trick sein, um Vertrauen zu wecken. Natürlich würde jeder geneigt sein, einem Offizier, der bald nicht mehr im Land war, mehr zu erzählen als anderen. Ich nahm mir vor, vorsichtig zu sein, folgte aber gern seiner Einladung, nicht zuletzt in der Hoffnung, Genaueres über die Gründe für die Verurteilung Jesu zu hören.

Das Haus des Metilius lag nicht weit vom Hafen Cäsareas entfernt, den Herodes hatte ausbauen lassen. Wir hatten einen wunderbaren Blick auf Stadt und Meer.[3] Die Einfahrt des Hafens lag nach Norden, denn der Nordwind war an dieser Stelle der angenehmste. An der Einfahrt befanden sich auf jeder Seite drei überlebensgroße Standbilder, aufgebaut auf Säulen. Die an den Hafen angrenzenden Häuser waren aus weißem Stein, und die Straßen der Stadt liefen auf den Hafen zu, im gleichen Abstand zueinander angelegt. Der Hafeneinfahrt gegenüber stand auf einem Hügel ein durch Schönheit und Größe ausgezeichneter Tempel des Kaisers. Darin befand sich eine gewaltige Bildsäule des Kaisers Augustus, die ihrem Vorbild, dem Zeus in Olympia, in nichts nachstand, und eine zweite Bildsäule der Göttin Rom. Weil Herodes die Stadt zu Ehren des Kaisers gebaut hatte, hatte er sie Cäsarea genannt.

Es war ein schöner Blick. Wie überhaupt Cäsarea eine schöne Stadt war: mit Amphitheater, Theater und Marktplätzen. Hier konnten sich die Römer wie zu Hause fühlen.

Metilius ließ durch seinen Sklaven Früchte bringen. Wir aßen und unterhielten uns. Ich fragte:

»Du besuchst unsere Synagogengottesdienste?«

---

3 Die folgende Beschreibung Cäsareas lehnt sich eng an Josephus bell 1,413f = I,21,7 an.

»Warum nicht? Ich versteh inzwischen etwas Hebräisch und Aramäisch.«

»Machst du es, um unsere Religion kennenzulernen – gewissermaßen studienhalber?«

Ich nahm eine Dattel. Sie schmeckte angenehm süß. Metilius nickte.

»So hat es begonnen. Ich mußte mich beruflich mit eurem Glauben beschäftigen. Ich habe die heiligen Schriften gelesen. Manches hat mich stark angesprochen. Vor allem der Glaube an den einen Gott. Er ist uns nicht unbekannt. Einer unserer Philosophen wies mich auf einen Griechen Xenophanes hin, der etwa zur Zeit der etruskischen Königsherrschaft über Rom gelebt hat; schon der soll gesagt haben: ›Es ist nur ein Gott, unter Göttern und Menschen der Größte, weder an Gestalt den Sterblichen gleich noch an Gedanken.‹[4] Eure Schriften sind da noch radikaler. So las ich in der letzten Hälfte des Jesajabuches ein Orakel eures Gottes, das sagt: Ich bin der Herr, und keiner sonst, außer mir ist kein Gott.[5] Xenophanes sprach immerhin von Göttern.«

»Willst du Jude werden?« fragte ich ihn provozierend.

»Das nicht gerade«, antwortete er. »Ich könnte ja kaum noch meinen Soldatenberuf ausüben. Wie soll ich den Sabbat halten, wenn die Truppe am Sabbat Dienst hat? Wie soll ich mich den Opfern entziehen?[6] Ich werde hin und wieder eure Synagogen besuchen und werde nur das von euch übernehmen, was mir einleuchtet: den Glauben an den einen Gott. Aber auch da habe ich Schwierigkeiten!« Er zögerte und fuhr dann fort: »Darf ich dich etwas fragen? Vielleicht habe ich bald niemanden, mit dem ich mich über eure Religion unterhalten kann!«

»Natürlich«, sagte ich und fügte lächelnd hinzu: »Aber ich bin nicht der beste Gesprächspartner. Ohne theologische Ausbildung und aus einer Familie, die zu Hause ein Götzenbild versteckt!«

4 Xenophanes, Fragment Nr. 23. Xenophanes lebte ca. 570–475/70 v.Chr. Er gehört zu den sogenannten »Vorsokratikern«.

5 Jesaja 45,5. Die Kapitel 40–55 des Jesajabuches stammen nicht von Jesaja, sondern einem unbekannten Propheten aus dem babylonischen Exil (Deuterojesaja = der zweite Jesaja). Erst dieser Prophet formuliert unmißverständlich den Glauben, daß es nur einen einzigen Gott gibt.

6 Die Juden waren vom Kriegsdienst aus diesen Gründen befreit.

»Macht nichts!« beruhigte Metilius.»Vielleicht verstehst du um
so besser mein Problem. Aus der stoischen Philosophie habe ich
gelernt, daß alle Dinge von göttlicher Vernunft durchdrungen
sind. Sie ist überall zu spüren: in der Ordnung der Natur, in der
Wiederkehr von Tag und Nacht, im Kreisen der Gestirne. Wir
Stoiker nennen diese Vernunft Gott. Das ist ein Gott, den man erfahren kann. Aber ihr sprecht davon, daß Gott die Welt einmal
aus dem Nichts geschaffen hat! Wie soll man das glauben können? Niemand konnte bei der Schöpfung anwesend sein! Niemand kann ihr Zeuge sein! Niemand kann für sie so zeugen wie
für die allgegenwärtige Vernunft.«

»Jeden Augenblick bist du Zeuge für die Schöpfung: So allge-
genwärtig erfahrbar wie die Vernunft in den Dingen ist auch ihre
Schöpfung aus Nichts!«

»Das verstehe ich nicht.«

»Es ist deshalb so schwer zu beschreiben, weil es so naheliegt –
so nahe, daß man es nicht mehr wahrnehmen kann. Denn es umfaßt einen selbst. Das eigene Sehen, Wahrnehmen, Denken, die
eigene Existenz.«

»Ich verstehe noch immer nichts!«

»Jeden Augenblick geschieht ein Übergang vom Sein ins
Nichts. Jeder Augenblick verstreicht, noch ehe wir ihn ganz regi-
striert haben. Jetzt ist er. Aber sobald ich es festgestellt habe, ist er
nicht mehr.«

»Aber er war einmal.«

»Was war, ist nicht mehr. Es ist endgültig vorbei. Alles versinkt
ins Nichts. Unsere Vorfahren, die einmal waren, sind nicht mehr!
Wir werden vergehen. Selbst die Berge werden einmal nicht mehr
sein.«

»Aber Schöpfung wäre der umgekehrte Vorgang: Ein Übergang
vom Nicht-Sein ins Sein!«

»Auch dafür bist du jeden Augenblick Zeuge: Der zukünftige
Augenblick ist noch nicht. Wir selbst sind noch nicht das, was wir
sein werden! Jeden Augenblick geschieht ein Übergang vom
Nichtsein zum Sein. Das meinen wir, wenn wir sagen: Gott
schafft jeden Augenblick aus dem Nichts! Und er erhält es, bis es
wieder ins Nichts zurücksinkt!«

»Das klingt, als könnten die Dinge jederzeit anders werden.

Aber sie bleiben doch dieselben! Und gerade darin zeigt sich nach
stoischer Philosophie die göttliche Vernunft: in allem Regelmäßi-
gen, Geordneten, Gesetzmäßigen, Bleibenden!«

»Nach unserem Glauben hat Gott auch die Ordnung der Welt
geschaffen. Und er schafft sie jeden Augenblick neu. Er läßt sie
nicht in Chaos versinken.«

»Aber er könnte jeden Augenblick etwas ändern?«

»Er könnte! Wir glauben nicht, daß die Ordnung der Welt schon
endgültig ist. Es ist Gottes Vernunft, die sich in ihr zeigt. Aber sie
muß sich in der ganzen Welt stets neu realisieren. Sie weist über
den gegenwärtigen Zustand hinaus!«

Metilius seufzte tief. Er beugte sich zu dem Tisch vor, neben
dem wir lagen, und angelte sich eine Hand voll roter Trauben.
Nach einer Weile sagte er: »Bei diesen Fragen überkommt mich
oft ein schrecklicher Schwindel. Ich kann die Leute gut verstehen, die sagen: Das ist abstrakte Grübelei – ohne Bedeutung für
das Leben.«

Ich widersprach: »Es bedeutet viel für unser Leben. Ein Stoiker
wird sagen: Ich habe in dieser Welt den Auftrag, in Übereinstimmung mit der Natur zu leben. Das heißt: In Übereinstimmung
mit der ewigen göttlichen Ordnung, die sich in ihr zeigt. Er akzeptiert die Welt, wie sie ist. Wir aber glauben nicht an eine ewige
Ordnung. Jeden Augenblick wird sie neu geschaffen. Jeden Augenblick dem Chaos und Nichts entrissen. Wir glauben an den
Auftrag, in Übereinstimmung mit dem wahren Gott zu leben,
dessen Schöpfung auf eine neue Ordnung hinzielt.«

»Deswegen seid ihr so rebellisch: Der Gott, der aus Nichts alles
schafft – der kann auch aus Verlierern Gewinner machen, aus
Vertriebenen Eroberer!«

»Ja, so ist es. In einem Lied singen wir:
Er hat Mächtige von den Thronen gestoßen
und Niedrige erhöht.
Hungrige hat er mit Gütern erfüllt
und Reiche leer hinweggeschickt.«[7]

»Verstehst du, daß ein römischer Offizier mit diesem Gott seine Schwierigkeiten hat? Und trotzdem zieht mich etwas an. Ich

7 Aus dem sogenannten »Magnificat« der Maria (Lk 1,52–53).

weiß nicht was. Ich möchte ihm nachgehen, auch in einem anderen Land.«
»Würdest du lieber in Palästina bleiben?«
»Ich habe dies Land liebgewonnen. Aber es ist paradox. Gerade als jemand, der Sympathie für den jüdischen Glauben gewonnen hat, möchte ich weg von hier.«
Ich schwieg.
»Als Soldat lebe ich hier in einer judenfeindlichen Umgebung. Unsere Soldaten sind keine Römer. Sie sind Syrer und Griechen aus Palästina. Sie hassen die Juden. Wenn ich dem Kaiser einen Rat geben könnte, würde ich raten: Er soll sie anderswohin versetzen und dafür römische Soldaten schicken.«[8]
»Aber gibt es nicht auch unter denen viele Antisemiten?«
»Gewiß. Aber hier ist es eine feste Tradition. Ich habe mir erklären lassen, woher das kommt. Die letzten selbständigen Könige der Juden, die hasmonäischen Könige, haben die umliegenden syrischen und griechischen Städte unterworfen und versklavt. Seitdem fürchten diese Städte und ihre Bewohner nichts mehr als ein mächtiges jüdisches Königreich. Besonders mißtrauisch sind sie gegenüber allen jüdischen Königen.«
»Aber es gibt doch keine jüdischen Könige mehr!«
»Nicht direkt, aber es gibt Leute, die entweder behaupten, der erwartete jüdische König zu sein, oder von denen andere erhoffen, sie würden als Könige und Messiasse hervortreten – wie dieser Jesus, den wir vor kurzem hingerichtet haben.«
»Und solche Königsanwärter sind bei den Soldaten verhaßt?«
»Und wie! Was haben unsere Soldaten nicht alles gemacht, um diesen Jesus zu verhöhnen. Nachdem er schon verurteilt und durch Folter verunstaltet war, riefen sie die ganze Kohorte zusammen und zogen ihm ein Purpurgewand an, flochten eine Dornenkrone und setzten sie ihm auf. Dann fingen sie an, ihn zu begrüßen: Heil dir, König der Juden! Und schlugen ihn mit einem Rohr

---

8 Dieselben Kohorten, die bei der Hinrichtung Jesu beteiligt waren, haben ca. 15 Jahre später beim Tod des jüdischen Königs Agrippa I. (44 n.Chr.) ihren Haß gegen jüdische Könige offen geäußert: Sie schleppten Bilder der Töchter des Königs in Bordelle und feierten öffentlich seinen Tod in Cäsarea. Der Kaiser Claudius hat damals ernsthaft überlegt, die Kohorten zu versetzen (vgl. Josephus ant 19,356–359.364–366 = XIX,9,1f).

auf den Kopf, spuckten ihn an und knieten vor ihm nieder und huldigten ihm.[9] Sie machten sich über den armen Menschen lustig. Ihr ganzer Judenhaß kam in diesen Mißhandlungen zum Ausdruck.«

»Und warum seid ihr Offiziere nicht eingeschritten?«

»Nicht alle denken so wie ich. Pilatus selbst ist nicht gut auf die Juden zu sprechen. Und der starke Mann in Rom, Sejanus, soll ein entschiedener Judenfeind sein.«

»Aber dann ist der Haß gegen die Juden schuld an der Hinrichtung Jesu!« rief ich aus.

»Auch das. Aber hier kamen viele Gründe zusammen«, meinte Metilius, »Gründe, über die du vielleicht besser Bescheid weißt als ich?«

Ich wurde wieder mißtrauisch: Wollte er mich über Jesus ausfragen? Die Römer mußten daran interessiert sein, Informationen über seine Bewegung zu sammeln. Konnte sie doch wieder aufblühen oder Nachfolger finden.

Doch Metilius fuhr fort: »Warum hat sich das Volk in Jerusalem für Barabbas ausgesprochen und nicht für Jesus?«

Ich zuckte die Achseln. Ich wußte es wirklich nicht. Metilius sagte:

»Ich habe inzwischen mehr über jenen merkwürdigen Vorfall im Tempel erfahren. Jesus hat ein Orakel über den Tempel geäußert: ›Dies mit Händen gemachte Haus wird zerstört werden und ein anderes, nicht mit Händen gebautes errichtet werden.‹[10] Die Vertreibung einiger Geldwechsler und Opfertierverkäufer aus dem Tempel sollte eine Illustration dieser Weissagung sein. Aber mit solchen Orakeln und Provokationen hat er sich keine Freunde in Jerusalem geschaffen. Von der Heiligkeit des Tempels lebt fast die ganze Stadt. Alle Priester und Hohenpriester, die von den Abgaben an den Tempel profitieren. Alle Tempelhandwerker, die an ihm bauen. Alle Gastwirte, die die vielen Besucher beherbergen. Alle Händler mit Opfertieren bis hin zu den Gerbern, welche die Häute der geopferten Tiere weiterverarbeiten. Wer die Heiligkeit des Tempels angreift, tastet die wirtschaftliche Grundlage

9 Mk 15,16–20
10 Mk 14,58

dieser Handwerker und ihrer Familien in Jerusalem an. Pilatus hat es bitter erfahren müssen, als er Kaiserbilder in Jerusalem einführen und Geld aus der Tempelkasse zu profanen Zwecken verwenden wollte.«

Mir fiel ein, daß auch Jesu Lehre von rein und unrein viele verunsichern konnte: Wenn es keine reinen Speisen mehr gab, keine reinen Geräte, keine reine Ware, keine reinen Menschen – dann konnte alles genausogut von Heiden wie von Juden gekauft werden. Ich dachte an unser einträgliches Geschäft mit reinem Olivenöl in den Diasporagemeinden der syrischen Städte. Aber ich lenkte das Gespräch auf einen anderen Punkt:

»Der jüdische Staatsrat, das Synhedrium, hat Jesus ausgeliefert. Hätten sie ihn nicht einfach laufen lassen können? Warum haben sie es getan?«

Metilius meinte, auch dazu gebe es nur Vermutungen: »Ganz gewiß profitieren viele Mitglieder im Synhedrium vom Tempel. Alle Hohenpriester lebten von den Zehnten und anderen Abgaben an den Tempel, wie sie im Gesetz vorgesehen waren. Sie waren deshalb an der unantastbaren Heiligkeit von Tempel und Gesetz interessiert. Jesus aber war kritisch gegenüber dem Tempel eingestellt und hielt sich nicht an alle Gesetzesvorschriften. Mußten sie nicht fürchten, daß das Gesetz, also ihre Existenzbasis, aufgelöst wurde?«

»Aber er wurde doch aus politischen Gründen hingerichtet, als Messiasanwärter?«

Metilius bestätigte: »Das stimmt. Das Orakel gegen den Tempel und seine Haltung in religiösen Fragen haben vor Pilatus keine Rolle gespielt. Pilatus hat ihn als jemanden verurteilt, der als Königsanwärter die römische Herrschaft gefährdete. Das war der entscheidende Grund.«

»Und mit dieser Anklage hat ihn der jüdische Staatsrat an die Römer ausgeliefert? Warum?«

»Die Motive des Staatsrates sind ganz deutlich: Er ist wie jede politische Instanz an der Erhaltung seiner Macht interessiert. Er weiß, daß sie begrenzt ist. Er hat seine Existenzberechtigung für uns Römer nur dadurch, daß er bessere Ruhe im Lande schafft, als wenn wir alles selbst in die Hand nehmen. Er muß also um jeden Preis Unruhen vermeiden. Das ist sein entscheidendes Interesse.

Denn die Römer würden sofort eingreifen, wenn er die Lage nicht mehr kontrolliert. Notfalls würden wir den Staatsrat abschaffen.«[11]

»Aber war diese Befürchtung gegenüber Jesus berechtigt? War er wirklich ein Unruhestifter?«

»Vielleicht war er ganz harmlos. Aber seine Bewegung hätte leicht zu Unruhen führen können. Leute, die mit ihm vom Land nach Jerusalem zum Passa geströmt waren, haben ihn als Messias begrüßt.[12] Er hat im Tempelhof die Händler gestört. Er hat die Erwartung geweckt, jetzt müsse etwas Entscheidendes geschehen. Die Herrschaft Gottes werde kommen. Die Lage war gespannt!«

»Hielt man ihn selbst gar nicht für so gefährlich?«

»Nein, gefährlich war die große Menge beim Passafest. Wir haben unsere Erfahrungen. Wegen dieser großen Menge kommt der römische Präfekt an Festtagen mit einer Kohorte zur Verstärkung der ständig anwesenden Soldaten, um von vornherein Unruhen zu dämpfen. Kennst du nicht die Geschichte von jenem Furz, der fast einen Krieg ausgelöst hätte?«[13]

Ich schüttelte den Kopf. Metilius erzählte: »Als sich einmal die Menge zum Fest der ungesäuerten Brote in Jerusalem versammelt und die römische Kohorte auf dem Dach der Säulenhalle um das Heiligtum Aufstellung genommen hatte – wie gesagt bewachen sie immer an Festtagen in voller Bewaffnung das versammelte Volk, damit es keinen Aufstand beginne – da erhob ein Soldat sein Gewand, bückte sich und kehrte in unanständiger Weise den Juden den Hintern zu; zugleich gab er einen entsprechenden Laut von sich. Darüber geriet das Volk in hellen Zorn und forderte mit Geschrei vom Präfekten die Bestrafung des Soldaten. Einige junge Männer, die wenig beherrscht waren, und andere aus dem Volk, die ohnehin zum Aufstand neigten, schritten zum Kampf, hoben Steine auf und begannen, auf die Soldaten zu werfen. Der

11 An diesem Punkt urteilt das Johannesevangelium erstaunlich realistisch: Das Synhedrium geht mit dem Argument gegen Jesus vor: »Lassen wir ihn auf diese Weise gewähren, so werden alle an ihn glauben, und die Römer werden kommen und uns sowohl den Ort als auch das Volk wegnehmen« (Joh 11,48).
12 Vgl. Mk 11,1ff
13 Der folgende Zwischenfall – wiedergegeben nach Josephus bell 2,224–227 = II, 12,1 – ereignete sich unter dem Prokurator Cumanus (48–52 n.Chr.).

Präfekt fürchtete nun, das ganze Volk wolle ihn angreifen; er ließ
daher noch mehr Schwerbewaffnete anrücken. Als sich diese in
die Hallen ergossen, befiel die Juden ein unwiderstehliches Er-
schrecken; sie wandten sich um und versuchten, aus dem Heiligtum in die Stadt zu fliehen. Die Gewalt der sich an den Ausgän-
gen zusammengedrängten Masse war so groß, daß sie sich untereinander niedertraten und erdrückten, wobei 3000 getötet wurden. So etwas kann jederzeit bei Festen passieren. Die Leute sind erregt. Zwar wird ihr Übermut durch die Soldaten im Zaum gehalten. Andererseits aber reizt die Anwesenheit von Soldaten erst
recht die Leute auf. Besonders wenn die Soldaten antisemitische
Provokationen begehen. Deshalb meine ich, der Kaiser solle diese Soldaten abziehen und gegen römische Soldaten eintauschen.
Solche unnötigen Provokationen wie dieser Furz würden gewiß
seltener.«

»Aber Jesus hat die Leute ja nicht in dieser Weise provoziert!«

»Diese Störungen der Opfertierverkäufer und Geldwechsler
waren eine Provokation, gewiß ganz anderer Art. Aber wenn aus
einem Furz fast ein Krieg entsteht, was kann dann aus einer Provokation gegen Händler im Tempelvorhof entstehen! Der jüdische Staatsrat, das Synhedrium, hat daher richtig gehandelt, als er
Jesus auslieferte.«

»Hat man ihn gleich bei diesen Störungen im Tempelhof inhaftiert?«

»Nein, das wäre unklug gewesen. Das hätte erst recht zu Unruhen geführt. Wir wußten ja: an sich war dieser Jesus ganz harmlos.
Aber wenn eine erregte Menge dabei war, dann konnte er unabsehbare Folgen hervorrufen. Das Synhedrium hat ihn deswegen
bei Nacht und Nebel inhaftiert, als er mit seinen engsten Anhängern allein war.«

»Woher wußte man denn seinen Aufenthaltsort?«

»Ein Anhänger hat ihn gegen Geld verraten!«

Ich fragte Metilius: »Hältst du diesen Jesus für schuldig? Hat er
zu Recht den Tod erlitten?«

Metilius zögerte: »Ich glaube, er war unschuldig! Er hätte vielleicht Schwierigkeiten bereitet. Aber das ist kein Verbrechen!«

»Und wer ist dann deiner Meinung nach schuld am Tod Jesu?«

Wieder dachte Metilius lange nach: »Es ist falsch, nach Schuldigen zu suchen. Vielleicht ist es überhaupt falsch, nach einer Schuld zu fragen. Sein Tod hat viele Ursachen. Eine Ursache sind die Spannungen zwischen Syrern und Juden. Ohne den Antisemitismus in den römischen Kohorten bis hin zum Präfekten wäre alles anders verlaufen. Ursache sind die Spannungen zwischen Juden und Römern. Ohne die Angst der Römer vor messianischen Unruhen wäre Jesus nicht inhaftiert worden. Ursache sind ferner Spannungen zwischen Stadt- und Landbevölkerung: Vielleicht hätte das Jerusalemer Volk den andern freigebeten, wenn es nicht gegenüber allen Propheten vom Lande mißtrauisch wäre, die ihren heiligen Tempel angreifen. Ursache sind aber auch die Spannungen zwischen Aristokratie und einfachem Volk: Die Aristokratie will ihre Macht aufrechterhalten. Deswegen liefert sie verdächtige Unruhestifter an die Römer aus. Und sie will die Juden beherrschen. Deshalb wacht sie argwöhnisch über dem Gesetz, das ihre Einkünfte und Macht begründet. Alles kommt hier zusammen: Dieser Jesus ist zwischen die Räder geraten. Er wurde von den Spannungen zerrieben, unter denen das ganze Volk leidet.«

»Aber hat nicht Pilatus die Hauptverantwortung? Ist er nicht schuld?«

»Wenn man nach einem bestimmten Verantwortlichen sucht, dann ist es Pilatus. Er hat das Urteil gefällt. Er ist im juristischen Sinne verantwortlich.«

»Warum hat er ihn verurteilt? Warum hat er ihn nicht als einen Wirrkopf laufen lassen?«[14]

»Ich glaube, Pilatus hatte Angst, daß ihn all diese Spannungen

14 Einen Verrückten hätten die Römer gewiß laufen lassen. Im Jahr 62 n.Chr. erregte ein vom Land stammender Prophet namens Jesus, Sohn des Ananias, mit einer Unheilsprophetie gegen Jerusalem, den Tempel und das Volk Anstoß. Die jüdische Aristokratie nahm ihn fest, verhörte ihn und lieferte ihn den Römern aus. Der Prokurator kam jedoch zu dem Ergebnis, daß der Prophet wahnsinnig sei und ließ ihn laufen (Jos. bell 6,300–309 = VI, 5,3). Die Parallele zum »Fall Jesus aus Nazareth« ist unübersehbar. Auch Jesus erregte mit einer kritischen Prophetie gegen den Tempel Anstoß. Auch er stammte vom Land. Auch bei ihm durchlief das Verfahren zwei Instanzen.

und Konflikte erdrücken würden. Er zog es vor, Jesus sterben zu
lassen, um selbst zu überleben.«

»Meinst du, daß er erfolgreich sein wird? Daß er jetzt unbesorgt
weiterregieren kann?«

Metilius zuckte mit den Achseln: »In diesem Land ist noch viel
möglich. Wie oft habe ich meine Einschätzung der Situation ändern müssen! Wie viel mußte ich hinzulernen! Ich wage keine
Voraussagen mehr. Ich bin noch nicht einmal sicher, daß die Sache mit Jesus jetzt ausgestanden ist.«

»Was soll denn noch kommen, wo er doch tot ist?«

»Er hat Anhänger. Auch nach dem Tod Johannes des Täufers
dachte man zuerst: Jetzt ist die Sache erledigt. Aber dann trat Jesus auf.«

»Weißt du irgend etwas über seine Anhänger?«

»Sie haben sich in Jerusalem versammelt. Sie glauben, Jesus sei
nicht tot. Sie wollen ihn in Visionen lebendig gesehen haben!«

»Nach dem Tod des Täufers sagten auch einige: Jesus sei der
von den Toten erstandene Täufer.«

»Dann würde das traurige Spiel wieder von vorne beginnen!
Aber diese Anhänger glauben nicht, daß er ins Leben zurückgekehrt ist, sondern zu Gott. Gott habe ihn von den Toten erweckt!«

»Aber das ist doch absurd!«

»Warum? Es ist nicht absurder als der Glaube an Gott, der die
Welt in jedem Augenblick aus dem Nichts erschafft. Ich muß dir
gestehen: Als ich dich nach der Schöpfung aus Nichts fragte, hatte ich schon im Hinterkopf diese Frage nach Jesus. Kann es so etwas geben: Die Neuschaffung eines Menschen aus dem Tod?
Gibt es eine Schöpfung in der Gegenwart? Aber vielleicht gehen
all diese Gedanken viel zu weit. Vielleicht handelt es sich nur um
eine Trotzreaktion der Jünger, die den Tod ihres Meisters nicht
akzeptieren können! Oder sonst irgend etwas.«

Das Gespräch mit Metilius brachte ein positives Ergebnis für
mich: Ich hoffte, mit der Versetzung des Metilius keine Aufträge
mehr von den Römern zu bekommen. Irgendwann würde auch
Pilatus abberufen werden. Vielleicht schon bald, wenn er sich in
all den kleinen und großen Konflikten nicht behauptete. Dann
würde ich endgültig frei sein.

Lieber Herr Kratzinger,

das letzte Kapitel enthält in Ihren Augen sehr unterschiedliche Abschnitte: Auf der einen Seite eine nüchterne Analyse der möglichen Faktoren, die zur Hinrichtung Jesu geführt haben; auf der anderen eine Deutung des Osterglaubens durch den Gedanken der »Schöpfung aus dem Nichts«. Sie haben recht, daß ich damit nicht nur einen Glauben der Vergangenheit darstellen, sondern ihn für die Gegenwart interpretieren will.

Freilich ist der Gedanke einer Schöpfung aus dem Nichts schon seit dem 2. Jh. v.Chr. belegbar. Er findet sich zuerst in 2.Makk 7,28. Philo ist mit ihm vertraut. Paulus setzt ihn voraus (Röm 4,17); ja, er deutet in 2Kor 4,17 wahrscheinlich seine »Erscheinung« vor Damaskus mit Bildern des Schöpfungsglaubens.

Ich gebe gerne zu, daß ich diese Abschnitte über Schöpfung und Auferstehung nicht ohne Kenntnis der dänischen »Schöpfungstheologie« hätte schreiben können. Hier habe ich gelernt, daß Existenz und Nichtexistenz, Schöpfung und Vernichtung in der Zeit jederzeit gegenwärtig sind. Wir kreisen hier um dasselbe Geheimnis, das alle Theologen und Philosophen beschäftigt, die die Frage umtreibt: Warum ist überhaupt etwas und nicht nichts? Diesem Geheimnis begegnen wir im Osterglauben!

Meine »narrative Exegese« geht hier über in »narrative Hermeneutik«. D.h. es geht mir nicht nur um die Bedeutung, die man einmal dem Osterglauben beigelegt hat, sondern um eine Bedeutung, die wir ihm heute abgewinnen können.

Herzlich
Ihr
Gerd Theißen

18. KAPITEL

Der Traum vom Menschen

Im Gespräch mit Metilius hatte ich erkannt: Jede Gruppe und jeder Mensch sucht sich auf Kosten anderer zu behaupten. Jeder hat gelernt, daß wir die Schwachen schonen müssen. Aber in Konflikten sind wir bereit, andere für uns zu opfern – aus Angst, selbst zugrundezugehen.

Dieser Meinung war der Staatsrat gewesen: Es sei besser, ein Mensch sterbe, als wenn das ganze Volk seine Selbständigkeit verlöre. Sie opferten den einen Menschen im Interesse des Ganzen.[1]

Pilatus handelte nach derselben Devise: Besser ein anderer stirbt, als daß die eigene Herrschaft bedroht würde. Er hatte Angst, wenn er Jesus nicht umbrächte, würde er die nächste messianische Bewegung nicht unter Kontrolle halten können.

Das Volk dachte nicht anders: Um seine Interessen zu wahren, verlangte es die Kreuzigung Jesu. Es fürchtete den wirtschaftlichen Ruin, wenn Tempel und Stadt nicht mehr als heilige Stätten galten, zu denen Pilger aus aller Welt strömten.

Auch Barabbas hatte von diesem Gesetz Nutzen gehabt. Ein anderer war an seiner Stelle gestorben.

Und so sah ich alle darin verwickelt, ihr Überleben auf Kosten anderer zu sichern – auf Kosten der Ausgestoßenen und Verurteilten.

Gewiß, mir war in diesem grausamen Spiel nur eine Nebenrolle zugefallen. Aber diese Erkenntnis entlastete nur wenig. Waren wir nicht alle wie Tiere, die auf Kosten schwächerer Artgenossen leben? Ja, setzen wir nicht untereinander jenes Fressen und Gefressenwerden fort, das wir in der Natur meist zwischen verschiedenen Arten beobachten? Jeder lebt, indem er andere verdrängt. Niemand kann sich dem entziehen. Und doch würde ich es nie akzeptieren. Auch wenn man mir tausendmal nachwiese, daß

1 Vgl. Joh 11,47–50

Gott diese Welt nun einmal so eingerichtet hätte! Niemals würde ich mich damit abfinden!

Ein Ekel überkam mich, daß ich an diesem Spiel beteiligt war, Abscheu darüber, daß ich mich weiterhin an ihm beteiligen sollte. Ich sah keinen Ausweg, es sei denn, man könnte die Grundordnung der Welt ändern! Eben noch hatte ich bei Metilius davon gesprochen. Aber jetzt schien mir der Gedanke absurd! Wer sollte denn diese Änderung vollbringen? Sollten wir Menschen die Schöpfung revidieren? War von Gott zu erwarten, daß er sie neu konstruierte?

Ich war in unser Haus zurückgekehrt. Meine Gedanken verfinsterten sich. Ergebnislos grübelte ich vor mich hin.

In dieser Stimmung war ich, als ich am Abend Besuch bekam: Baruch stand vor der Tür. Fast ein halbes Jahr hatten wir uns nicht gesehen. Er kam im rechten Augenblick. Meine Tätigkeit für die Römer hatte wenigstens etwas Gutes bewirkt: Ich hatte Baruch für das Leben zurückgewinnen können. Ich hatte ihn als menschliches Wrack gefunden. Jetzt stand er gesund vor mir. Diesmal war ich es, der desorientiert, verirrt und verlaufen war!

Wir setzten uns ins Oberzimmer. Es war dunkel geworden. Ein Öllämpchen gab Licht. Baruch erzählte: Er habe mich in Sepphoris gesucht, sei mir dann nachgereist. Von zu Hause habe er einen versiegelten Brief mitgebracht, der dort von Fremden für mich abgegeben worden sei. Alles weitere sprudelte unzusammenhängend aus ihm heraus: In Jerusalem habe er sich einer neuen Kommune angeschlossen. Sie lebten im Untergrund. Sie hätten allen Besitz gemeinsam. Die Hungernden würden satt, die Trauernden getröstet. Mann und Frau, Freie und Sklaven hätten gleiche Rechte.[2]

War Baruch erneut von einer Sekte abhängig geworden? War ich auch hier erfolglos gewesen? Doch ich hörte nur halb zu. Etwas anderes hatte meine Aufmerksamkeit gefesselt. Ich glaubte, die Handschrift auf der Außenseite des Briefes erkannt zu haben. War es ein Brief von Barabbas? Aufgeregt brach ich das Siegel.

Baruch redete weiter. Er erzählte und erzählte. Von gemeinsa-

---

2 Vgl. die Darstellungen der Urgemeinde in Apg 2,42–47; 4,32–37 und Apg 1–6 überhaupt.

men Mahlzeiten. Von Freude und Liebe. Vom Geist Gottes. Von
Wundern. Von Heilungen. Ich horchte auf, als er sagte:
»Unsere Kommune geht auf Jesus von Nazareth zurück, für
den du dich früher interessiert hast!«
Ich wehrte ab: »Jesus ist tot! Gescheitert wie so viele andere
Propheten!«
»Nein, er ist nicht tot! Er wurde nach seinem Tod gesehen in
verwandelter Gestalt!«[3] Baruchs Redefluß war nicht zu bremsen.
Ich hatte Baruch einmal für das Leben gewinnen können, aber
nicht für das Leben eines Kaufmanns. Ich konnte ihm nicht geben, was er in der Wüstengemeinde gesucht hatte: Geborgenheit
in einer Gemeinschaft, die sich der Bosheit dieser Welt entzogen
hatte. Jetzt hatte er gefunden, was er gesucht hatte!
   Eigentlich hätte ich mich über seine Begeisterung freuen sollen. War sie nicht ein Kontrast zu seinem selbstzerstörerischen
Verhalten in der Wüste? Oder war sie ein Rückfall in jenen Traum
vom ganz anderen Leben, den er als Essener geträumt hatte?
Wollte er mich mit seinem Traum anstecken? Aber er bewirkte
nur, daß mir meine eigene Verletzlichkeit und Verletztheit bewußt wurde. Alles, was mit Jesus zu tun hatte, riß Wunden und
Schmerzen auf. Alles erinnerte nur daran, daß man mit den besten Absichten in unheilvolle Zusammenhänge verstrickt werden kann. Baruch konnte nicht ahnen, was in mir vorging.
   Aber vielleicht hatte Barabbas einen Ausweg gefunden? Vielleicht hatte ich wenigstens ihn für das Leben zurückgewonnen?
Unbekümmert um Baruchs Redefluß las ich den Brief:

Barabbas wünscht Andreas
   Schalom!
Verbrenne diesen Brief, sobald du ihn gelesen hast. Denn niemand darf
ihn bei dir finden! Niemand darf wissen, was in ihm steht. Ich schreibe
dir vor allem, um dir zu danken. Ich habe gehört, wie sehr du dich für
mich eingesetzt hast. Ich bin knapp dem Tod entronnen. Der Preis war
hoch. Ein anderer starb an meiner Stelle. Zwei meiner Freunde wurden

3 Die älteste Überlieferung über die Erscheinungen ist in 1 Kor 15,3–7 enthalten. Paulus zitiert hier eine ihm überlieferte Tradition. Die dort genannten Zeugen Petrus und Jakobus hat er persönlich drei Jahre nach seiner Bekehrung – also
in den dreißiger Jahren – kennengelernt. An der subjektiven Authentizität der
Erscheinungstraditionen kann kein Zweifel bestehen.

mit ihm gekreuzigt. Seitdem frage ich mich: Warum traf es die anderen?
Warum Jesus? Warum nicht mich?

Ich weiß, Jesus steht dir nahe. Du hast seinen sanften Weg der Rebellion verteidigt und meinen Weg des Widerstands abgelehnt. Nun bin ich
unlösbar mit ihm verbunden. Immerfort denke ich darüber nach, was
das für mich bedeutet.

Wenn er stellvertretend für mich gestorben ist, dann bin ich verpflichtet, stellvertretend für ihn zu leben. Du würdest wahrscheinlich sagen:
ich sei ihm schuldig, daß ich mich seinem Weg anschließe. Aber ich bin
zu einem anderen Ergebnis gekommen. Unsere beiden Wege sind einander entgegengesetzt und doch aufeinander angewiesen.

Die sanfte Rebellion des Jesus wird von den Mächtigen nur ernst genommen, wenn sie wissen: Die Alternative wäre gewalttätige Rebellion,
die unabsehbare Risiken in sich birgt. Nur in solch einer Situation haben
Menschen wie Jesus eine Chance. Nur mit uns im Hintergrund haben
sie Gewicht.

Aber auch für uns gilt: Unser harter Weg hat nur eine Chance, wenn
der andere Weg noch gangbar ist. Wir können die bestehende Ordnung
erschüttern, aber wir können mit unseren Methoden keine neue Ordnung aufbauen. Wir stehen in Gefahr, von den Konsequenzen unserer
Gewalttaten eingeholt zu werden: Gewalt zeugt wieder Gewalt. Wenn
wir uns einmal durchgesetzt haben werden, werden wir auf Vergebung
und Versöhnung angewiesen sein.

Stellvertretend füreinander müssen wir unsere Wege gehen. Sie sind
verschieden und oft entgegengesetzt. Ich weiß, daß Jesus unseren Weg
nicht billigen würde. Aber dennoch sind wir aufeinander angewiesen.
Sein Weg steht in Gefahr, von den Mächtigen ausgenutzt zu werden. Wir
stehen in Gefahr, unser Ziel aus den Augen zu verlieren.

Am Ende werden uns unsere Wege zusammenführen: ja, sie haben
sich schon vereint. Mit Jesus wurden zwei meiner Freunde gekreuzigt.
Sie gehören zu ihm. Er starb als »König der Juden«, unsere Leute als sein
Gefolge.[4] Ich erkenne an, daß er überlegen ist. Aber er braucht uns. Er
braucht unsere schmutzige Arbeit. Er braucht sein Gefolge. Wir waren
im Sterben bei ihm, als seine Jünger ihn verlassen hatten. Wenn ich einmal den Römern in die Hände falle und sein Schicksal erleide, werde ich
mit ihm vereint sein.

Gott sei uns allen gnädig!
Dein Freund
Barabbas

---

4 Mit Jesus wurden zwei »Räuber« gekreuzigt (Mk 15,26f).

Während ich las, hatte Baruch weitergeredet. Meine Aufmerksamkeit war gespalten. Die Stimme des fernen Barabbas kam näher, Baruchs Stimme wurde ferner. Und doch war sie für mich
wichtig. Denn ohne seine Anwesenheit hätte mich ohnmächtige
Verzweiflung überwältigt. Ich erkannte sofort: Barabbas würde so
enden wie Jesus. Weder sein Weg noch der Weg Jesu war gangbar.
Auch meine Vorstellungen waren Illusion. Ich hatte von Reformen geträumt. Dazu müßte man Macht haben; und die lag bei
den Römern. Solange sie glaubten, mit Truppen jeden Unmut ersticken zu können, hatten sie an einer Verbesserung der Verhältnisse kein Interesse. Nichts ging. Es war alles sinnlos. Man konnte
nichts machen.

Zum Glück konnte ich in diesem Augenblick wenigstens etwas tun: den Brief verbrennen. Ich hielt das Papyrusblatt über die
Flamme des Öllämpchens. Feuer züngelte nach oben. Unruhige
Helle flackerte durchs Zimmer. Baruchs erschrockenes Gesicht
schwankte in den kurzlebigen Schatten. Er nahm zum ersten Mal
wahr, daß ich mit ganz anderem beschäftigt war.

»Was tust du da?« fragte er bestürzt.

»Ich verbrenne diesen Brief.« In mir loderten Ekel und Abscheu
und verwandelten jeden Glauben in Asche. Mich überkam eine
destruktive Lust gegen alles.

»Baruch«, sagte ich: »Manchmal muß man einen Brief verbrennen und seinen Glauben dazu!«

»Was meinst du?«

Wie weit waren wir mit unseren Gedanken voneinander entfernt! Ich zweifelte, ob wir uns an diesem Abend je im Gespräch
würden finden können.

»Baruch«, sagte ich: »Vergiß nicht, warum die Essener dich ausgestoßen haben. Du hast das Gerücht von ihren Schätzen als Illusion entlarvt! Du hast durchschaut, daß es dazu dient, Menschen der Gemeinschaft auszuliefern und sie zur Abgabe ihres
Besitzes zu bewegen! Siehst du nicht, daß die Anhänger Jesu ähnliche Illusionen haben?«

»Keiner von ihnen behauptet, er habe verborgene Schätze.«

»Dafür sprechen sie von einem Schatz im Himmel. Sie glauben
an einen Toten, der im Himmel die Macht für sie ergriffen hat.

Ohne diesen Glauben brächten sie niemanden dazu, freiwillig allen Besitz für die Gemeinschaft herzugeben.«

»Ein Lebender hat für uns alle Macht im Himmel und auf Erden ergriffen. Wenn Gott aber einen Toten lebendig machen kann, kann er dann nicht auch unsere toten Herzen mit lebendem Geist erfüllen und uns zu Dingen befähigen, die niemand für möglich gehalten hat?«

»Worin liegt denn der Unterschied zwischen verborgenen Schätzen in der Erde und einem verborgenen Stellvertreter im Himmel? Beides ist unkontrollierbar! Beides könnte Illusion sein! Jede Gruppe braucht eben ein paar Lebenslügen, damit alle zusammenbleiben, die Essener genauso wie ihr.«

»Du übersiehst einen Unterschied: Niemand von den Essenern hat die Schätze gesehen. Jesus aber wurde von vielen gesehen. Viele fanden in seinen Worten Wahrheit. Vielen erschien er nach seinem Tod.«

»Und wenn diese Erscheinungen Phantasien und Halluzinationen waren?«

»Warum sollte Gott nicht Phantasien und Halluzinationen benutzen, um eine Botschaft an uns zu richten?«

»Welche Botschaft?«

»Daß Gott sich neu auf Jesu Seite stellt – auch nach seinem Tod.«

»Muß man nicht richtiger sagen, daß die Jünger sich neu auf Jesu Seite gestellt haben?«

»Gottes Geist trieb sie dazu!«

»Woran erkennst du hier Gottes Geist?«

»Weil Gott schon immer so mit uns gehandelt hat. Schon immer hat er die Schwachen und Ausgestoßenen erwählt. Genauso hat er jetzt den Gekreuzigten erwählt.«

»Ich zweifle, daß dieser Geist Gottes je eine Gruppe von Menschen ergreifen kann. Jede Gruppe braucht Opfer und Ausgestoßene. Würde ich mit meinen skeptischen Fragen bei euch nicht genauso in die Wüste geschickt werden wie du bei den Essenern?«

Baruch protestierte: »Wir haben keine verborgenen Schätze, um Menschen zu ködern. Einmal hat ein Ehepaar einige Schätze tatsächlich verborgen halten wollen. Aber das kam heraus!«

»Und was geschah mit ihnen?«

»Sie hatten einen Acker verkauft und der Gemeinde angeblich den ganzen Verkaufsertrag gegeben, in Wirklichkeit aber den halben Erlös behalten. In einer Gemeindeversammlung wurde festgestellt, daß sie gegen den Geist unserer Gemeinschaft verstoßen hatten.«[5]

»Hat man ihnen verziehen?«

»Das Urteil traf sie wie ein Schock. Beide starben in wenigen Minuten.«

Erregt sprang ich auf und rief: »Hast du nicht selbst erlebt, wie das ist, wenn man gegen den heiligen Geist einer Gemeinschaft verstößt? Du wurdest dem Hungertod ausgeliefert. Und ihr treibt zwei eurer Mitglieder in den Tod, weil sie etwas Gutes nicht so perfekt taten, wie ihr es wünscht.«

»Niemand wollte, daß sie starben. Es geschah alles von selbst.«

»Baruch«, rief ich, »wie kannst du so einer Kommune angehören! Ist das denn im Geist Jesu gehandelt? Hat er nicht oft mit Zöllnern zusammen gegessen, die ständig Geld unterschlagen? Hat er je seine Macht dazu eingesetzt, Menschen tot umfallen zu lassen?«

Baruch schwieg betroffen.

Dann sagte er leise: »Vielleicht hast du recht. Auch wir sind nicht vollkommen. Dennoch gibt es in unserer Kommune viel Liebe und Hilfsbereitschaft. Warum redest du so hart gegen sie? Willst du mich auch aus ihr herausholen?«

Wollte ich das? Warum hatte ich mit solchem Eifer versucht, Baruch in seinem Glauben zu verletzen? Tat ich es, weil ich selbst verletzt war? Ich brauchte lange, bis ich antwortete:

»Als ich dich aus der Essenergemeinde herausholte, war alles anders. Damals ging es dir schlecht. Heute habe ich Probleme. Mit diesem Jesus wurde etwas in mir zerstört. Ich hatte viel von ihm erhofft. Auch die Lösung persönlicher Probleme. Jetzt habe ich alle Illusionen verloren und möchte mich nicht in neue Illusionen hineinreden!«

Für Baruch mußte das ziemlich unverständlich sein. Aber es tat mir gut, als er sagte: »Komm doch zu uns!«

Ich schüttelte den Kopf. »Ich eigne mich nicht für eure Kom-

5 Apg 5,1ff.

mune. Ich bin ein reicher Kaufmann. Was soll ich in einer Gemeinschaft, die Besitzerwerb verachtet und so streng mit ihren Mitgliedern umspringt!«

Zwischen Baruchs Begeisterung und meiner Traurigkeit lagen Welten. Wir versuchten noch ein wenig, den trostlosen Nachgeschmack des Aneinandervorbeiredens durch Verständigung in belanglosen Alltagsdingen zu mildern. Unser Gespräch verlief sich in der fortschreitenden Nacht. Endlich legten wir uns schlafen, Baruch in einem Zimmer im Untergeschoß, ich oben. Ich wußte, daß ich so bald keinen Schlaf finden würde – trotz aller Müdigkeit. Lange starrte ich in die Nacht.

Über mir krümmte sich der klare Sternenhimmel. Millionen von Sternen flimmerten unendlich weit weg von mir. Mein eigenes Leben war so winzig – ein Stückchen Staub auf dieser Erde. Was war denn diese ganze Welt? War sie etwas anderes als eine zufällige Ansammlung von Dreck und Staub, von Licht und Dunkelheit, von Erde und Wasser? Und da lebten verschiedene Staubgebilde und quälten sich im Lebenskampf gegeneinander ab, indem sie sich unterdrückten, ausnutzten, erniedrigten und opferten. Und die Menschen, denen das bewußt wurde, verzweifelten. Sie lehnten sich auf. Sie wollten entkommen. Die einen rebellierten mit Gewalt – und gerieten selbst in den Kreislauf von Gewalt und Gegengewalt. Die anderen ließen in blutrünstigen Phantasien die Welt in Flammen untergehn – und beschworen damit größeres Leid herauf als das Leid, deretwegen die Welt ihre Vernichtung verdiente! Andere zogen in die Wüste, bauten eine Gegenwelt auf, wollten Heilige sein im unheiligen Getriebe der Welt. Aber auch sie schickten ihre Sündenböcke in die Wüste, wenn sie es für nötig hielten. Nicht einmal die Opfer lernten hinzu! Nicht einmal sie verweigerten ihre Zustimmung, wenn andere zu Opfern wurden! Und alle an diesem grausamen Spiel Beteiligten brachten gute Gründe vor: Die einen wollten Ruhe und Frieden wahren, die anderen Gerechtigkeit durchsetzen, die dritten die Gebote Gottes erfüllen. Alle hatten Rechtfertigungen. Und alle verfingen sich in der grausamen Logik dieser Welt.

Wieder packte mich ein Ekel über alles. Und es fielen mir erneut Worte aus unseren Schriften ein:

Und wiederum sah ich all die Bedrückungen,
die unter der Sonne geschehen,
sah die Tränen der Unterdrückten fließen,
und niemand tröstete sie;
von der Hand ihrer Bedrücker erlitten sie Gewalt,
und niemand tröstete sie.
Da pries ich die Toten, die längst Gestorbenen:
Glücklicher sind sie als die Lebenden, die jetzt noch leben,
noch glücklicher als beide aber ist der Ungeborene,
der noch nicht geschaut hat das böse Tun,
das unter der Sonne geschieht.
Und ich sah, daß alles Mühen und alles Gelingen
nur Eifersucht des einen gegen den anderen ist.
Auch das ist nichtig und ein Haschen nach Wind.[6]

War das die Wahrheit? Wenn es aber die Wahrheit war, die ganze Wahrheit, warum sollte man bei diesem sinnlosen Spiel mitmachen? Warum nicht streiken? Warum nicht sagen: Ich will dies Leben nicht? Ich entziehe mich ihm freiwillig? Wäre das nicht konsequent, wenn die Toten glücklicher sind als die Lebenden?

Ich schaute meine Hände an und stellte mir vor, wie tote Hände aussehen. Ich tastete über mein Gesicht, um die Formen des toten Schädels zu ahnen, der in mir steckt. Ich versuchte, mir einen kalten und leblosen Körper vorzustellen. Aber wie ich meinen Körper berührte, spürte ich, daß er warm war. Mein Herz pochte regelmäßig. Mein Atem ging ein und aus. Meine Augen sahen den sternfunkelnden Himmel. Meine Ohren hörten die Brandung des Meeres. Meine Nase roch den Geruch von Sand und Salzwasser. Ich sah, hörte, roch. Ich lebte, atmete und fühlte. War es nicht ein Wunder, wenn Staub und Erde leben, denken und fühlen, zweifeln und verzweifeln konnten? Wieviele Prozesse in meinem Körper mußten jetzt aufeinander abgestimmt laufen, damit ich ohne körperlichen Schmerz diesen Augenblick erleben konnte! Und wenn es nur ein vorübergehender Augenblick war – wurde er dadurch wertloser?

Ich dachte an Barabbas: Mußte er nicht vor ähnlichen Gedanken gestanden haben? Was wird aus diesem Körper, der jetzt noch

6 Pred 4,1–4

lebte, aber zur Hinrichtung bestimmt war? Noch einmal hatte er das Leben geschenkt bekommen. War das nicht gut, selbst wenn alles so sinnlos schien, was dazu geführt hatte? War es nicht gut, das Leben immer wieder geschenkt zu bekommen, selbst wenn es einen dunklen Zusammenhang gab mit all den Opfern? Mit all jenen, die wie Jesus von den Konflikten dieser Welt zerrieben werden?

Ich spürte: Mein Leben war ein Stück geliehenes Leben. In mir lebte von allen Menschen etwas fort, von den Glücklichen und den Unglücklichen, von dem frei durch Galiläa ziehenden Jesus und dem gekreuzigten Opfer. Es schien mir eine Verpflichtung, dies Leben zu bewahren. War es nicht Verrat, wenn man es wegwarf? Und wenn mein eigenes Leben geopfert würde, irgendwo in den Kellern der Römer oder den Höhlen des Terrors, würde es nicht weiterleben in all jenen, die sich gegen den Gedanken auflehnten, daß Leben nur auf Kosten anderen Lebens möglich ist? Gab es nicht tief in mir die Ahnung eines Lebens, das nicht gegen die anderen, sondern zusammen mit ihnen zur Erfüllung gelangen konnte? Wo alle, die Glücklichen und die Unglücklichen, so eng zusammengehören würden wie die Glieder eines Körpers? Wo der Traum des Baruch in Erfüllung ging, daß alle alles gemeinsam hatten?

Ich ging schlafen. Im Schlaf träumte ich wieder jenen Traum, der mich so lange verfolgte. Bisher hatte ich nur Bruchstücke von diesem Traum geträumt. Jetzt aber schloß er sich zu einer Einheit zusammen.[7]

Ich stand am Meer. Ein Sturm wühlte das Wasser auf. Schaumbedeckte Fluten überstürzten sich und klatschten tosend auf den Strand. Da löste sich aus dem Chaos eine Gestalt. Umrisse wurden erkennbar. Ein Löwe mit triefender Mähne schritt an den Strand, hob die Tatzen und fauchte: »Mir gehört das Land. Mir – und keinem sonst!« Ich schaute mich um und sah viele Men-

---

7 Dieser Traum ist eine sehr freie Nachdichtung von Daniel 7. Die dort geschilderten vier Tiere werden im Danielbuch auf die Weltreiche der Babylonier, Meder, Perser und Griechen gedeutet. Eine jüdisch-apokalyptische Schrift aus dem Ende des ersten Jahrhunderts – der sogenannte IV. Esra – erzählt diesen Traum neu. Bei ihm endet er mit den Römern.

schen, die sich erschrocken vor dem Tier verkrochen. Einige blieben stehen. Da sprang der Löwe auf sie zu, griff einen heraus und
zermalmte ihn mit seinen Zähnen, so daß sein jämmerliches
Schreien bald verstummte. Sofort fielen die anderen Menschen
nieder und bettelten um Gnade. Triumphierend genoß der Löwe
die Huldigung der Menschen. Jetzt erblickte er eine Menschen-
gruppe, in der nicht alle auf den Knien lagen. Wütend fauchte er
sie an. Zwei von ihnen versuchten zu fliehen, als er sich näherte.
Aber sie wurden eingeholt und getötet. Da hatte er sein Ziel erreicht: Alle lagen vor ihm auf den Knien. Der Löwe richtete sich
auf und brüllte: »Ich bin kein Unmensch! Ich bin kein Unmensch!
Ich schaffe Frieden! Frieden auf Erden!« Dann verschwand sein
Bild.

Und wieder stand ich am tosenden Meer. Aus den heranrollen-
den Wogen erhob sich ein neues Untier: Ein breitschultriger Bär
tappte aus dem Wasser. Er lief auf die Menschen zu und jagte sie
in zwei Gruppen auseinander. Die eine Gruppe erhielt Peitschen,
die andere wurde gefesselt. Die mit der Peitsche begann, die anderen Menschen zur Arbeit zu treiben. Hin und wieder sackte einer der Gefesselten vor Erschöpfung zusammen. Sofort sprang
der Bär heran und fraß ihn auf. Anderen gelang es, ihre Fesseln zu
lösen. Sie versuchten, unbemerkt ins Dickicht zu gelangen. Aber
mit schnellen Schritten war der Bär bei ihnen und tötete sie.
Manchmal verbündeten sich die beiden Menschengruppen, warfen Peitschen und Fesseln weg und versuchten zu fliehen. Aber
der Bär war schneller: Mit wütenden Gesten fuhr er in die Gruppe
hinein und richtete ein Blutbad an. Dann erhob er sich und brüllte: »Ich schaffe Ordnung! Ordnung! Eine Welt voll Ordnung!«

Und wieder stand ich am tosenden Meer. Die Wogen spritzten
in die Höhe, als wollten sie den Himmel überfluten. Ein neues
Ungetüm wurde aus ihnen geboren: Ein Adler tauchte aus dem
Meer. In seinen Krallen hielt er eine runde Kugel. Auf ihr war ein
Kreuz mit abwärts gebogenen Haken. Er breitete die Flügel aus
und überschattete das ganze Land. Die Menschen liefen in Panik
auseinander. Schreiend suchten sie Zuflucht in Höhlen und Gruben. Aber nicht alle fanden Schutz. Einige versuchten zu den anderen in Höhlen und Gruben zu kriechen, wurden aber mit Gewalt zurückgestoßen. Niemand wollte sie aufnehmen. So irrten

sie auf der freien Ebene hilflos hin und her: Frauen, Kinder, Männer, Alte. Nur selten zog jemand einen von ihnen in seinen
Schlupfwinkel und gewährte ihm Schutz. Der Adler aber schwebte lange und drohend über den Umherirrenden, bis sie vor Angst
nicht ein noch aus wußten. Dann ließ er seine Kugel fallen. Ein
mächtiger Knall dröhnte über die Ebene. Schwarzer Rauch verdunkelte den Himmel. Es roch nach Fäulnis und Blut. Als sich der
Rauch verzogen hatte, lag die Ebene voll Leichen und Knochen.
Der Adler kreischte: »Ich schaffe Lebensraum! Raum für das Leben, Leben auf dieser Erde!« Dann löste sich sein Bild in nichts
auf.

Aber noch war der Schrecken nicht zu Ende. Das Meer wütete
und tobte weiter gegen das Land. Sein Aufruhr hielt an. Neue Untiere schoben sich an den Strand. Diesmal waren es zwei riesige
Kraken, die sich gegeneinander lagerten und mit lang ausgreifen-
den Armen die ganze Welt zu umspannen suchten. An den Enden
ihrer Arme waren je zwei Löcher, ein großes und ein kleines, be-
wacht von Aufsehern. Von denen gedrängt, schleppten die Menschen Geld heran und stopften es in die großen Löcher. Die Kraken saugten es gierig an. Durch die kleinen Löcher rollte für die
Aufseher ein wenig Geld zurück. Dafür trieben sie mit Peitschen
die anderen an, die Kraken zu sättigen. Viele Menschen hunger-
ten, viele waren krank, viele nackt, viele irrten in der Fremde um-
her. Mit dem Mut der Verzweiflung griffen die Mißhandelten
manchmal ihre Wächter an. Da sandten die Kraken Schwerter
und Speere an die Aufseher, mit denen sie den alten Zustand wieder herstellten. Viele von den Aufsässigen wurden in Gefängnis-
se gesteckt, viele wurden ermordet. Und die Krakenarme wurden wieder bedient. Hin und wieder kam es auch vor, daß eine
Gruppe von Wächtern durch eine andere Gruppe verdrängt wurde. Dann zog schon mal eine Krake ihre Arme ein, so daß die andere ihre Arme in die entstandene Lücke schieben konnte. Die
beiden Untiere bäumten sich dann gegeneinander auf und
schüchterten sich mit Drohgebärden ein. Sie ließen viele kleine
Ungeheuer aus dem Meer auftauchen. Zuerst wurden lange röh-
renartige Mäuler sichtbar, dann runde Köpfe, die sich auf schwer-
fälligen Rümpfen langsam hin und her drehten. Es waren Drachen oder Riesenschildkröten, die da ans Land krochen. Sie nah-

men in zwei Gruppen Stellung gegeneinander. Jedesmal, wenn die eine Seite durch eine neue Riesenschildkröte verstärkt worden war, zog die andere nach. Immer mehr gepanzerte Ungeheuer standen sich gegenüber. Sie fauchten Feuer. Aus allen Röhren flammte eine rote Lohe. Ein Brand drohte die Erde zu verzehren. Die Menschen, die sich bisher hinter den gepanzerten Ungeheuern verborgen hatten, gerieten in Panik. Kopflos flohen sie in alle Richtungen. Ich erwartete eine große Katastrophe.

Da verhüllte plötzlich Finsternis den Blick. Einen Augenblick sah man weder Meer noch Land. Weder Sterne noch Mond. Weder Bäume noch Sträucher. Die Klagen der Menschen waren verstummt, die Tiere verschwunden. Vom Land her erschien am Himmel ein Glanz. Eine menschenähnliche Gestalt wurde sichtbar. Sie verbreitete um sich ein warmes Licht. In diesem Licht wurde die mißhandelte Erde wieder sichtbar. Ich sah die Tiere aus dem Abgrund. Sie waren tot. Die Kraken hatten ihre Arme eingezogen und waren in sich zusammengesunken. Die gepanzerten Ungeheuer waren verschrottet. Überall erhoben sich die Menschen. Sie atmeten auf. Und schauten erwartungsvoll auf die Gestalt vom Himmel. Noch konnte ich sie nicht erkennen. Doch sie kam mir bekannt vor. Plötzlich durchfuhr es mich: Das war der Mensch, von dem ich in den Kerkern des Pilatus geträumt hatte: Er, der mich schon einmal im Traum aus den Klauen des Tieres befreit hatte. Und es fiel mir wie Schuppen von den Augen, als ich seine Stimme hörte:

Selig sind die Friedensstifter,
denn sie werden Söhne Gottes genannt werden.
Kommt her, ihr Gesegneten meines Vaters,
Ererbt das Reich!
Denn ich war hungrig, und ihr habt mir zu essen gegeben;
ich war durstig, und ihr habt mich getränkt;
ich war fremd, und ihr habt mich beherbergt;
ich war nackt, und ihr habt mich bekleidet;
ich war krank, und ihr habt mich besucht;
ich war im Gefängnis, und ihr seid zu mir gekommen.[8]

8 Mt 5,9 und 25,34–36

Es war Jesus, ein verwandelter Jesus. Ich hatte ihn nur einmal gesehen – von der Stadtmauer in Jerusalem aus. Damals hing er tot
am Kreuz. Jetzt aber strahlte er Leben aus, Frieden und Freiheit.
Die Herrschaft der Tiere war zu Ende! Ich wachte auf, beglückt
und verwirrt.

Ich erhob mich von meinem Bett, trat ins Freie und sah vom
Obergeschoß unseres Hauses aufs Meer. Hinter einem weißen
Streifen Sand breitete sich intensiver werdende Dunkelheit nach
Westen aus, jene Dunkelheit, aus der die wirren Träume gestie-
gen waren. Jetzt lag sie ruhig und entspannt da. Kein Ungeheuer
kroch ans Land. Kein Sturm zerwühlte die Oberfläche des Meeres. Kein Aufruhr brauste gegen den Strand. Etwas anderes geschah. Vom Land her verstärkte sich das Licht. Wo Himmel und
Meer ineinandergeglitten waren, deutete sich der Horizont als
blasser Streifen an, farbige Schatten schwebten der unsichtbaren
Sonne im Osten entgegen. Strahlen brachen aus der Tiefe des
Landes hervor. Und da erschien die Sonne über den Hügeln und
übersprühte das Meer mit funkelndem Licht. Die Stadt reflektier-
te scheu die erste Helligkeit. Immer klarer hoben sich die Gebäu-
de aus dem Dämmer der Gassen: Tempel und Synagoge, die Häuser der Juden und Heiden – alles wurde in das erwachende Licht
getaucht. Die Sonne ging auf über Guten und Bösen, Gerechten
und Ungerechten. In mir wurde es hell und warm.

Überwunden waren die chaotischen Ungeheuer der Nacht.
Vergangen war die Angst vor der Härte des Lebens. In mir hatte
die Herrschaft der Tiere ein Ende gefunden. Mir war der wahre
Mensch erschienen. Und ich hatte in ihm die Züge Jesu erkannt.
Er hatte mich der Erde wiedergegeben. Sie war nicht besser ge-
worden seit gestern. Wie gestern würde auch heute der Kampf
um Lebenschancen auf ihr weitergehen. Aber er war nicht alles.
Dieser Kampf mußte nicht all mein Tun und Sinnen beherrschen.
Ich schloß einen neuen Bund mit dem Leben.

Ich spürte deutlich, wie mich von allen Dingen her eine Stimme erreichte, die mir dies Bündnis mit dem Leben anbot: Nie
mehr würde ich die Erde verwünschen, nie mehr das Leben ver-
neinen! Nie mehr würde ich mich von den Tieren des Abgrunds
überwältigen lassen! Ich hörte die Stimme, und sie war eins mit
der Stimme Jesu. Ich hatte die Gewißheit: Wohin ich auch gehe,

überall würde sie mich begleiten. Nirgends könnte ich mich ihr
entziehen. Und ich antwortete und betete:

Gott,
du hast mich erforscht und du kennst mich.
Ob ich sitze oder stehe, du weißt von mir.
Von fern erkennst du meine Gedanken.
Ob ich gehe oder ruhe, es ist dir bekannt;
du bist vertraut mit all meinen Wegen.
Noch liegt mir das Wort nicht auf der Zunge –
du, Gott, kennst es bereits.
Du umschließt mich von allen Seiten
und legst deine Hand auf mich.
Zu wunderbar ist für mich dieses Wissen,
zu hoch, ich kann es nicht begreifen.
Wohin könnte ich fliehen vor deinem Geist,
wohin mich vor deinem Angesicht flüchten?
Steige ich hinauf in den Himmel, so bist du dort;
bette ich mich in der Unterwelt, bist du zugegen.
Nehme ich die Flügel des Morgenrots
und lasse mich nieder am äußersten Meer,
auch dort wird deine Hand mich ergreifen
und deine Rechte mich fassen.
Würde ich sagen: ›Finsternis soll mich bedecken,
statt Licht soll Nacht mich umgeben‹,
auch die Finsternis wäre für dich nicht finster,
die Nacht würde leuchten wie der Tag,
die Finsternis wäre wie Licht.
Denn du hast mein Inneres geschaffen,
mich gewoben im Schoß meiner Mutter.
Ich danke dir, daß du mich so wunderbar gestaltet hast.
Ich weiß: Wunderbar sind deine Werke.[9]

Lange stand ich so auf unserem Haus und ließ den Traum vom
Menschen in mir nachklingen. Die Herrschaft der Tiere konnte

---

9 Ps 139,1–14 (nach der ökumenischen Einheitsübersetzung).

nicht ewig dauern. Irgendwann mußte der Mensch erscheinen –
der wahre Mensch. Und alle würden in ihm die Züge Jesu erkennen.

Dann ging ich ins Unterzimmer und weckte Baruch. Wir aßen
gemeinsam das Frühstück, teilten das Brot, tranken aus demselben Kelch und freuten uns, daß wir zusammen waren.

Anstatt eines Nachwortes

Sehr geehrter Herr Kratzinger,

Sie fragen nach Abschluß des Buches, ob ich Ihnen ein paar Literaturhinweise geben könnte. Sie sind neugierig, von welcher wissenschaftlichen Literatur mein Bild von Jesus und seiner Zeit abhängig ist. Ich möchte nur die wichtigsten Titel nennen.

Die beste Jesusdarstellung ist m.E. nach wie vor *G. Bornkamm:* Jesus von Nazareth, Stuttgart [12]1980. Sehr wichtig war für mich das Buch von *E. P. Sanders:* Jesus and Judaism, Philadelphia 1985. Aus ihm habe ich sehr viel gelernt. Eine gute zusammenfassende Darstellung des antiken Judentums, in der Religions- und Sozialgeschichte verbunden sind, ist *B. Otzen:* Den antike jødedom, Kopenhagen 1984. Für die Zeitgeschichte Palästinas sind die Arbeiten von *M. Hengel* unersetzlich. Ich denke besonders an das Buch über »Die Zeloten«, Leiden/Köln 1961, [2]1976 und das umfangreiche Werk über »Judentum und Hellenismus«, Tübingen 1969, [2]1973. Daß viele Überlegungen aus meinen sozialgeschichtlichen Arbeiten zur Jesusbewegung und zum Urchristentum in diesem Buch ihren Niederschlag gefunden haben, ist Ihnen gewiß nicht entgangen – wie ich überhaupt sehr viel von den sozialgeschichtlichen Forschungen meiner Kolleginnen und Kollegen gelernt habe.

Zu danken habe ich aber auch den vielen Lesern, die erste Entwürfe meines Jesusbuches kritisch gelesen haben: Daniel Burchard, Gerhard und Ulrike Rau, Elisabeth und Katharina Seebaß, Gunnar und Oliver Theißen, vor allem meiner Frau. Wega Schmidt-Thomée hat das Manuskript mehrfach geschrieben und kritisch kommentiert. David Trobisch hat viele wertvolle stilistische und erzählerische Verbesserungen vorgeschlagen.

Natürlich muß ich auch Ihnen, lieber Herr Kratzinger,

danken. Sie haben während der Zeit der Niederschrift meine erzählerische Phantasie immer wieder mit dem strengen Wissenschaftsethos historisch-kritischer Forschung konfrontiert. Sie haben unablässig darauf insistiert, Historisches und Erfundenes, Dichtung und Wahrheit nicht zu vermengen. Es ist wohl in Ihrem Sinne, wenn ich am Ende dem Leser verrate, daß auch Sie ein Geschöpf meiner Phantasie sind – und ein gutes Beispiel dafür, daß fiktive Gestalten Wahrheit verkörpern können.

Leben Sie wohl!
Ihr
Gerd Theißen

Anhang

Die wichtigsten Quellen zu Jesus und seiner Zeit

1. Die Evangelien und ihre Quellen

a) Das *Markusevangelium* ist das älteste Evangelium. Es diente Mt und Lk als Vorlage. Entstanden ist es nach Beginn oder kurz nach Ende des Jüdischen Krieges (66–70 n.Chr.), denn es kombiniert die Weissagung der Zerstörung des Tempels mit Weissagungen von Kriegsereignissen in 13,1ff. Sein Entstehungsort ist umstritten. Die altkirchliche Tradition läßt es in Rom entstanden sein. Es stammt m.E. eher aus Syrien, und zwar aus jenem Christentum, von dem auch Paulus abhängig ist. Es vertritt wie Paulus die Reinheit aller Speisen (7,18ff), zitiert vergleichbare Einsetzungsworte zum Abendmahl (14,22–24), bezeichnet wie Paulus (in deutlicher Übernahme eines vorgegebenen Sprachgebrauchs) die Botschaft als »euaggelion« (1,1), ist aber theologisch unabhängig von Paulus. Es wird aus Gemeinden stammen, in denen »Johannes Markos« so angesehen war, daß ihm ein Evangelium zugeschrieben werden konnte, obwohl er nicht Apostel war. Johannes Markos war vor allem im Osten tätig (vgl. Apg 12,12; 12,25; 13,5) und gehört zusammen mit Barnabas zu jenem Christentum, von dem Paulus ausging, von dem Paulus sich aber trennte (vgl. Apg 15,37; Gal 2,11ff). Die Gemeinde des MkEv muß einen großen Anteil von Heidenchristen gehabt haben: Jüdische Bräuche werden erklärt (7,3); ein heidnischer Hauptmann spricht als erster ein Bekenntnis zum »Sohn Gottes« (15,39).

b) Die *Logienquelle* (= Spruchquelle; abgekürzt Q) wurde aus dem Mt- und Lk-Evangelium rekonstruiert. Diese beiden Evangelien bringen über den ihnen gemeinsamen Markusstoff hinaus eine Reihe von Jesusworten, die in Wortlaut und Reihenfolge so auffällig übereinstimmen, daß man eine gemeinsame schriftliche Vorlage oder eine unwahrscheinlich fest geprägte gemeinsame mündliche Tradition annehmen muß. Ersteres ist m.E. wahr-

scheinlicher. Da der sprachliche Hintergrund der Worte aramäisch ist, dürfte die Quelle im aramäisch-sprachigen syrisch-palä-
stinischen Raum entstanden sein. Sie spiegelt einen Zustand wider, in dem sich das Christentum noch nicht aus dem Judentum
herausgelöst hatte. Alle Worte lassen sich an Israel gerichtet verstehen. Diese Sammlung von Jesusworten ist vor dem Jüdischen
Krieg entstanden. Man erwartet das Kommen Jesu als Menschensohn in einer friedlichen Welt (Lk 17,26ff). Anstatt einer Zerstörung des Tempels wird geweissagt, er werde (von Gott) »verlassen
werden« (Lk 13,34f; Mt 23,37ff). Andererseits setzt die Versu-
chungsgeschichte, die – zusammen mit der Geschichte vom
Hauptmann von Kapernaum – die einzige Erzählung in Q ist, die
Selbstvergottung des Gaius Caligula (37–41 n.Chr.) voraus: Er ist
der widergöttliche Herrscher der Welt, der den Fußfall forderte.
Die Logienquelle dürfte zwischen 40 und 65 n.Chr. entstanden
sein. Da die seit dem Apostelkonzil ca. 46/48 n.Chr. offiziell aner-
kannte Heidenmission noch nicht im Blick ist, wäre eine Datie-
rung in den Anfang dieses Zeitraums möglich.

c) Das *Matthäusevangelium* ist ziemlich sicher in Syrien entstanden. Es läßt den Ruf Jesu bis nach »Syrien« dringen (4,24). Der
Verfasser scheint von (Nord?-)Osten auf Palästina zu blicken: Judäa liegt für ihn »jenseits des Jordans« (19,1). Der Tempel ist zerstört, wie der matthäische Einschub in 22,7 in das Gleichnis vom
großen Abendmahl zeigt. Das Evangelium ist nach dem MkEv
entstanden, muß aber um 110 in Antiochien (in Syrien) in Gebrauch gewesen sein: Der aus Antiochien stammende Bischof Ig-
natius zitiert aus ihm. Es dürfte also zwischen 80 und 100 entstanden sein. Der Evangelist schreibt für eine Gemeinde mit ju-
denchristlicher Tradition. Manche Stücke, die er über Mk und Q
hinaus bringt (sein »Sondergut«) sind judenchristlich geprägt. In
Mt 5,17–19 wird z.B. die ewige Gültigkeit der Thora festgestellt.
Diese judenchristlichen Gemeinden haben sich der Heidenmission geöffnet, ohne wie Paulus diesen Weg durch Kritik an der
Thora zu gehen. Die Öffnung für die Heiden spiegelt sich im Auf-
bau des Buches: Jesus lehnt zu Lebzeiten die Heidenmission ab
(10,6), als Auferstandener schickt er die Jünger zu allen Völkern
(Mt 28,18ff). Der Apostel Matthäus kann kaum der Verfasser sein.
Er müßte sehr alt geworden sein. Erst als mehrere Evangelien vor-

lagen, hat man wahrscheinlich die Evangelien zur Unterscheidung verschiedenen Verfassern zugeschrieben. In den Kreisen, in denen das geschah, war das MtEv unter den synoptischen Evangelien (Mt, Mk, Lk) das beliebteste. Nur dieses Evangelium wurde neben dem Johannesevangelium einem Apostel zugeschrieben.

d) Das *Lukasevangelium* stammt kaum aus dem Osten. Für den Verfasser ist der heiße Wüstenwind nicht wie in Palästina der »Ostwind«, sondern der »Südwind« – wie in allen Mittelmeergebieten westlich Palästinas (vgl. Lk 12,55). Wahrscheinlich ist der Verf. viel gereist. Ein Reisebericht in der Apostelgeschichte im Wir-Stil beginnt in Kleinasien (16,11ff) und führt über Jerusalem nach Rom. Der Verf. kennt den Tempel erstaunlich gut. Er dürfte einmal, von Cäsarea kommend (und Samarien durchquerend), nach Jerusalem gereist sein. So würde sein positives Verhältnis zu Samarien erklärbar (vgl. 9,51ff; 10,30ff; 17,11ff). Daß er Begleiter des Paulus war, ist angesichts seines Paulusbildes schwer vorstellbar, aber nicht völlig unmöglich. Die Entstehungszeit ist umstritten. Sicher ist, daß er die Zerstörung Jerusalems kennt. Sie wird in Lk 21,20–24 detaillierter als in allen anderen Evangelien geweissagt. Der Verfasser ist vom Schicksal der Stadt tief betroffen: Bei ihm weint Jesus über Jerusalem (19,41) und er fordert die Frauen von Jerusalem auf, über ihr Geschick zu weinen (23,27ff). Das weist auf keinen allzu großen Abstand vom Jahr 70 n.Chr. Es wird im selben Zeitraum wie das MtEv entstanden sein (80–100 n.Chr.). Während das MtEv ein Judenchristentum repräsentiert, das sich für die Heiden geöffnet hat, ist das LkEv eine Schrift für heidenchristliche Gemeinden, die an ihren jüdischen Ursprung erinnert werden.

e) Die *vorsynoptischen Traditionen* (= als synoptisch werden die drei ersten Evangelien bezeichnet): Lk 1,1–3 und der kleinasiatische Bischof Papias (Anfang des 2. Jhs.) bezeugen die Existenz mündlicher Jesusüberlieferung. Die Evangelien haben diese mündliche Tradition schriftlich fixiert, sofern sie nicht auf schriftliche Quellen (Mk; Q) zurückgriffen. Jede dieser Traditionen ist für sich auf Alter, Herkunft und Interesse zu untersuchen. Im folgenden seien einige Argumente dafür genannt, warum wir den Jesusüberlieferungen einen historischen Hintergrund nicht absprechen können.

aa) Zur Lokalisierbarkeit von Jesustraditionen: Viele Überlieferungen von Jesus sind in palästinischem Milieu geprägt. Als Bei-
spiele für palästinisches Lokalkolorit sei genannt: Von einem
»Täufer in der Wüste« (Mk 1,5) kann man nur sprechen, wenn man
weiß, daß der Jordan unmittelbar durch die Wüste fließt. Ansonsten ist schwer vorstellbar, wie man in der »Wüste« taufen kann!
Die Geschichte von der syrophönikischen Frau setzt Kenntnis
der Verhältnisse im galiläisch-tyrischen Grenzland voraus: Das
schroffe Wort von den Hunden (= Heiden), denen man nicht das
Brot der Kinder (= Juden) vorwerfen soll (Mk 7,27), wird verständli-
cher, wenn man weiß, daß die Juden Galiläas die Brotlieferanten
des reichen Tyros waren.

bb) Zur Datierbarkeit von Jesustraditionen: Viele Jesustraditionen lassen sich über die ältesten erreichbaren schriftlichen Quellen hinaus zurückdatieren. Das Wort vom »schwankenden Rohr«
(Mt 11,7) dürfte eine Münzprägung des Herodes Antipas aus dem
Jahr 19/20 n.Chr. voraussetzen, die er später nie erneuert hat. Die
markinische Passionsgeschichte setzt Hörer voraus, die genau
wissen: Wer war Alexander und Rufus (Mk 15,21)? Wie waren die
Familienverhältnisse der zweiten in Mk 15,40 genannten Maria?
Wird sie als Mutter von Jakobus und Joses vorgestellt? Oder nur
als Mutter des Jakobus? Welcher war »der« Aufruhr, bei dem Barabbas gefangengenommen wurde (Mk 15,6)?

cc) Die Tradenten der Jesusworte waren z.T. wandernde Missio-
nare und Prediger, die den heimatlosen Lebensstil Jesu fortsetz-
ten. Sie haben uns die radikalen Gebote Jesu in seinem Geist erhalten: Nur heimat-, besitz- und familienlose Wanderprediger
wie Jesus selbst konnten sie glaubhaft vertreten und überliefern,
ohne sie an die Notwendigkeiten eines »bürgerlichen« Lebens an-
passen zu müssen! Die Bedürfnisse der Ortsgemeinden haben andererseits viel weniger die Jesusüberlieferungen geprägt, als man
annehmen könnte: Nirgendwo werden ortsansässige Autoritäten (Presbyter, Episkopen und Diakone) durch ein Jesuswort legi-
timiert! Nirgendwo wird in Worten des irdischen Jesus die Taufe
als »Eintrittsritus« in die Gemeinde gefordert! Nirgendwo wird
die Beschneidung als Eintrittsbedingung für Heiden abgelehnt!

dd) Die innere Übereinstimmung der Jesusüberlieferung! Wir
dürfen annehmen, daß die Jesustraditionen aus Q und Mk, aus

dem matthäischen und lukanischen Sondergut sowie aus dem Thomasevangelium aus verschiedenen Traditionskanälen stammen. Trotzdem ergeben sie ein einheitliches Bild. Das gilt auch für die Formensprache Jesu. Da wir in jeder synoptischen Form von Jesusworten meist ein oder mehrere Worte als »authentisch« nachweisen können, sind wir ziemlich sicher, daß die Formensprache der Wortüberlieferung von Jesus benutzt wurde, daß er also in Mahnworten, Sprichwörtern, Seligpreisungen, Weherufen und Gleichnissen (usw.) gesprochen hat. Nirgendwo sonst gibt es diese Verbindung von Weisheitsworten, Poesie und Prophetie. Sie ist charakteristisch und ergibt ein stimmiges Ganzes.

f) Das *Johannesevangelium* weicht im Stil der Reden Jesu, aber auch in der Darstellung seines Wirkens so stark von den drei anderen Evangelien ab, daß wir hier nicht das allgemein verbreitete Jesusbild vor uns haben, sondern das stark stilisierte Bild eines Sonderkreises. Synoptische Erzählungen werden z.B. als bekannt vorausgesetzt (z.B. von der Haft des Täufers 3,24 oder von der Erwählung der Zwölf 6,70), möglicherweise sogar ganze Evangelien (das LkEv?). Der am Anfang und Ende des Evangeliums sich meldende »Wir-Kreis« (1,14ff; 21,24) will die Gemeinde zu einem vertieften Verständnis Jesu hinführen: Er wird als präexistenter Gesandter gesehen, der vom Vater kommt und zu ihm zurückkehrt. Entstanden ist das JohEv um die Wende vom 1. zum 2. Jahrhundert. In der ersten Hälfte des 2. Jhs. war es schon in Ägypten bekannt, wie ein Papyrus zeigt (P 52). Der Tod des Petrus (64 n.Chr.) wird vorausgesetzt (vgl. 21,18f). Petrus wurde lange von einem »Jünger« überlebt, von dem das Gerücht ging, er werde nicht sterben, bevor nicht Jesus wiederkäme. Aber auch er starb (21,20–23). All das weist auf das Ende des 1. Jahrhunderts. Kaum feststellbar ist der Entstehungsort: Die altkirchliche Überlieferung nennt Ephesus. Aber es ist kaum vorstellbar, daß man in dieser Küstenstadt vom kleinen galiläischen »See« als »Meer« sprechen könnte (Joh 6,16ff; 21,1ff). So tippen denn viele auf Syrien als Entstehungsgebiet. Wegen der positiven Aufnahme der Botschaft in Samarien könnte es einen Zusammenhang mit der Samarienmission geben. Aber das gehört in die Vorgeschichte des JohEv.

2. Josephus

Josephus ist die wichtigste Quelle für die Zeitgeschichte Palästinas. Er wurde 37/38 in Jerusalem geboren, war 64–66 in Rom, leitete nach seiner Rückkehr als Militärgouverneur von Galiläa den jüdischen Aufstand im Norden Palästinas und geriet dabei 67 in römische Gefangenschaft. Er wurde schonend behandelt, da er dem römischen General Vespasian die Kaiserwürde weissagte. Als Vespasian dann wirklich Kaiser wurde, erhielt er seine Freiheit wieder. Seine wichtigsten Schriften sind:

a) *»de bello Judaico«* (= bell.) oder »Über den jüdischen Krieg«, eine 73 zuerst veröffentlichte Geschichte des jüdischen Aufstandes 66–70 n.Chr., die auch eine Darstellung der jüdischen Geschichte vom 2. Jahrhundert v.Chr. an enthält. Das Buch soll demonstrieren, daß es sinnlos ist, sich der römischen Weltherrschaft entgegenzusetzen. Im bellum Judaicum wird Pilatus, nicht aber Jesus erwähnt. Das Schweigen über Jesus und die Christen ist verständlich: Die Christen waren erst 66 n.Chr. in Rom wegen angeblicher Brandstiftung verfolgt worden. Außerdem schweigt Josephus weitgehend über die messianischen Bewegungen in Palästina.

b) Die *antiquitates Judaicae* (= ant.) oder »Die Jüdischen Altertümer« sind eine in den 90er Jahren des 1. Jahrhunderts n.Chr. erschienene Geschichte der Juden, die mit der Schöpfung beginnt und vor dem Jüdischen Krieg endet. Ein Abschnitt über Jesus (ant 18,63f) ist entweder von den christlichen Abschreibern des Josephus eingeschoben oder (was mir wahrscheinlicher ist) christlich überarbeitet worden. Josephus erwähnt in ant 20,200 »Jakobus, den Bruder Jesu, des sogenannten Christus«, der 62 n.Chr. in Jerusalem hingerichtet wurde. Dies ist eine ganz unverdächtige Erwähnung Jesu und um so zuverlässiger, als Josephus als Jerusalemer die Hinrichtung des Jakobus zuverlässig bezeugen kann.

c) Die *vita* oder »Die Lebensgeschichte des Josephus« enthält nur einen knappen Abriß über die Jugend des Josephus und berichtet vor allem von der Tätigkeit des Josephus als Militärgouverneur von Galiläa im Jüdischen Krieg. Er verteidigt sich dabei gegen Vorwürfe. Diese Schrift ist deshalb so interessant, weil wir aus erster Hand Nachrichten über Galiläa im 1. Jahrhundert n.Chr. erhalten. Zwar stammen diese Nachrichten aus einer Zeit 40 Jahre nach Jesu Tod. Viele allgemeine Sachverhalte werden aber schon für Jesu Zeit Geltung besessen haben.

d) Die Schrift *contra Apionem* (gegen Apion) verteidigt das Judentum gegen Angriffe, die ein Schriftsteller namens Apion verbreitet hat.

Der historische Quellenwert des Josephus ist verschieden, je nachdem welche Quellen ihm zur Verfügung standen. Wo er Augenzeuge und Zeitgenosse war, berichtet er oft aus erster Hand. Viele seiner Angaben sind durch Ausgrabungen (z.B. von Masada) bestätigt worden. Für die Zeit vor ihm ist er natürlich auf Quellen angewiesen. Besonders die *antiquitates* enthalten wertvolle Berichte über Konflikte zur Zeit des Pilatus, die mit anderen Quellen über Pilatus (Philo, Neues Testament, Münzen und eine Inschrift) gut zusammenpassen. Man muß bei Josephus aber immer mit einer prorömischen Absicht rechnen (im *bellum* stärker als in den *antiquitates*). Da Josephus spannend erzählt, kann man seine Lektüre empfehlen. Seine Werke sind der beste Kommentar zu den synoptischen Evangelien.

3. Philo

Philo war ein hochgebildeter jüdischer Theologe und Philosoph, der in Alexandrien von ca. 15/10 v.Chr. bis nach 40 n.Chr. lebte. Er schrieb tiefsinnige Auslegungen des Alten Testaments, in denen er philosophische Einsichten der Antike in die Bibel hineininterpretierte. Aber er war auch als Politiker tätig: Er leitete eine Gesandtschaft der alexandrinischen Juden an den Kaiser Gaius Caligula im Jahre 40 n.Chr., um antisemitischen Ausschreitungen in Alexandrien entgegenzuwirken. Über diese Gesandtschaft hat er eine hochinteressante Schrift verfaßt, die *Legatio ad Gaium* (Gesandtschaft an Gaius). Wir verdanken Philo neben Nachrichten über die Essener auch eine wichtige Notiz über Pilatus. Er erwähnt Jesus nicht, wohl aber ungerechtfertigte Hinrichtungen unter Pilatus (zu denen er wohl auch die Hinrichtung Jesu gezählt haben würde, falls er von ihr wußte). Sein Schweigen über Jesus sagt nicht viel: Er schweigt z.B. auch über Johannes den Täufer.

4. Die Qumranschriften

1947 wurden in Höhlen am Toten Meer antike Schriftrollen gefunden, die aus einer später ausgegrabenen Siedlung bei Qumran stammen. Es handelt sich dabei um eine Siedlung der sogenannten »Essener« (wahrscheinlich = »Fromme«), die dort in der Wüste eine mönchsartige Gemeinde bildeten. Die Schriften werden nach den durchnumerierten Höhlen, mit dem Buchstaben Q (= Qumran) und den Anfangsbuchstaben ihrer Namen zitiert:

a) 1QS ist die in der 1. Höhle gefundene Sektenregel der Qumrangemeinde mit strengen Vorschriften über Aufnahme in die Gemeinde, verschiedene Strafen bis hin zum Ausschluß. Die Qumrangemeinde faßte sich als »Tempel« Gottes auf. Man wollte immer so heilig sein, als wäre man ständig im Tempel in der unmittelbaren Nähe Gottes.

b) 1QM ist die in der 1. Höhle gefundene Kriegsrolle (von milchamah = Krieg). Sie schildert den Traum von einem großen Krieg, bei dem die Qumranleute von Gott und seinen Engeln unterstützt gegen die Römer und den Satan kämpfen werden.

c) CD (= Cairo Documents) bezeichnet die sogenannte Damaskusschrift, die schon vor den Qumranfunden in einer Kairoer Synagoge entdeckt worden war. Sie enthält vor allem Lebensregeln für Essener, die nicht in Qumran lebten und nicht ganz so strengen Gesetzen unterworfen waren.

d) 1QpHab ist eine in der 1. Höhle gefundene Auslegung des Propheten Habakuk (»p« bedeutet »pescher« = Auslegung). Aus dem Habakukkommentar erfahren wir etwas von dem Lehrer der Gerechtigkeit, der im 2. Jahrhundert v.Chr. die Qumrangemeinde gegründet hat.

Die Qumranschriften erwähnen Jesus und die Christen nirgendwo (genausowenig wie z.B. Herodes und seine Söhne oder Pilatus). Sie sind für die Jesusforschung aber als Kontrast zur Verkündigung Jesu wichtig: Wie in Qumran verschärft auch Jesus manche jüdischen Gebote, aber er verbindet diese Verschärfung mit einer Predigt von der Gnade Gottes, die sich gerade dem Sünder zuwendet. In den Qumranschriften begegnet uns dagegen eine konsequente Gesetzesstrenge.

4. Tacitus

Der römische Historiker Tacitus wurde ca. 55/56 geboren und lebte bis ins 2. Jahrhundert hinein. In seinen *Historien* berichtet er auch über den jüdischen Aufstand. Seine allgemeinen Bemerkungen über die Juden sind sehr wichtig für die Beurteilung der Juden im 1. Jahrhundert. In den *Annalen* berichtet er über die »Christianer« anläßlich des Brandes von Rom im Jahre 66 n.Chr.: »Der Mann, von dem sich dieser Name herleitet, Christus, war unter der Herrschaft des Tiberius auf Veranlassung des Prokurators Pontius Pilatus hingerichtet worden; und für den Augenblick unterdrückt, brach der unheilvolle Aberglaube wieder hervor, nicht nur in Judäa, dem Ursprungsland dieses Übels, sondern auch in Rom, wo aus der ganzen Welt alle Greuel und Scheußlichkeiten zusammenströmen und gefeiert werden« (ann. XV, 44,3).

Buchveröffentlichungen des Verfassers

Untersuchungen zum Hebräerbrief 1969

Urchristliche Wundergeschichten 1974
engl. 1983

Soziologie der Jesusbewegung 1977, ⁵1988
engl., franz. 1978, ital., span., dän. 1979; korean., jap. 1981

Argumente für einen kritischen Glauben oder:
Was hält der Religionskritik stand? 1978, ³1988
engl. 1979 jap. 1983

Studien zur Soziologie des Urchristentums 1979, ²1983
engl. 1982; span. 1985; korean. 1986; port. 1987.

Psychologische Aspekte paulinischer Theologie 1983
engl. 1987

Biblischer Glaube in evolutionärer Sicht 1984
engl. 1984; ital., span. in Vorbereitung

Zeichnung: Ilse Eckart, Berlin

Klaus Wengst

Pax Romana

Anspruch und Wirklichkeit. Erfahrungen und Wahrnehmungen
des Friedens bei Jesus und im Urchristentum.

292 Seiten, kartoniert

ISBN 3-459-01638-8

Dem Bochumer Neutestamentler Klaus Wengst gebührt das Verdienst, von einem sozialgeschichtlichen Ansatz her die Komple-
xität des neutestamentlichen Friedenszeugnisses so profund wie
gut lesbar darzustellen. Der rund einhundert Seiten starke wissenschaftliche Anmerkungsteil steht am Schluß des Buches, so
daß sein Textteil auch für theologisch interessierte Laien lesbar
bleibt. Sie waren auch die ersten Adressaten dieser Ausführun-
gen, die aus Gemeindevorträgen erwachsen sind.

Der Autor entfaltet die Wirklichkeit des von Rom ausgehenden
Friedens in seinen verschiedenen Aspekten; er geht den Erfahrungen Jesu und der frühen Christen mit der Pax Romana nach
und erörtert schließlich, wie mit der Verschiedenheit urchristli-
cher Stellungnahmen zum Frieden heute umzugehen ist.

»Unmöglich, das Buch zu lesen, ohne heutige Fragen der Frie-
densproblematik einzubeziehen, auch die Frage, wo sich die un-
terschiedlichen kirchlich-politischen Prioritäten herleiten, wie
sie zu gewichten sind angesichts einer Perspektive, die sich am
Bekenntnis ›Er ist unser Friede‹ orientiert. Ein herausforderndes
Buch, dessen Fragestellung sich der Leser nicht entziehen kann!«
epd

Ein Buch aus dem Chr. Kaiser Verlag, München